경혈MAP

제 2 판 일러스트로 배우는
正穴 · 奇穴 · 耳穴 · 頭鍼穴位

王 曉明 지음
임윤경, 이 찬, 이현진 옮김

군자출판사

저 자	역 자
王 曉明 의학박사	**임윤경**
	대전대학교 한의학과 경락경혈학 교수

王 曉明 의학박사

1982년 중국 랴오닝성(遼寧)중의약대학 중의학부 졸업.

1983년 중국 랴오닝성(遼寧)중의약대학 침구학부 조수, 강사.

1991년 동대학대학원 침구식사과정, 중의기초이론
박사과정을 수료, 의학박사.

2004년 스즈카(鈴鹿)의료과학대학 준교수.

2008년 스즈카(鈴鹿)의료과학대학 교수

2011년 제경평성(帝京平成大)대학 휴먼케어학부 침구학과교수.
현재 제경평성(帝京平成大)대학 휴먼케어학부 침구학과교수.
중국 랴오닝성(遼寧)중의약대학 객원교수.

경혈 MAP

첫째판 1쇄 발행 | 2005년 6월 30일
둘째판 1쇄 발행 | 2015년 7월 15일
둘째판 2쇄 발행 | 2024년 7월 5일

지 은 이 王 曉明
옮 긴 이 임윤경
발 행 인 장주연
편집디자인 군자편집부
표지디자인 군자표지부
발 행 처 군자출판사(주)
　　　　　등록 제4-139호(1991. 6. 24)
　　　　　본사 (10881) **파주출판단지** 경기도 파주시 회동길 338(서패동 474-1)
　　　　　전화 (031) 943-1888　　　팩스 (031) 955-9545
　　　　　홈페이지 | www.koonja.co.kr

カラー版 経穴マップ 第2版 イラストで学ぶ十四経穴・奇穴・耳穴・頭鍼
王 曉明 著
医歯薬出版株式会社 (東京) , 2013

Title of the original Japanese language edition:

Illustrated Atlas of Acupuncture's Meridian Points

Points of the 14 Meridians/Peculiar Points/Ear Acupuncture/Scalp Acupuncture. 2/e.

Author: WANG, Xiaoming

© Ishiyaku Publishers, Inc. TOKYO, JAPAN, 2004, 2013.

ISBN 978-89-6278-996-6

정가 70,000원

불새
− 제2판의 서문을 대신하여 −

전승·전통의학 중에는 고금을 막론하고, 침구의학만큼 시공을 초월하여 세계 여러 나라, 지역문명에 융합하여, 전인적인 헬스케어로 애용되고 있는 것은 없을 것이다.

2006년 10월 9개국 2조직이 참가하여, WHO경혈부위국제표준화에 관한 회의가 츠쿠바국제회의장에서 개최되어, 361혈의 위치를 합의하였다. 2009년 이래, 《WHO/WPRO 표준경혈부위》가 각국에서 잇달아 간행되고, 일본에서도 침구교육을 위해서 교과서《신판 경락경혈개론》이 출판되었다.

침구의학은 불새이다! 새로 스타트라인을 끊고 시공을 향하여 날개치며, evidence에 근거하여 침구의 교육·연구 및 임상에 한층 더 발전을 이루고 있다.

제2판에서는 칼라·일러스트에 WHO/WPRO 표준경혈부위를 네비게이션하였다. 고전 14경맥경혈을 종축으로, 현대의학의 체표해부표식을 횡축으로 하여 WHO/WPRO 표준경혈부위를 스캔하고 있다. 개정에서는 칼럼「경혈쟁명(經穴爭鳴)」을 생략하였다.

필자의 일본문화에 대한 편애이지만, 초판과 마찬가지로, 동해도오십삼차(東海道五十三次)를 각장·절에 스케치하였다. 일본교(日本橋)를 스타트라인으로 하여, 경혈의 여행을 점차 더듬어가며, WHO/WPRO 표준경혈부위를 이해해 주기 바란다. 그 중간 중간에, 차를 한잔 마실 수 있도록「경혈춘추(經穴春秋)」로 시선을 돌려서, 경혈의 유래 등을 즐겨보는 것은 어떨까.

경혈MAP을 개정하려고 생각한 것은 독자에 대한 감사 때문이다. 2004년에 초판출판부터 작년까지 증쇄가 10회에 이르고, 일본판에 추가하여, 한국판, 대만판으로 번역되었다. 나는 이 졸작에 얼굴이 부끄러워 식은땀을 흘리면서도, 독자들로부터 기탄 없는 의견, 조언, 격려가 많은 점에 감동하여, 이 자리를 빌려 독자들의 애독에 진심으로 감사드리는 바이다.

선천적으로 태만과 지필(遲筆)인 나는, 은사 森和선생님으로부터 지도·편달을 받았다. 또 개인적인 일이지만, 때로 붓을 던지고 싶었던 밤에, 처 丹紅의 조언과 한잔의 따스한 차로, 본서에 대한 집필을 계속할 수 있었다. 저자와 독자 사이에 있는 출판사의 역할에 관해서는 말할 것도 없다. 의치약출판주식회사의 竹內 大씨의 철저하고 끊임 없는 노력과 수고에 경의와 감사를 드린다.

2013년 초봄

王 曉明
풍주에서

이 책의 기본 구성

1. 경락(經絡)·경혈(經穴)의 기초지식

경혈에 관한 기초지식을 설명하면서, 취혈을 위한 3가지 방법, 즉, 해부학적 지표, 골도법(骨度法) 및 동신촌법(同身寸法)에 관하여 설명하였으며, 특히 WHO/WPRO 표준혈위의 취혈법을 칼라아틀라스로 나타내고 있다.

2. 십사경맥(十四經脈)과 그 경혈

고전의 관점으로 십사경맥의 기혈(氣血) 유주에 따라서, 임맥(任脈)·독맥(督脈)과, 태음·양명경맥(太陰·陽明經脈), 소음·태양경맥(少陰·太陽經脈), 궐음·소양경맥(厥陰·少陽經脈)으로 나누어, 각 경혈부위·취혈의 기법을 칼라아틀라스로 나타내고 있다. 또 경맥마다 경혈의 주치를 추가하고, 경혈명의 유래 등을 알기 쉽게 기술하였다.

3. 신체부위별 경혈

십사경맥의 경혈을 신체부위별로 일목요연하게 정리하고, 또 체표·국소해부학적 견지에서 본, 경혈과 근육, 혈관 및 신경의 관련성을 칼라아틀라스로 명쾌하게 나타내었다.

4. 특정혈(特定穴)

치료효과가 높은 경혈과 특별한 치료효과를 가진 요혈을 정리하였다. 학습의 순서는 십사경맥과 그 경혈, 신체부위별 경혈과 필요한 해부지식을 이해한 후에, 특정혈의 중요성을 배우면서, 그 임상의의를 음미하는 것이 좋을 것이다.

5. 기혈(奇穴)·이혈(耳穴)·두침혈위(頭鍼穴位)

십사경맥의 정혈(正穴) 외에, 현대 침구임상에서 자주 사용되는 기혈(奇穴), 이혈(耳穴), 두침혈위(頭鍼穴位) 등을 제5장에 설명하였다.

6. 부표(付表)와 색인(索引)

경혈과 국소의 근육, 신경, 동맥의 관련성에 관해서 부표에 정리하였으며, 동시에 색인에 WHO/WPRO 표준경혈과 기혈을 정리하였다.

7. 경혈(經穴) 표기(表記)에 관하여

기본적으로 경혈을 [●]과 [●] 두 색으로 표시했다. [●]로 표기한 경혈은 개인적으로 취혈에 있어 기준을 삼고 있음을 나타낸 것이다. 바깥에 보이는 경혈에 대해서 안쪽에 있는 경혈을 [●]로, 바깥과 안쪽에 반씩 보이는 경혈을 [◑]로 표기했다. 또 특정혈(特定穴)이나 특히 주의를 요하는 경혈은 별도의 표기를 하였으니 자세한 것은 각 장의 설명을 참조하시기 바란다.

목 차

제 1 장

경혈(經穴)의 기초

1─경혈(經穴)이란 무엇인가?

1 경혈의 정의

경혈(經穴)이란 장부경락(臟腑經絡)의 기(氣)가 체표에 **유주**하는 특정 부위로, **수혈(腧穴)**이라고도 부른다.

현대의 침구(鍼灸) 임상에 있어서 **경혈(經穴)**은 인체의 생리기능, 병리변화가 체표의 어느 특정 부위에 나타나는 **민감점** 및 진찰의 **반응점**, 침구(鍼灸)의 **자극점**으로 이해되고 있다.

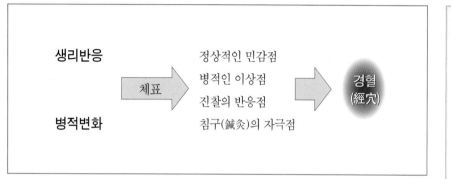

Q & A

Q1 장부경락(臟腑經絡)이란 무엇인가?

A1 **장부경락**은 동양의학에 있어서 기본적인 용어로서 현대의학의 형태적 해부학의 내장기관 보다 넓은 의의를 가지는 기능적이고 총괄적인 개념이다.

Q2 경혈(經穴)은 정말로 존재하는가?

A2 현대의학의 조직학이나 해부학의 입장에서 보면 경혈(經穴)은 어떤 형태를 가지고 있을까? 아직 연구가 필요하지만 생리기능이나 병리적 이상이 근육, 골막, 근막, 힘줄 및 피하조직 등에 영향을 미쳐 특정 부위에 반응이나 감각의 이상이 나타나는 것이 사실이다. 동양의학에서는 이와 같은 체표의 특정 부위를 경혈(經穴)이라고 하고 질병의 진찰점이나 침구의 자극점으로 이용하고 있다.

2 경혈(經穴)의 분류

경혈		
	1. 정혈(正穴)	십이경맥(十二經脈), 임맥(任脈), 독맥(督脈)에 속하는 경혈로, 일반적으로 말하는 경혈은 이것을 의미하는 경우가 많다.
	2. 기혈(奇穴)	구체적인 명칭과 명확한 부위가 있으면서 십이경맥(十二經脈), 임맥(任脈), 독맥(督脈)에 속하지 않은 혈위(穴位)를 **기혈(奇穴)**이라고 한다.
	3. 아시혈(阿是穴)	압통점 · 천응혈(天應穴)이라고도 한다. 명칭이나 부위는 정해져 있지 않지만, 병태와 깊이 관련되어 치료점이 되는 부위이다.

3 형성과 발전

	경혈의 발견	경혈 이름과 부위의 확정	분류, 이론의 보증과 계통화
고대중국의학	고대 중국의 원시적인 의술에서는 "아픈 곳을 돌(폄석(砭石))로 쓰다듬는다"고 하였다.	1. 해부학적 지식이 축적되었다. 2. 인체의 생리기능이나 병리변화에 대한 이해가 깊어졌다. 3. **시술의 시행착오**를 반복하면서 **치료 경험**이 축적되었다.	1. 음양오행(陰陽五行) 등의 동양 사상이 형성되었다. 2. 의학이 체계화되었다. 3. 임상 **치료 경험**이 더욱 진화하였다.
침구와 경혈	아픈 곳을 치료점으로 한다. **부위**: 부정확 **명칭**: 없음(아시혈(阿是穴))	경혈의 체표 부위나 치료작용을 명확하게 한다. **부위**: 확정 **명칭**: 이름을 붙임	**동양사상**: 음양오행(陰陽五行) **동양의학 이론**: 기혈(氣血), 장상(臟象), 경맥(經脈) 이론의 성립

1. 경혈(經穴)

2— 경혈명(經穴名)의 유래와 표기(1)

1 경혈명(經穴名)의 유래

1. **고대의 해부 지식** 예: 손목뼈(carpal bone)에 있는 경혈을 완골(腕骨), 유방(乳房) 밑에 있는 것을 유근(乳根), 일곱째 목뼈 가시돌기(spinous process of the 7th cervical vertebra) 밑에 있는 것을 대추(大椎)라고 이름하였다.

2. **고대의 천문(天文) 지식** 예: 천문(天文)의 해, 달, 별 등을 이미지로 해서 태양(太陽), 상성(上星), 일월(日月), 태백(太白) (북두칠성의 하나) 등으로 이름하였다.

3. **고대의 지리(地理) 지식** 예: 산의 높낮이와 기복(起伏), 강의 크기나 깊고 얕음에 비유하여 산(山)(승산(承山)), 능(陵)(양릉천(陽陵泉)), 구(丘)(구허(丘墟)), 계(谿)(태계(太谿)), 곡(谷)(합곡(合谷)), 구(溝)(지구(支溝)), 택(澤)(척택(尺澤)), 지(池)(양지(陽池)), 천(泉)(용천(涌泉)), 해(海)(혈해(血海)) 등의 경혈명(經穴名)이 붙여졌다.

4. **동물, 식물의 명칭** 예: 독비(犢鼻)(송아지 콧구멍), 복토(伏兎)(토끼가 엎드려 있는 모습), 구미(鳩尾)(비둘기 꼬리 모양), 찬죽(攢竹)(낮은 대나무 숲), 어제(魚際)(물고기 배) 등의 명칭이 붙여졌다.

5. **고대 건축물(建築物)의 명칭** 예: 내관(內關)(성(城)의 문), 천정(天井)(건물의 천정), 자궁(紫宮)(궁전(宮殿)), 단중(膻中)(불단(佛壇)), 고방(庫房), 지창(地倉), 옥당(玉堂) 등의 경혈명(經穴名)이 붙여졌다.

6. **동양의학 이론** 예: 오장(五臟)과 오신(五神)과의 관계로 심수(心兪)-신당(神堂), 폐수(肺兪)-백호(魄戶), 간수(肝兪)-혼문(魂門), 비수(脾兪)-의사(意舍), 신수(腎兪)-지실(志室) 등의 경혈명(經穴名)이 붙여졌다.

7. **임상 치료 경험** 예: 정명(睛明)-광명(光明)(눈에 효과), 수분(水分)-수도(水道)(부종(浮腫)에 효과), 영향(迎香)(후각(嗅覺)에 효과) 등의 경혈명(經穴名)이 붙여졌다.

2 경혈명(經穴名)의 출전과 연혁

출전(出典)	단혈(單穴)	쌍혈(双穴)	총혈(總穴)	연대		
				중국	일본	서력(西曆)
황제내경(黃帝內經)	25	135	160	전국(戰國)-한(漢)	승문(繩文)-미생(彌生)	BC400-AD200
명당경(明堂經)	49	300	349	한대(漢代)	미생시대(彌生時代)	AD256-260
갑을경(甲乙經)	49	300	349	삼국(三國) 위진(魏晉)	미생시대(彌生時代)	AD256-260
천금방(千金方)과 천금익방(千金翼方)	49	300	349	당대(唐代)	대화시대(大和時代)	AD682
동인수혈침구도경(銅人兪穴鍼灸圖經)	51	303	354	송대(宋代)	평안시대(平安時代)	AD1026
자생경(資生經)	51	308	359	송대(宋代)	겸창시대(鎌倉時代)	AD1226
십사경발휘(十四經發揮)	51	303	354	원대(元代)	남북조시대(南北朝時代)	AD1341
침구대성(鍼灸大成)	51	308	359	명대(明代)	강호시대(江戶時代)	AD1601
의종금감(醫宗金鑑)	52	308	360	청대(淸代)	강호시대(江戶時代)	AD1742
침구봉원(鍼灸逢源)	52	309	361	청대(淸代)	강호시대(江戶時代)	AD1817
WHO국제표준(안)	52	309	361	현대	현대	AD1989
일본경혈위원회 표준경혈	52	309	361	현대	현대	AD1989
현대 중국 국가표준경혈	52	309	361	현대	현대	AD1991
WHO/WPRO 표준경혈부위	52	309	361	현대	현대	AD2008

경혈(經穴)의 연혁

2―경혈명(經穴名)의 유래와 표기(2)

| 경맥 명칭 | WHO 국제 표준[1] | | 중국식[2] |
	영어 표기	약어	약어
폐경(肺經)	Lung Meridian	LU	LU
대장경(大腸經)	Large Intestine Meridian	LI	LI
위경(胃經)	Stomach Meridian	ST	ST
비경(脾經)	Spleen Meridian	SP	SP
심경(心經)	Heart Meridian	HT	HT
소장경(小腸經)	Small Intestine Meridian	SI	SI
방광경(膀胱經)	Bladder Meridian	BL	BL
신경(腎經)	Kidney Meridian	KI	KI
심포경(心包經)	Pericardium Meridian	PC	PC
삼초경(三焦經)	Tripple Energizer Meridian	TE	SJ
담경(膽經)	Gallbladder Meridian	GB	GB
간경(肝經)	Liver Meridian	LR	LR
독맥(督脈)	Governor Vessel	GV	DU
임맥(任脈)	Conception Vessel	CV	RN

주(註) 1 WHO/WPRO 표준경혈부위 : WHO/WPRO란 세계보건기구(WHO)의 서태평양지역사무국의 약칭이다. 1981년, WHO 서태평양지역사무국은 침구(鍼灸)경혈명(經穴名)국제표준화를 위한 검토위원회를 결성하였다. 1991년에는 WHO의 제네바본부에 의해서 침구(鍼灸)경혈명(經穴名) 국제표준화가 공식 발표되고, WHO 서태평양지역사무국에 의해서『침구(鍼灸)경혈명(經穴名)국제표준화』개정판이 출판되었지만, 그 기준의 약 1/4에 의문이 생겼다.

2003년 10월에 WHO 서태평양지역사무국이 제1회「경혈부위국제표준화에 관한 비공식자문회의」를 개최하였고, 중국, 일본, 한국의 전문가들이 참가하여, 11회 이상 토의가 이루어졌다. 2006년 10월에 츠쿠바 국제회의장에서 9개국 2조직이 참가한 **WHO 경혈부위국제표준화 공식회의**에서 361혈의 부위에 관해 합의가 이루어졌으며, 2008년 5월에 WHO/WPRD에 의해서 반포되었다.

이 책에는 약자(略字), 십사경맥(十四經脈)이나 경혈명(經穴名)의 영어 표기, 각 경맥(經脈)의 경혈 순서가「WHO/WPRD표준」으로 기재되어 있다.

주(註) 2 중국식 약어(略語) :「중국경혈부위표준」의 영어 약어이다. 1991년 1월, 중국국가기술감독국이 중국국가중의약관리국(中國國家中醫藥管理局)에서 정한『경혈부위표준(經穴部位標準)』을 정식으로 승인하고, 중국 국가표준으로 실시하고 있다.

1. 경혈(經穴)

3─경혈(經穴)과 음양(陰陽), 장부(臟腑), 경락(經絡)과의 관계

1 경혈(經穴)과 음양오행(陰陽五行)

음양오행(陰陽五行) 이론은 동양의학을 이론적으로 체계화시키기 위해서는 없어서는 안될 방법론이다.

경혈(經穴)이 단순한 압통점으로부터 계통적으로 정리된 것은 그 구체적인 실례의 하나이다.

인체의 음양(陰陽) 분류	
음(陰)	양(陽)
오장(五臟), 육장(六臟)	육부(六腑)
가슴배부위	등부위
하부(下部)	상부(上部)
음경(陰經)	양경(陽經)
팔다리의 안쪽	팔다리의 바깥쪽

경혈(經穴)의 소재 부위

1. 361 경혈(經穴)은 음경(陰經)과 양경(陽經)으로 대별된다.
2. "양(陽)"자가 붙은 경혈(經穴)은 등쪽과 팔다리 바깥쪽에, "음(陰)"자가 붙은 경혈은 가슴배부위와 팔다리의 안쪽에 분포한다.

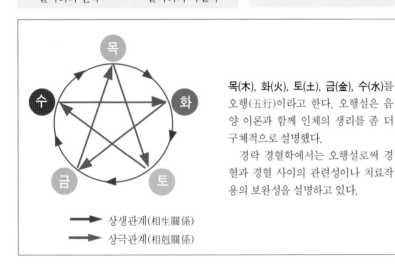

목(木), 화(火), 토(土), 금(金), 수(水)를 오행(五行)이라고 한다. 오행설은 음양 이론과 함께 인체의 생리를 좀 더 구체적으로 설명했다.

경락 경혈학에서는 오행설로써 경혈과 경혈 사이의 관련성이나 치료작용의 보완성을 설명하고 있다.

→ 상생관계(相生關係)
⇒ 상극관계(相剋關係)

Q & A

Q1 경락(經絡)과 경혈(經穴)을 어떻게 이해하면 좋을까?

A1 경락(經絡)이나 경혈(經穴)의 성립이나 체계화의 토대는 동양의 문화이다. 경락이나 경혈을 현대과학적으로 이해하는 것도 중요하지만, 그 전에 동양문화나 그 방법론을 이해해야 한다. 우리는 의외로 일상에서 음양오행(陰陽五行)이라고 하는 동양의학의 용어를 자주 접하고 있다. 예를 들면 "원기(元氣)가 어떠십니까?"라는 인사에서 "원기(元氣)"는 동양의학의 "원기(元氣)"의 개념에서 일상용어가 된 것이다. 일주일간의 요일에서도 일요일(日曜日)과 월요일(月曜日)은 양(陽)과 음(陰), 화요일(火曜日)에서 토요일(土曜日)까지는 오행(五行)으로 배분한 것이다.

Q2 경락(經絡)과 신경(神經)은 어떻게 다를까?

A2 어려운 질문이다. 신경(神經)은 서양의학이 최초로 일본에 들어왔을 때, 일본사람들이 만든 용어이다. 생체의 정보를 전달하는 통로를 "신기(神氣)의 경로(經路)", 혈관 등의 체액의 통로를 "맥(脈)의 유주"로 이해해서, 중국 고대의학에 있는 경맥(經脈)이라고 하는 용어를 경(經)과 맥(脈)으로 나누어 경(經)은 신경(神經)으로, 맥(脈)은 동맥(動脈)과 정맥(靜脈)으로 번역되었다. 그러므로 경락(經絡)을 현대의학에 있어서 **신경(神經) 등의 정보전달계와 혈액 등의 체액 통로**를 총괄하는 것으로 이해하는 것이 좋을 것이다.

(경혈은 신경섬유나 혈관이 풍부한 곳에 있는 경우가 많다.)

---

2 경혈(經穴)과 경락(經絡) 및 장상(臟象)(장부(臟腑)) 이론

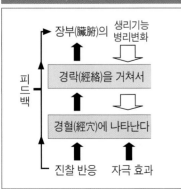

경혈(經穴)과 경락(經絡) 및 장부(臟腑)와의 관계

피드백
- 장부(臟腑)의 생리기능 병리변화
- 경락(經絡)을 거쳐서
- 경혈(經穴)에 나타난다
- 진찰 반응 / 자극 효과

동양의학의 특징은 "천인합일(天人合一)"과 수증치료(隨證治療)이고, 생명체는 기혈(氣血)과 장상(臟象) (특히 오장(五臟)) 이론을 핵심으로 해서 생겨났다고 보고 있다.

경락(經絡)은 "체내에서는 장(臟)이나 부(腑)에 속락(屬絡), 체표에서는 지절(肢節) (골격, 관절, 근육 및 피부)에 연계"되는 것으로 경혈(經穴)을 통해서 생체의 생리기능이나 병리변화가 나타난다. 특정 경혈이 특정 병증의 치료에 적용되거나, 또는 특정병증에 특정 경혈을 처방하는 근거는 경락이론(經絡理論)이다. 요컨대 임상응용을 위해서는 **장부(臟腑), 경맥(經脈), 경혈(經穴)** 일체를 체계적으로 파악하는 것이 중요하다.

1—경락(經絡)의 분류

1 경락의 분류

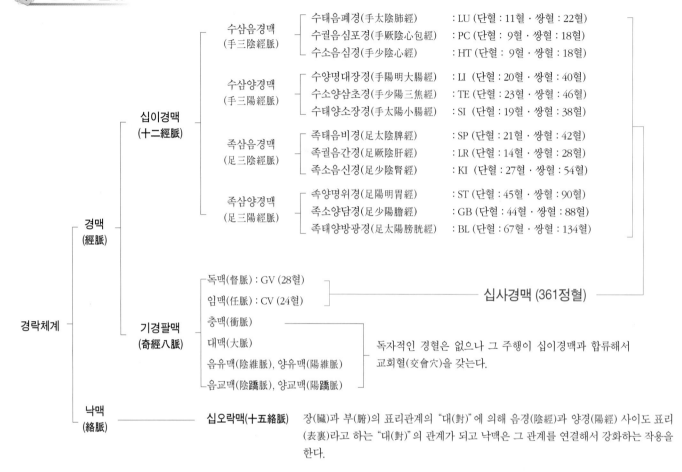

독자적인 경혈은 없으나 그 주행이 십이경맥과 합류해서
교회혈(交會穴)을 갖는다.

십오락맥(十五絡脈) 장(臟)과 부(腑)의 표리관계의 "대(對)"에 의해 음경(陰經)과 양경(陽經) 사이도 표리
(表裏)라고 하는 "대(對)"의 관계가 되고 낙맥은 그 관계를 연결해서 강화하는 작용을
한다.

※ 경맥에는 십이경맥과 관련된 십이경별(十二經別), 십이경근(十二經筋), 십이피부(十二皮部)도 포함된다.
※ 낙맥에는 손락(孫絡), 부락(浮絡) (작고, 가늘고, 얕은 말초 낙맥)이 있다.

2 경맥(經脈)과 낙맥(絡脈)의 구별과 속락관계(屬絡關係)

경맥(經脈)과 낙맥(絡脈)의 구별		
	경맥(經脈)	낙맥(絡脈)
형태	1. 주간(主幹) 2. 세로로 달린다. 3. 심층으로 달린다. 4. 경혈이 많다.	1. 경맥의 분지(分枝) 2. 비스듬히 또는 가로로 달린다. 3. 얕은 층을 달린다. 4. 경혈이 하나 뿐이다.
의의	생체의 정보 전달과 기혈(氣血) 유주에 중심적인 역할을 한다.	표리관계가 있는 양경(陽經)과 음경(陰經)을 연락한다.

십이경맥(十二經脈)의 속락관계(屬絡關係)					
수삼음경(手三陰經)			족삼음경(足三陰經)		
팔의 앞면			다리의 안쪽면		
노쪽(radial)	중앙	자쪽(ulnar)	앞면	중앙	뒤면
태음(太陰) 폐(肺)	궐음(厥陰) 심포(心包)	소음(少陰) 심(心)	태음(太陰) 비(脾)	궐음(厥陰) 간(肝)	소음(少陰) 신(腎)
육음경(六陰經) 육장(六臟)					
↕	↕	↕	↕	↕	↕
양명(陽明) 대장(大腸)	소양(少陽) 삼초(三焦)	태양(太陽) 소장(小腸)	양명(陽明) 위(胃)	소양(少陽) 담(膽)	태양(太陽) 방광(膀胱)
육양경(六陽經) 육부(六腑)					
노쪽(radial)	중앙(中央)	자쪽(ulnar)	앞면	바깥면	뒷면
팔의 뒷면			다리의 앞면, 바깥면, 뒷면		
수삼양경(手三陽經)			족삼양경(足三陽經)		

※ ↕ 음경(陰經)과 양경(陽經)은 장(臟)과 부(腑)의 "대(對)"에 의해 서로 연락하고 표리(表裏)의 "대(對)"가
된다.

2─십이경맥(十二經脈)의 기혈(氣血) 유주와 순환

1 십이경맥(十二經脈)의 유주 방향

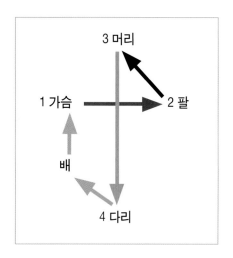

수족(手足) 경맥(經脈) 유주의 방향
➡ 1 수삼음경(手三陰經)은 가슴에서 손으로
➡ 2 수삼양경(手三陽經)은 손에서 머리로
➡ 3 족삼양경(足三陽經)은 머리에서 다리로
➡ 4 족삼음경(足三陰經)은 다리에서 배, 가슴으로

2 십이경맥(十二經脈)의 유주 순서와 접속 부위

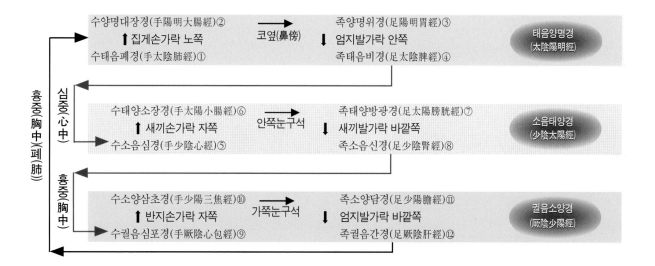

십이경맥(十二經脈)의 유주와 순환

　십이경맥(十二經脈)의 기혈(氣血) 유주는 수태음폐경(手太陰肺經)으로부터 족궐음간경(足厥陰肝經)까지를 하나의 사이클로 한다.

접속법:

① **손, 발가락 끝**　표리관계가 있는 음경(陰經)과 양경(陽經)이 접속한다(예: 폐경(肺經)과 대장경(大腸經)은 표리관계가 있고 집게손가락 끝에서 연결된다).

② **얼굴**　　　　　손과 발에 같은 명칭을 가진 양경(陽經)이 접속한다(예: 수양명대장경(手陽明大腸經)과 족양명위경(足陽明胃經)은 같은 양명경(陽明經)으로 콧구멍 바깥쪽(鼻傍)에서 연결된다).

③ **가슴, 배**　　　손과 발의 음경(陰經)끼리 접속한다(비경(脾經)에서 심경(心經), 신경(腎經)에서 심포경(心包經), 간경(肝經)에서 폐경(肺經)등의 순서로 연결된다).

3─십이경맥(十二經脈)의 체표 분포와 접속부위

1 십이경맥(十二經脈)의 체표 분포

1. 사지(四肢)

수삼음경(手三陰經)은 팔의 앞면에 분포하는데, 즉 수태음폐경(手太陰肺經)은 노쪽(radial), 수궐음심포경(手厥陰心包經)은 중앙, 수소음심경(手少陰心經)은 자쪽(ulnar)에 분포하고, 수삼양경(手三陽經)은 음경(陰經)과의 대(對) (표리관계)에 의해 팔의 뒷면에 분포한다.

족삼음경(足三陰經)은 다리의 안쪽면에 분포하는데, 즉 족태음비경(足太陰脾經)은 앞면, 족궐음간경(足厥陰肝經)은 중앙(이 두 경맥(經脈)은 삼음교(三陰交) 아래에서는 반대로 된다), 족소음신경(足少陰腎經)은 뒷면에 분포하고, 족삼양경(足三陽經)은 족양명위경(足陽明胃經)이 다리의 앞면, 족소양담경(足少陽膽經)이 바깥면, 족태양방광경(足太陽膀胱經)이 뒷면에 분포한다.

2. 몸통

배에서는 앞정중선에서부터 임맥(任脈), 신경(腎經), 위경(胃經), 비경(脾經) 순으로 분포하고, 몸통의 가쪽에서는 간경(肝經)과 담경(膽經)이 지나간다.

등쪽에서는 뒤정중선에서부터 독맥(督脈)과 방광경(膀胱經)의 제1선과 제2선이 지나가고, 소장경(小腸經)이 어깨뼈(scapula) 근처를 유주하고 있다.

3. 머리(head)

위경(胃經)이 이마부위, 담경(膽經)이 관자부위, 방광경(膀胱經)이 뒤통수부위(occipital region), 간경(肝經)이 마루부위(parietal region)에 분포한다.

2 십이경맥(十二經脈)간의 접속 부위

1. 수족양경(手足陽經)은 얼굴에서 접속

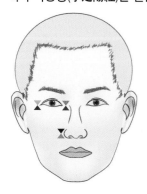

얼굴의 양경(陽經)간의 접속부위
▼ 콧구멍 바깥쪽:
   수양명경(手陽明經) 영향(迎香) → 족양명경(足陽明經) 승읍(承泣)
▼ 가쪽눈구석(外眼角):
   수소양경(手少陽經) 이문(耳門) → 족소양경(足少陽經) 동자료(瞳子髎)
▼ 안쪽눈구석(內眼角):
   수태양경(手太陽經) 청궁(聽宮) → 족태양경(足太陽經) 정명(睛明)

수양명경(手陽明經)과 족양명경(足陽明經), 수태양경(手太陽經)과 족태양경(足太陽經), 수소양경(手少陽經)과 족소양경(足少陽經) 등 손발의 같은 이름을 가진 양경(陽經)끼리 접속하고 있다.

반드시 수양경(手陽經)에서 족양경(足陽經)으로 유주한다.

2. 수양경(手陽經)과 수음경(手陰經)은 손에서 접속

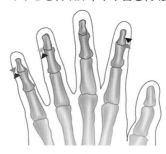

손등의 수음경(手陰經)과
수양경(手陽經)의 접속부위
▼ 집게손가락 노쪽:
   수태음경(手太陰經) 열결(列缺) → 수양명경(手陽明經) 상양(商陽)
▼ 반지손가락 자쪽:
   수궐음경(手厥陰經) 내관(內關) → 수소양경(手少陽經) 관충(關衝)
▼ 새끼손가락 자쪽:
   수소음경(手少陰經) 통리(通里) → 수태양경(手太陽經) 소택(少澤)

수태음폐경(手太陰肺經)과 수양명대장경(手陽明大腸經), 수소음심경(手少陰心經)과 수태양소장경(手太陽小腸經), 수궐음심포경(手厥陰心包經)과 수소양삼초경(手少陽三焦經) 등, 표리상합(表裏相合)을 이루는 음경(陰經)과 양경(陽經)이 낙맥(絡脈)을 통해 접속한다.

유주 방향은 수음경(手陰經)이 가슴에서 손으로 향하고 수양경(手陽經)이 손에서 머리로 향해 음경(陰經)에서 양경(陽經)으로 유주한다.

3. 족양경(足陽經)과 족음경(足陰經)은 발에서 접속, 수음경(手陰經)과 족음경(足陰經)은 가슴에서 접속

발의 양경(陽經)과 음경(陰經)은 손의 음경(陰經)과 양경(陽經)과 마찬가지로 표리관계인 경맥끼리 접속하고 있다.

접속 순서는 손의 경맥(經脈)과는 반대로 모두 양경(陽經)에서 음경(陰經)으로 유주한다.

손발의 음경(陰經)은 족태음경(足太陰經)에서 수소음경(手少陰經), 족소음경(足少陰經)에서 수궐음경(手厥陰經), 족궐음경(足厥陰經)에서 수태음경(手太陰經)으로 유주하여 가슴에서 접속하고 있다.

기혈(氣血)의 유주는 수태음경(手太陰經)에서 시작하여 십이경맥(十二經脈)을 돌고, 수태음경(手太陰經)에서 다시 시작한다.

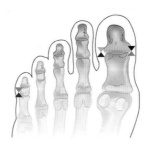

발등의 족음경(足陰經)과 족양경(足陽經)의 접속부위
▼ 엄지 안쪽: 족양명경(足陽明經) 풍륭(豊隆) → 족태음경(足太陰經) 은백(隱白)
▼ 엄지 바깥쪽: 족소양경(足少陽經) 광명(光明) → 족궐음경(足厥陰經) 대돈(大敦)
▼ 새끼손가락 바깥쪽: 족태양경(足太陽經) 비양(飛揚) → 족소음경(足少陰經) 용천(涌泉)

1—머리

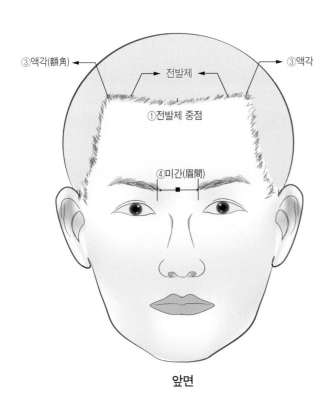

앞면

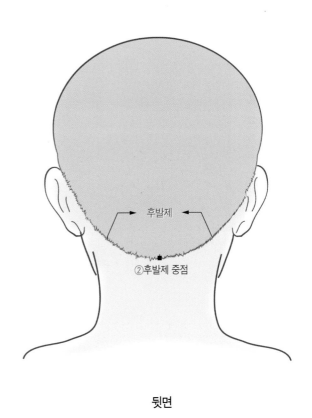

뒷면

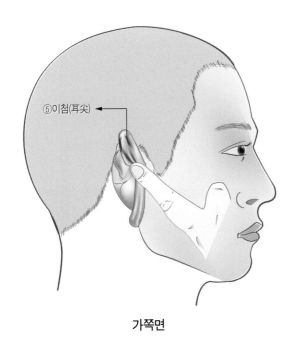

가쪽면

①전발제 중점 (前髮際 中點)	발제(髮際): 머리털이 난 언저리. 전발제 중점이란 이마의 머리털이 난 언저리와 앞정중선의 교점.
②후발제 중점 (後髮際 中點)	후발제 중점이란, 뒤목부위의 머리털이 난 언저리와 뒤정중선의 교점.
③액 각(額角)	전발제(前髮際)가 좌우 양끝에서 크게 구부러져 만든 각(거의 가쪽눈구석(outer canthus)의 바로 위, 머리털이 난 언저리와의 교점).
④미 간(眉間)	양 눈썹 사이의 좌우 눈썹을 연결하는 수평선과 앞정중선의 교점.
⑤이 첨(耳尖)	귀를 앞쪽으로 접어서 생기는 귓바퀴 최정점.

2—팔

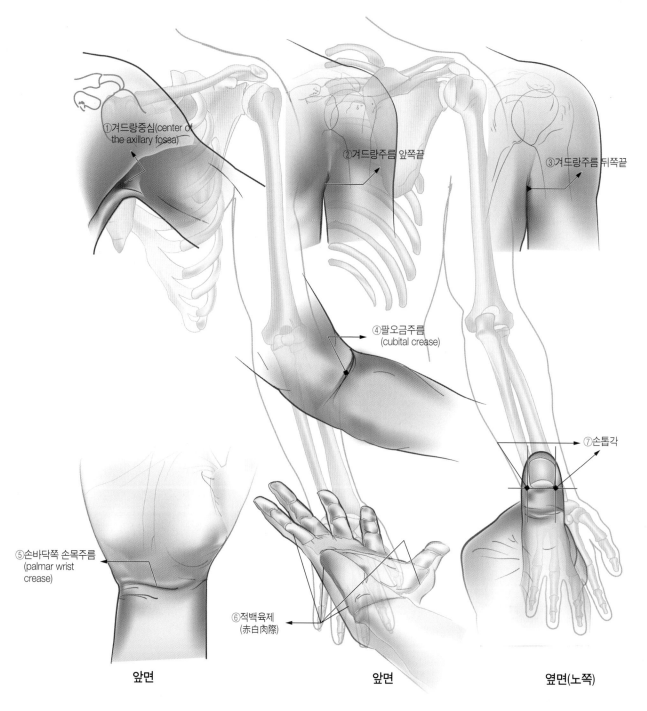

①겨드랑중심(center of the axillary fossa)

②겨드랑주름 앞쪽끝

③겨드랑주름 뒤쪽끝

④팔오금주름 (cubital crease)

⑦손톱각

⑤손바닥쪽 손목주름 (palmar wrist crease)

⑥적백육제 (赤白肉際)

| 앞면 | 앞면 | 옆면(노쪽) |

①겨드랑중심	어깨관절 아래에서 위팔과 가슴우리 사이에 움푹하게 패인 곳을 겨드랑이라고 하며, 그 한가운데를 겨드랑중심이라고 한다.
②겨드랑주름 앞쪽끝	팔을 자연스럽게 내려서, 앞면의 겨드랑이에 생기는 주름의 앞쪽끝
③겨드랑주름 뒤쪽끝	팔을 자연스럽게 내려서, 뒷면의 겨드랑이에 생기는 주름의 앞쪽끝
④팔오금주름	팔꿈치를 90° 구부릴 때 생기는 주름
⑤손바닥쪽 손목주름 (손등쪽 손목주름)	손관절을 손바닥굽힘하여, 자뼈와 노뼈의 붓돌기의 먼쪽끝을 연결하는 선상에 생기는 주름. 2줄 이상의 주름이 나타나는 경우, 가장 먼쪽 주름으로 한다. (손관절을 등쪽굽힘하여, 자뼈와 노뼈의 붓돌기의 먼쪽끝을 연결하는 선상에 생기는 주름. 2줄 이상의 주름이 나타나는 경우, 가장 먼쪽 주름으로 한다.)
⑥적백육제(赤白肉際)	손바닥과 손등 피부의 이행부, 또는 발바닥과 발등 피부의 이행부. 살결과 색이 변화하는 부위
⑦손톱각	손가락의 손톱안쪽 및 가쪽모서리와 손톱바닥부가 만드는 각

3. 취혈(取穴)의 3원칙 / 체표 해부의 표지

3— 다리

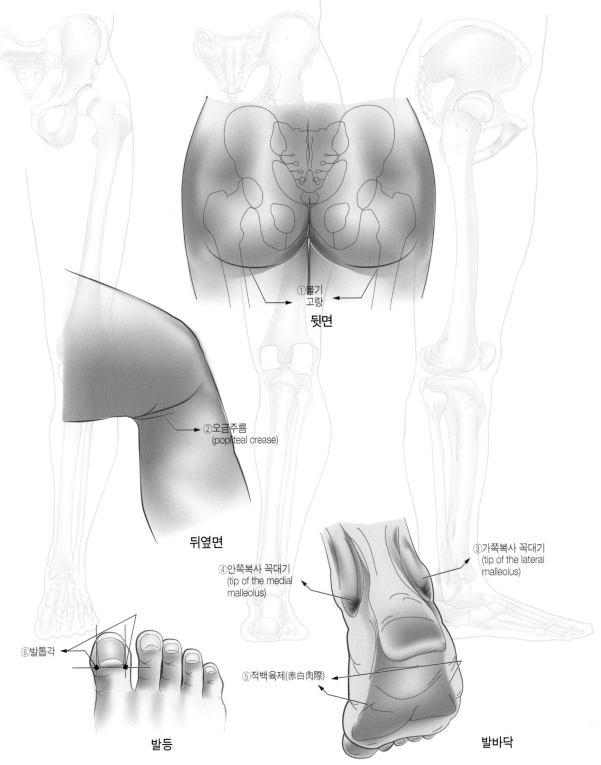

①볼기고랑
뒷면

②오금주름
(popliteal crease)

뒤옆면

③가쪽복사 꼭대기
(tip of the lateral malleolus)

④안쪽복사 꼭대기
(tip of the medial malleolus)

⑤적백육제(赤白肉際)

⑥발톱각

발등

발바닥

①볼기고랑	볼기부위와 넙다리뒤쪽의 경계에 생기는 움푹 패인 곳
②오금주름	다리 뒷면, 무릎관절에 있는 마름모꼴의 움푹 패인 곳을 오금이라고 하며, 무릎을 구부릴 때 생기는 주름.
③가쪽복사 꼭대기	종아리뼈의 먼쪽끝이 비후하여 바깥쪽으로 돌출하는 부위를 가쪽복사라고 하며, 체표에서 닿는 최고점을 가쪽복사 꼭대기라고 한다.
④안쪽복사 꼭대기	정강뼈의 먼쪽끝이 비후하여 안쪽으로 돌출하는 부위를 안쪽복사라고 하며, 체표에서 닿는 최고점을 안쪽복사 꼭대기라고 한다.
⑤적백육제(赤白肉際)	p.10 참조.
⑥발톱각	발가락의 발톱안쪽 및 가쪽모서리와 발톱바닥부가 만드는 각.

1 ─ 해부학적 자세와 방향

해부학적 자세란, 그림과 같이 신체는 똑바로 서서, 시선은 앞을 향하고, 다리는 발톱 끝을 앞을 향해서 모으고, 팔은 손바닥을 앞으로 향한 자세이다. 어떤 경혈은 취혈 시 특수한 자세를 필요로 한다. 예를 들어, 회양(會陽)은 "슬흉위(膝胸位)"로 취혈하고, 환도(環跳)는 "옆으로 누워서, 엉덩관절(hip joint)을 구부린 자세"로 취혈한다.

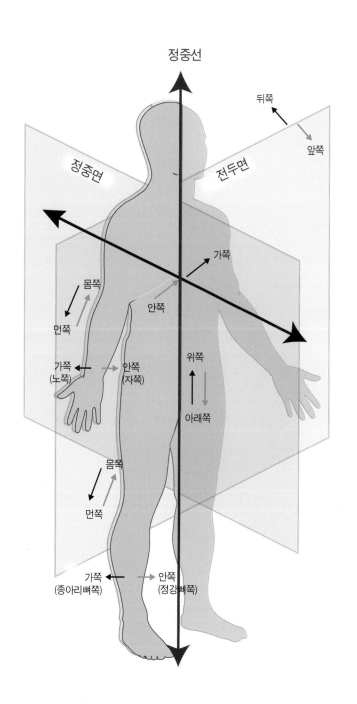

방 향

1 안쪽과 가쪽

정중의 시상면(矢狀面)으로 접근하는 것을 안쪽, 정중의 시상면에서 멀어지는 것을 가쪽이라고 한다. 아래팔에서는 자쪽과 노쪽, 종아리에서는 정강뼈쪽과 종아리뼈쪽으로 표시한다.
- **안쪽과 가쪽**은 지시하는 부위(영역) 중의 "내·외"를 나타낸다.
- **안쪽 모서리·가쪽 모서리**는 지시하는 부위(영역) 의 가장자리를 나타낸다.

2 위쪽과 아래쪽

머리에 접근하는 것을 **위쪽**, 다리(발)에 접근하는 것을 **아래쪽**이라고 한다.
위쪽과 **아래쪽**은 경혈과 다른 경혈 또는 해부학적 표지와의 관계를 설명할 때 사용되기도 한다. 이 경우 수직으로 위 또는 아래를 나타낸다.

3 앞쪽과 등쪽

배 표면으로 접근하는 것을 **앞쪽**, 등쪽 표면으로 접근하는 것을 **등쪽**이라고 한다.

4 몸쪽과 먼쪽

몸통으로 접근하는 것을 **몸쪽**, 몸통에서 멀어지는 것을 **먼쪽**이라고 한다.

2─취혈(取穴)을 위한 체표구분

구 분		경 계
머리	머리	눈확위모서리, 광대활위끝, 바깥귀위끝, 목위끝, 및 바깥뒤통수뼈융기를 연결하는 선
	얼굴	눈확위모서리, 광대활위끝, 바깥귀위끝, 꼭지돌기 끝 및 아래턱뼈 아래끝을 연결하는 선
목	앞목부위	위쪽 : 머리와 얼굴의 아래경계선 아래쪽 : 빗장뼈 등쪽 : 등세모근 앞모서리
	뒤목부위	위쪽 : 머리의 아래경계선 아래쪽 : 일곱째 목뼈 가시돌기와 어깨뼈봉우리를 가로지르는 선 앞쪽 : 등세모근 앞모서리
등	윗등부위	위쪽 : 일곱째 목뼈 가시돌기와 어깨뼈봉우리를 가로지르는 선 좌우 : 겨드랑주름 뒤쪽끝과 교차하는 수직선 아래쪽 : 열두째 등뼈 가시돌기와 열두째 갈비뼈끝을 가로지르는 곡선
	어깨부위	체표해부에는 명확한 구분이 없지만, 어깨뼈의 등쪽면을 기본으로 하여, 둘째 갈비뼈에서 일곱째 갈비뼈까지의 부위
	허리부위	위쪽 : 열두째 등뼈 가시돌기와 열두째 갈비뼈끝을 가로지르는 곡선 좌우 : 겨드랑주름 뒤쪽끝과 교차하는 수직선 아래쪽 : 다섯째 허리뼈 가시돌기와 엉덩뼈능선을 가로지르는 선
	엉치뼈부위	위쪽 : 다섯째 허리뼈 가시돌기와 엉덩뼈능선을 가로지르는 선 좌우 : 엉치뼈의 가쪽끝 아래쪽 : 꼬리뼈
가슴	앞가슴부위	위쪽 : 빗장뼈 아래쪽 : 복장뼈칼돌기 결합부, 갈비활 및 열한째 갈비뼈·열두째 갈비뼈의 아래끝을 가로지르는 곡선 좌우 : 겨드랑주름 앞쪽끝과 교차하는 수직선
	옆가슴부위	위쪽 : 겨드랑주름 앞쪽끝과 겨드랑주름 뒤쪽끝을 연결하는 선 아래쪽 : 갈비활과 열한째 갈비뼈·열두째 갈비뼈의 아래끝을 연결하는 선 앞쪽 : 겨드랑주름 앞쪽끝과 교차하는 수직선 등쪽 : 겨드랑주름 뒤쪽끝과 교차하는 수직선
배	명치부위	위쪽 : 복장뼈칼돌기 결합부, 갈비활 및 열한째 갈비뼈·열두째 갈비뼈의 아래끝을 가로지르는 곡선 아래쪽 : 배꼽을 가로지르는 수평선 좌우 : 겨드랑주름 앞쪽끝과 교차하는 수직선
	아랫배부위	위쪽 : 배꼽을 가로지르는 수평선 아래쪽 : 두덩결합 위모서리 좌우 : 샅굴부위, 겨드랑주름 앞쪽끝과 교차하는 수직선
	옆구리부위	위쪽 : 옆가슴부위의 아래경계선 아래쪽 : 엉덩뼈능선 앞쪽 : 겨드랑주름 앞쪽끝과 교차하는 수직선 등쪽 : 겨드랑주름 뒤쪽끝과 교차하는 수직선
	샅굴부위	아랫배부위 옆. 위앞엉덩뼈가시와 두덩뼈결절을 연결하는 사선의 부위
	볼기부위	엉덩이. 주로 큰볼기근과 피하지방조직으로 이루어지는 볼록한 부위.
	볼기고랑	볼기부위와 넙다리뒷면 사이에 깊이 패인곳으로, 넙다리근의 아래모서리가 아니라 피하지방조직의 아래모서리에 해당된다.
샅부위		샅부위는 앞쪽에 두덩뼈결절, 뒤쪽에 꼬리뼈, 양측에 좌우의 궁둥뼈 결절로 둘러싸인 마름모꼴부위이다. 샅은, 남성은 요도와 항문 사이, 여성은 질과 항문 사이이다.
팔	어깨주변부위	어깨관절 주위
	겨드랑부위	겨드랑 주위
	위팔부위	위팔의 앞쪽, 뒤쪽, 안쪽 및 가쪽
	팔꿉부위	팔꿈치의 앞쪽, 뒤쪽, 안쪽 및 가쪽
	아래팔부위	아래팔의 앞쪽, 뒤쪽, 안쪽 및 가쪽
	손부위	손등, 손바닥 및 손가락
다리	넙다리부위	넙다리의 앞쪽, 뒤쪽, 안쪽 및 가쪽
	무릎부위	무릎의 앞쪽, 뒤쪽, 안쪽 및 가쪽
	종아리부위	종아리의 앞쪽, 뒤쪽, 안쪽 및 가쪽
	발부위	발등과 발바닥, 발의 안쪽 및 가쪽
	발목관절부위	발목관절의 안쪽 및 가쪽
	발가락부위	발가락

3 — 머리목부위

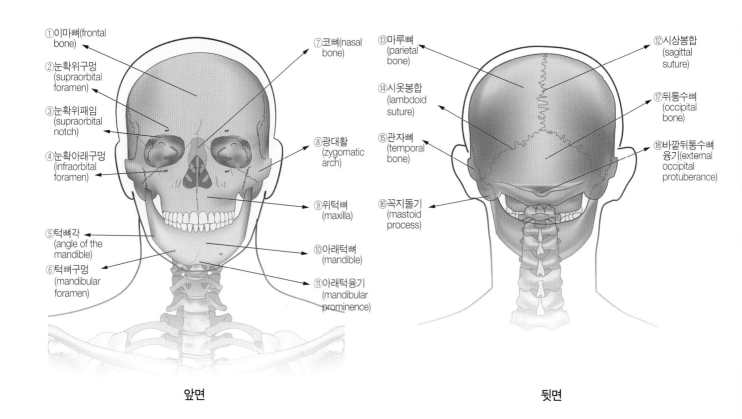

①이마뼈(frontal bone)
②눈확위구멍(supraorbital foramen)
③눈확위패임(supraorbital notch)
④눈확아래구멍(infraorbital foramen)
⑤턱뼈각(angle of the mandible)
⑥턱뼈구멍(mandibular foramen)
⑦코뼈(nasal bone)
⑧광대활(zygomatic arch)
⑨위턱뼈(maxilla)
⑩아래턱뼈(mandible)
⑪아래턱융기(mandibular prominence)

앞면

⑬마루뼈(parietal bone)
⑭시옷봉합(lambdoid suture)
⑮관자뼈(temporal bone)
⑯꼭지돌기(mastoid process)
⑫시상봉합(sagittal suture)
⑰뒤통수뼈(occipital bone)
⑱바깥뒤통수뼈융기(external occipital protuberance)

뒷면

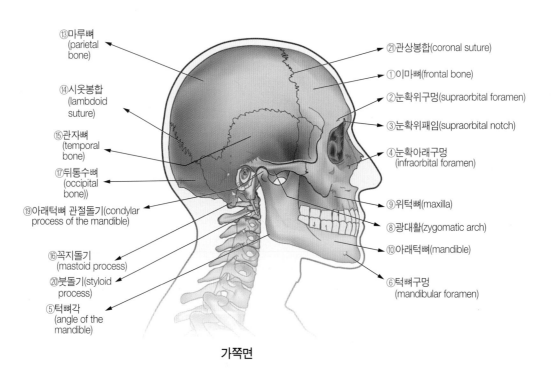

⑬마루뼈(parietal bone)
⑭시옷봉합(lambdoid suture)
⑮관자뼈(temporal bone)
⑰뒤통수뼈(occipital bone))
⑲아래턱뼈 관절돌기(condylar process of the mandible)
⑯꼭지돌기(mastoid process)
⑳붓돌기(styloid process)
⑤턱뼈각(angle of the mandible)
㉑관상봉합(coronal suture)
①이마뼈(frontal bone)
②눈확위구멍(supraorbital foramen)
③눈확위패임(supraorbital notch)
④눈확아래구멍(infraorbital foramen)
⑨위턱뼈(maxilla)
⑧광대활(zygomatic arch)
⑩아래턱뼈(mandible)
⑥턱뼈구멍(mandibular foramen)

가쪽면

4—몸통

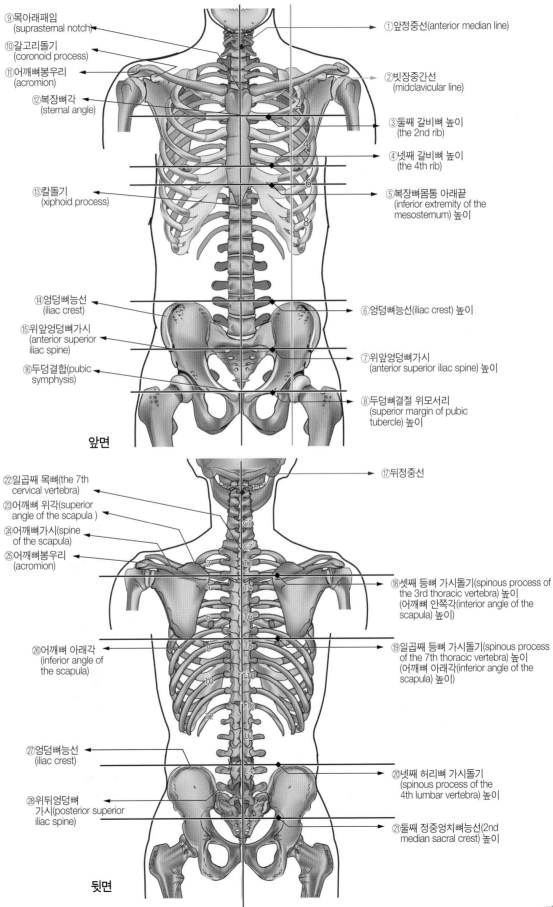

⑨목아래패임 (suprasternal notch)

⑩갈고리돌기 (coronoid process)

⑪어깨뼈봉우리 (acromion)

⑫복장뼈각 (sternal angle)

⑬칼돌기 (xiphoid process)

⑭엉덩뼈능선 (iliac crest)

⑮위앞엉덩뼈가시 (anterior superior iliac spine)

⑯두덩결합(pubic symphysis)

①앞정중선(anterior median line)

②빗장중간선 (midclavicular line)

③둘째 갈비뼈 높이 (the 2nd rib)

④넷째 갈비뼈 높이 (the 4th rib)

⑤복장뼈몸통 아래끝 (inferior extremity of the mesosternum) 높이

⑥엉덩뼈능선(iliac crest) 높이

⑦위앞엉덩뼈가시 (anterior superior iliac spine) 높이

⑧두덩뼈결절 위모서리 (superior margin of pubic tubercle) 높이

앞면

㉒일곱째 목뼈(the 7th cervical vertebra)

㉓어깨뼈 위각(superior angle of the scapula)

㉔어깨뼈가시(spine of the scapula)

㉕어깨뼈봉우리 (acromion)

㉖어깨뼈 아래각 (inferior angle of the scapula)

㉗엉덩뼈능선 (iliac crest)

㉘위뒤엉덩뼈 가시(posterior superior iliac spine)

⑰뒤정중선

⑱셋째 등뼈 가시돌기(spinous process of the 3rd thoracic vertebra) 높이 (어깨뼈 안쪽각(interior angle of the scapula) 높이)

⑲일곱째 등뼈 가시돌기(spinous process of the 7th thoracic vertebra) 높이 (어깨뼈 아래각(inferior angle of the scapula) 높이)

⑳넷째 허리뼈 가시돌기 (spinous process of the 4th lumbar vertebra) 높이

㉑둘째 정중엉치뼈능선(2nd median sacral crest) 높이

뒷면

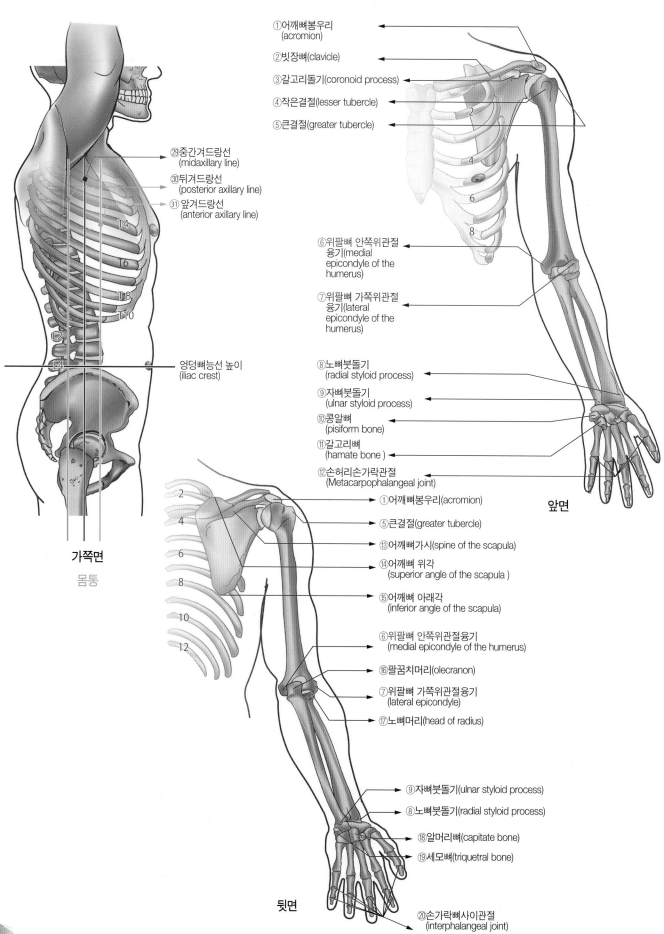

①어깨뼈봉우리
(acromion)

②빗장뼈(clavicle)

③갈고리돌기(coronoid process)

④작은결절(lesser tubercle)

⑤큰결절(greater tubercle)

②중간겨드랑선
(midaxillary line)

③뒤겨드랑선
(posterior axillary line)

③앞겨드랑선
(anterior axillary line)

⑥위팔뼈 안쪽위관절
융기(medial
epicondyle of the
humerus)

⑦위팔뼈 가쪽위관절
융기(lateral
epicondyle of the
humerus)

⑧노뼈붓돌기
(radial styloid process)

⑨자뼈붓돌기
(ulnar styloid process)

⑩콩알뼈
(pisiform bone)

⑪갈고리뼈
(hamate bone)

⑫손허리손가락관절
(Metacarpophalangeal joint)

엉덩뼈능선 높이
(iliac crest)

가쪽면

몸통

앞면

①어깨뼈봉우리(acromion)

⑤큰결절(greater tubercle)

⑬어깨뼈가시(spine of the scapula)

⑭어깨뼈 위각
(superior angle of the scapula)

⑮어깨뼈 아래각
(inferior angle of the scapula)

⑥위팔뼈 안쪽위관절융기
(medial epicondyle of the humerus)

⑯팔꿈치머리(olecranon)

⑦위팔뼈 가쪽위관절융기
(lateral epicondyle)

⑰노뼈머리(head of radius)

⑨자뼈붓돌기(ulnar styloid process)

⑧노뼈붓돌기(radial styloid process)

⑱알머리뼈(capitate bone)

⑲세모뼈(triquetral bone)

뒷면

⑳손가락뼈사이관절
(interphalangeal joint)

6—다리

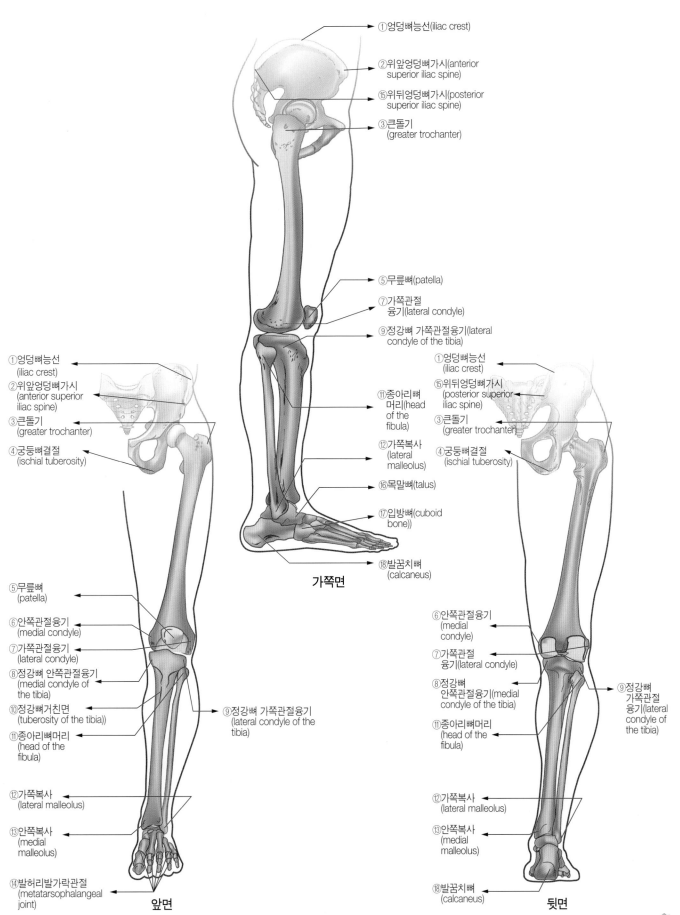

①엉덩뼈능선(iliac crest)

②위앞엉덩뼈가시(anterior superior iliac spine)

⑮위뒤엉덩뼈가시(posterior superior iliac spine)

③큰돌기 (greater trochanter)

⑤무릎뼈(patella)

⑦가쪽관절 융기(lateral condyle)

⑨정강뼈 가쪽관절융기(lateral condyle of the tibia)

⑪종아리뼈 머리(head of the fibula)

⑫가쪽복사 (lateral malleolus)

⑯목말뼈(talus)

⑰입방뼈(cuboid bone))

⑱발꿈치뼈 (calcaneus)

가쪽면

①엉덩뼈능선 (iliac crest)

②위앞엉덩뼈가시 (anterior superior iliac spine)

③큰돌기 (greater trochanter)

④궁둥뼈결절 (ischial tuberosity)

⑤무릎뼈 (patella)

⑥안쪽관절융기 (medial condyle)

⑦가쪽관절융기 (lateral condyle)

⑧정강뼈 안쪽관절융기 (medial condyle of the tibia)

⑩정강뼈거친면 (tuberosity of the tibia))

⑪종아리뼈머리 (head of the fibula)

⑨정강뼈 가쪽관절융기 (lateral condyle of the tibia)

⑫가쪽복사 (lateral malleolus)

⑬안쪽복사 (medial malleolus)

⑭발허리발가락관절 (metatarsophalangeal joint)

앞면

①엉덩뼈능선 (iliac crest)

⑮위뒤엉덩뼈가시 (posterior superior iliac spine)

③큰돌기 (greater trochanter)

④궁둥뼈결절 (ischial tuberosity)

⑥안쪽관절융기 (medial condyle)

⑦가쪽관절 융기(lateral condyle)

⑧정강뼈 안쪽관절융기(medial condyle of the tibia)

⑪종아리뼈머리 (head of the fibula)

⑨정강뼈 가쪽관절 융기(lateral condyle of the tibia)

⑫가쪽복사 (lateral malleolus)

⑬안쪽복사 (medial malleolus)

⑱발꿈치뼈 (calcaneus)

뒷면

1—골도법(骨度法) 앞면

1 골도법(骨度法)이란?

체표 해부의 두 개의 관절간의 골표지(骨標識)를 기준으로 해서, 그 사이의 길이를 등분하는 것을 골도법(骨度法)이라고 한다. 골도법(骨度法)은 취혈(取穴)의 기준 척도이다.

고대에는 표준 성인의 신장을 7척(尺) 5촌(寸)으로 정하고 각 부위의 척촌(尺寸)을 분배해서 기본 골도법(骨度法)으로 하였다.

임상에서 취혈(取穴)할 때는 환자 신체의 대소와 마르고 비만한 것에 관계없이 기준 골도법(骨度法)에 따라 두 개의 관절간의 길이를 등분해서 대응하고 있다.

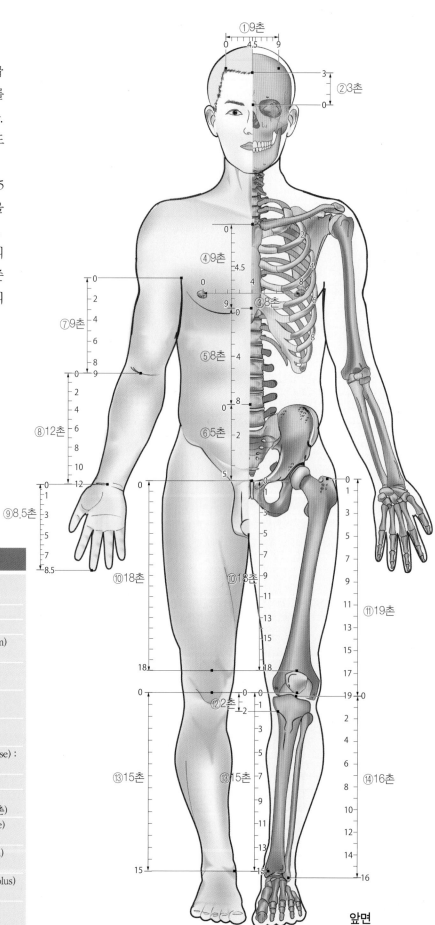

앞면

골도법(骨度法) (1)

① 좌우 전발제(前髮際) 액각(額角) 사이: 9촌
   (양 두유(頭維) 사이)
② 좌우 눈썹 중앙-전발제(前髮際) : 3촌
③ 양 유두(乳頭) 사이 : 8촌(양 유중(乳中) 사이)
④ 목아래패임(suprasternal notch)-복장뼈(sternum)
   하단 : 9촌
⑤ 복장뼈(sternum) 하단-배꼽 : 8촌
   (중정(中庭)-신궐(神闕))
⑥ 배꼽-두덩결합(pubic symphysis) 위모서리 :
   5촌(신궐(神闕)-곡골(曲骨))
⑦ 겨드랑주름(axillary fold)-팔오금주름(cubital
   crease) : 9촌
⑧ 팔오금주름(cubital crease)-손목주름(wrist crease) :
   1척2촌(12촌)
⑨ 손의 길이 : 8.5촌
⑩ 두덩결합(pubic symphysis) 위모서리-넙다리뼈
   (femur) 안쪽위관절융기 위모서리 : 1척8촌(18촌)
⑪ 큰돌기(greater trochanter)-오금(popliteal space)
   중앙 : 1척9촌(19촌)
⑫ 정강뼈 안쪽관절융기(medial condyle of the tibia)
   아래모서리-무릎뼈(patella) 최고점 : 2촌
⑬ 무릎뼈(patella) 최고점-안쪽복사(medial malleolus)
   최고점 : 15촌
⑭ 오금주름(popliteal crease)-가쪽복사(lateral
   malleolus) 최고점 : 1척6촌(16촌)

5. 골도법(骨度法)·동신촌법(同身寸法)

2— 골도법(骨度法) 뒷면

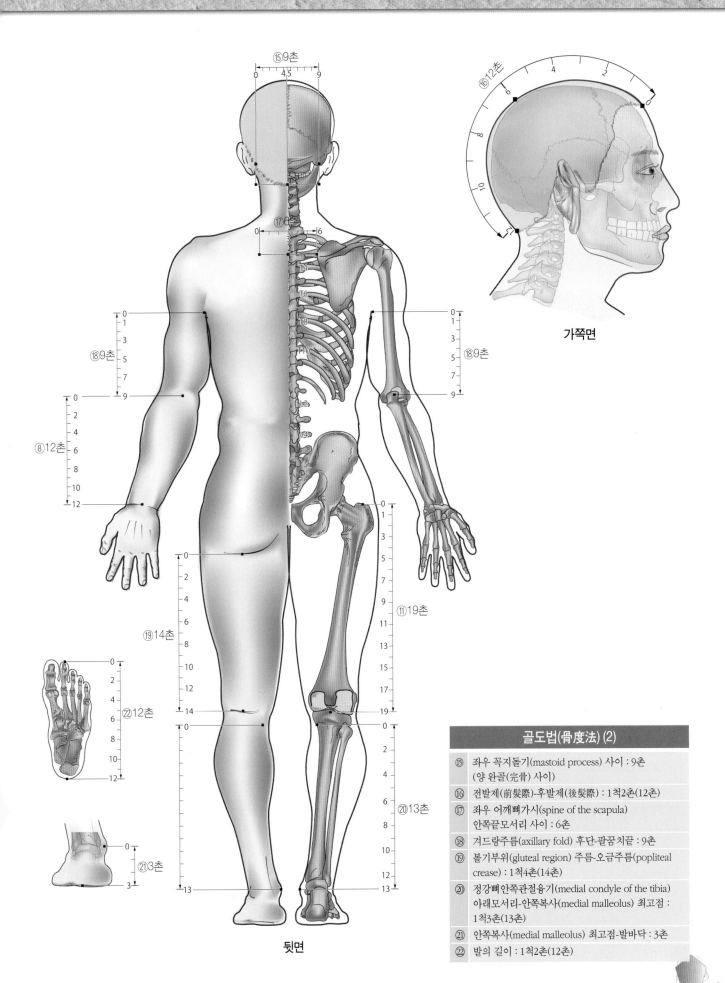

가쪽면

뒷면

골도법(骨度法) (2)

⑮	좌우 꼭지돌기(mastoid process) 사이 : 9촌 (양 완골(完骨) 사이)
⑯	전발제(前髮際)-후발제(後髮際) : 1척2촌(12촌)
⑰	좌우 어깨뼈가시(spine of the scapula) 안쪽끝모서리 사이 : 6촌
⑱	겨드랑주름(axillary fold) 후단-팔꿈치끝 : 9촌
⑲	볼기부위(gluteal region) 주름-오금주름(popliteal crease) : 1척4촌(14촌)
⑳	정강뼈안쪽관절융기(medial condyle of the tibia) 아래모서리-안쪽복사(medial malleolus) 최고점 : 1척3촌(13촌)
㉑	안쪽복사(medial malleolus) 최고점-발바닥 : 3촌
㉒	발의 길이 : 1척2촌(12촌)

3─수지동신촌(手指同身寸) (지촌취혈법(指寸取穴法))

수지동신촌(手指同身寸)이란 **지촌취혈법(指寸取穴法)**이라고도 하며, 임상 취혈(取穴)의 편법 가운데 하나이다. 실제로는 취혈(取穴)할 때 시술자 자신의 손을 쓰고 있으나 취혈촌법(取穴寸法)의 기준은 환자의 손가락의 폭이다.

① **일부법(一夫法)** : 집게손가락(index finger)에서 새끼손가락(digitus minimus)까지를 모으고 이 네 손가락의 가운데 마디의 폭을 일부(一夫)라고 하며 3촌으로 한다.

② **3지(三指) 동신촌(同身寸)** : 집게손가락(index finger)에서 반지손가락(ring finger)까지를 모으고 이 세 손가락의 끝마디의 폭을 2촌으로 한다.

③ **중지(中指) 동신촌(同身寸)** : 엄지(thumb)와 가운데손가락(middle filger)을 맞대어 고리를 만들고 가운데손가락(middle filger)의 안쪽에 생긴 양 주름의 폭을 1촌으로 한다.

④ **모지(拇指) 동신촌(同身寸)** : 엄지(thumb) 첫째 마디의 폭을 1촌으로 한다.

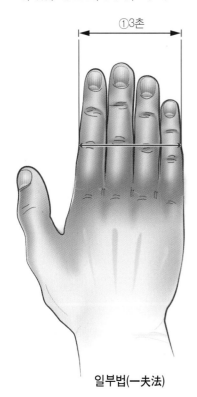

일부법(一夫法)

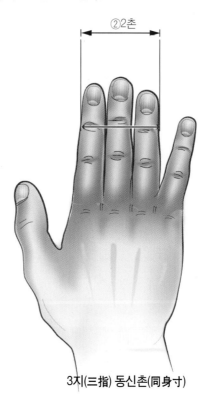

3지(三指) 동신촌(同身寸)

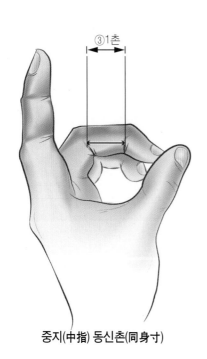

중지(中指) 동신촌(同身寸)

모지(拇指) 동신촌(同身寸)

임상 취혈(取穴)의 주의점

① 체표 해부의 표지, 특히 팔이나 다리에 있는 6개의 관절에 있는 경혈(經穴)을 기준으로 한다.

② 경혈(經穴)은 뼈의 극간(隙間)이나 근육의 움푹한 곳에 있는 경우가 많으나 환자의 체위 또는 병증에 따라 그 부위가 다소 차이가 나는 일이 많기 때문에 주의해야 한다.

③ 하나의 경혈을 취할 때는 그 전후 좌우에 있는 경혈과의 위치관계를 항상 유의하고, 이를 참조해 가면서 결정하는 것이 좋다.

제2장

십사경맥(十四經脈)의 경혈

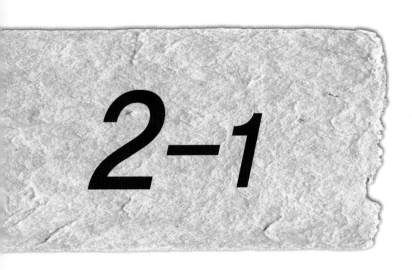

임맥(任脈)·독맥(督脈)의 경혈

1— 임맥(任脈)의 경혈(24혈)

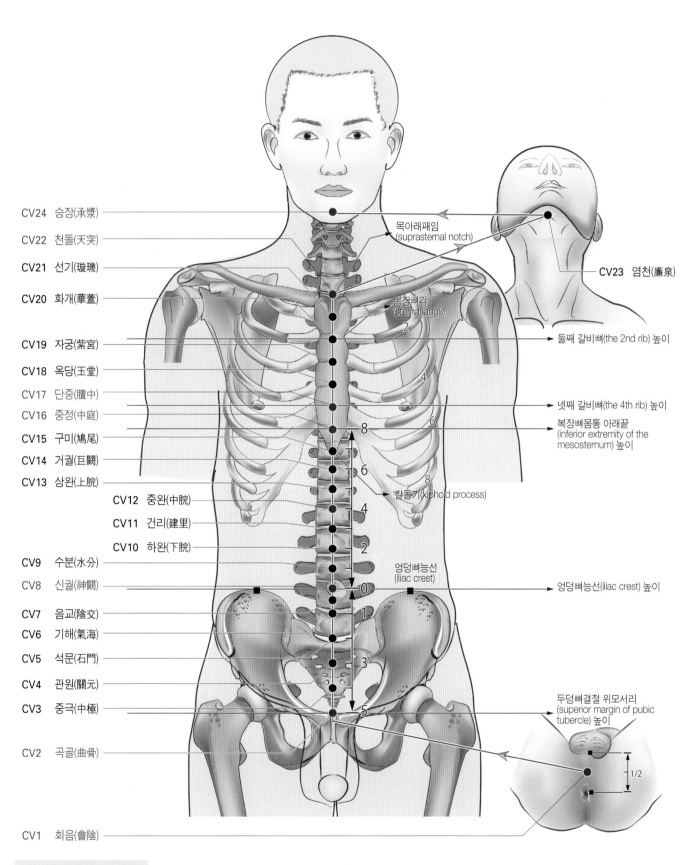

CV24 승장(承漿)
CV22 천돌(天突)
CV21 선기(璇璣)
CV20 화개(華蓋)
CV19 자궁(紫宮)
CV18 옥당(玉堂)
CV17 단중(膻中)
CV16 중정(中庭)
CV15 구미(鳩尾)
CV14 거궐(巨闕)
CV13 상완(上脘)
CV12 중완(中脘)
CV11 건리(建里)
CV10 하완(下脘)
CV9 수분(水分)
CV8 신궐(神闕)
CV7 음교(陰交)
CV6 기해(氣海)
CV5 석문(石門)
CV4 관원(關元)
CV3 중극(中極)
CV2 곡골(曲骨)
CV1 회음(會陰)

CV23 염천(廉泉)

목아래패임
(suprasternal notch)

복장뼈각
(sternal angle)

둘째 갈비뼈(the 2nd rib) 높이

넷째 갈비뼈(the 4th rib) 높이

복장뼈몸통 아래끝
(inferior extremity of the
mesosternum) 높이

칼돌기(xiphoid process)

엉덩뼈능선
(iliac crest)

엉덩뼈능선(iliac crest) 높이

두덩뼈결절 위모서리
(superior margin of pubic
tubercle) 높이

1/2

CV : Conception Vessel

23

2— 임맥(任脈) 배 14혈의 취혈방법(1)

경혈의 위치

1 샅부위 (1혈)

CV1 회음(會陰) 회음부위(perineal region), 남성은 항문(anus)과 음낭 뒤모서리(posterior border of the scrotum)를 연결하는 선의 중점, 여성은 항문(anus)과 뒤대음순연결(posterior commissure of labium majoris)을 연결하는 선의 중점.

2 배 (14혈)

CV2 곡골(曲骨) 아랫배, 앞정중선(anterior median line) 위, 두덩결합(pubic symphysis) 위모서리.

CV3 중극(中極) 아랫배, 앞정중선(anterior median line) 위, 배꼽(umbilicus) 중심에서 아래쪽으로 4촌.

CV4 관원(關元) 아랫배, 앞정중선(anterior median line) 위, 배꼽(umbilicus) 중심에서 아래쪽으로 3촌.

CV5 석문(石門) 아랫배, 앞정중선(anterior median line) 위, 배꼽(umbilicus) 중심에서 아래쪽으로 2촌.

CV6 기해(氣海) 아랫배, 앞정중선(anterior median line) 위, 배꼽(umbilicus) 중심에서 아래쪽으로 1.5촌.

CV7 음교(陰交) 아랫배, 앞정중선(anterior median line) 위, 배꼽(umbilicus) 중심에서 아래쪽으로 1촌.

CV8 신궐(神闕) 윗배, 배꼽(umbilicus)의 중심.

CV9 수분(水分) 윗배, 앞정중선(anterior median line) 위, 배꼽(umbilicus) 중심에서 위쪽으로 1촌.

CV10 하완(下脘) 윗배, 앞정중선(anterior median line) 위, 배꼽(umbilicus) 중심에서 위쪽으로 2촌.

CV11 건리(建里) 윗배, 앞정중선(anterior median line) 위, 배꼽(umbilicus) 중심에서 위쪽으로 3촌.

CV12 중완(中脘) 윗배, 앞정중선(anterior median line) 위, 배꼽(umbilicus) 중심에서 위쪽으로 4촌.

CV13 상완(上脘) 윗배, 앞정중선(anterior median line) 위, 배꼽(umbilicus) 중심에서 위쪽으로 5촌.

CV14 거궐(巨闕) 윗배, 앞정중선(anterior median line) 위, 배꼽(umbilicus) 중심에서 위쪽으로 6촌.

CV15 구미(鳩尾) 윗배, 앞정중선(anterior median line) 위, 칼몸통결합(xiphisternal junction)에서 아래쪽으로 1촌.

임맥(任脈) 배 14혈의 취혈방법

① 양 엉덩뼈능선(iliac crest)의 최고점을 수평으로 연결하여 정중선(正中線)과 교차하는 지점을 신궐(神闕)로 잡는다(배꼽 한 가운데).
② 복장뼈(sternum) 칼돌기(xiphoid process) 아래에서 구미(鳩尾)를 취한다.
③ 신궐(神闕)과 복장뼈몸통(mesosternum) 아래끝 사이의 중앙이 중완(中脘)이다.

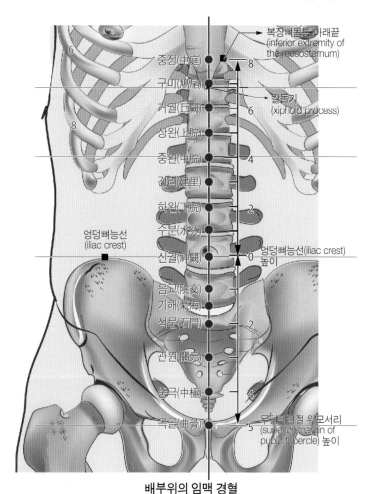

배부위의 임맥 경혈

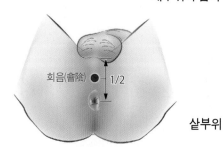

샅부위

혈명의 유래

곡골(曲骨) 두덩결합(pubic symphysis) 위쪽의 만곡된 부분을 가리킨다.

관원(關元) 원기(元氣)가 드나드는 곳을 의미한다.

석문(石門) 고대에 무월경(無月經), 불임(不姙)인 여자를 석녀(石女)라고 했다. 이 혈은 임부에게 금침(禁鍼)이다.

기해(氣海) 원기(元氣), 신(腎)의 정기(精氣)가 모여 있는 곳을 기해(氣海)라고 한다.

신궐(神闕) 궐(闕)은 궁전의 문, 신(神)은 생명을 의미한다. 배꼽을 통해서 태아에 모체의 정기(精氣)가 들어가 신(神)-생명체(生命體)를 형성한다. 이 혈은 배꼽의 중앙에 위치하여 "신기(神氣)"가 출입하는 문호가 된다.

건리(建里) 위(胃)와 장(腸)의 기능을 조절한다는 뜻이다.

중완(中脘) 고대에 위(胃)를 완(脘)이라 하였는데, 이 혈은 위(胃)의 중앙 "소만부(小彎部)"에 위치하여 중완(中脘)이라고 하였다.

구미(鳩尾) 명치를 구미(鳩尾)라고 한다. 칼돌기(xiphoid process)의 형상이 비둘기의 꼬리와 비슷하다고 해서 유래된 이름이다.

2— 임맥(任脈) 가슴 6혈의 취혈방법(2)

경혈의 위치

③ 가슴 (6혈)

CV16	중정(中庭)	앞가슴부위, 앞정중선(anterior median line) 위, 칼몸통결합(xiphisternal junction)의 중점.
CV17	단중(膻中)	앞가슴부위, 앞정중선(anterior median line) 위, 넷째 갈비사이공간(the 4th intercostal space)과 같은 높이.
CV18	옥당(玉堂)	앞가슴부위, 앞정중선(anterior median line) 위, 셋째 갈비사이공간(the 3rd intercostal space)과 같은 높이.
CV19	자궁(紫宮)	앞가슴부위, 앞정중선(anterior median line) 위, 둘째 갈비사이공간(the 2nd intercostal space)과 같은 높이.
CV20	화개(華蓋)	앞가슴부위, 앞정중선(anterior median line) 위, 첫째 갈비사이공간(the 1st intercostal space)과 같은 높이.
CV21	선기(璇璣)	앞가슴부위, 앞정중선(anterior median line) 위, 목아래패임(suprasternal fossa)에서 아래쪽으로 1촌.

④ 머리목부위 (3혈)

CV22	천돌(天突)	목앞부위, 앞정중선(anterior median line) 위, 목아래패임(suprasternal fossa)의 중심.
CV23	염천(廉泉)	목 앞부위, 앞정중선(anterior median line) 위, 방패연골(thyroid cartilage) 위모서리 위쪽, 목뿔뼈(hyoid bone) 위쪽의 오목한 곳.
CV24	승장(承漿)	얼굴, 턱끝입술고랑(mentolabial sulcus) 가운데의 오목한 곳.

임맥(任脈) 가슴 6혈의 취혈 방법

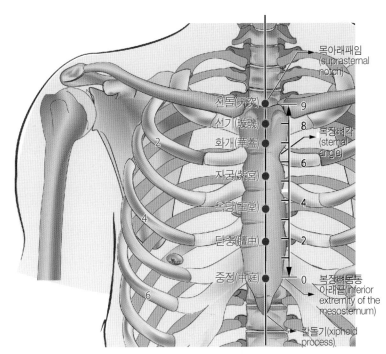

가슴부위의 임맥 경혈

① 넷째 갈비사이(the 4th intercostal) 앞정중선(anterior median line)상에서 단중(膻中)을 취한다(양 유두(乳頭)를 수평으로 연결해 정중선(正中線)과 교차하는 곳).

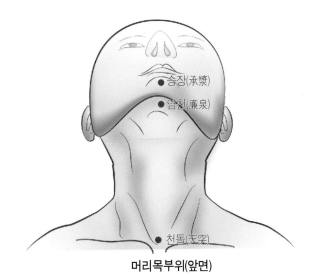

머리목부위(앞면)

혈명의 유래

단중(膻中) 고대에 양 유두(乳頭) 사이를 단(膻)이라고 했다. 이 혈은 그 중앙에 있기 때문에 단중(膻中)이라고 한다. 또는 상기해(上氣海), 상단전(上丹田)이라고도 한다.

옥당(玉堂) 옥당(玉堂)은 제왕(帝王)의 궁전을 의미한다. "심(心)"은 "군주지관(君主之官)"으로 제왕에 비유한다. 이 혈이 심장의 위치에 있기 때문에 옥당(玉堂)이라 하였다.

자궁(紫宮) 이는 제왕의 성좌(星座) 이름으로, 이 혈이 심장의 위치에 있기 때문에 이런 이름이 붙여졌다.

화개(華蓋) 폐는 오장육부(五臟六腑)의 화개(華蓋)이다. 이 혈은 폐병(肺病)에 효과가 있기 때문에 이런 이름이 붙여졌다.

천돌(天突) 복장뼈(sternum) 목아래패임(suprasternal notch)의 위로 향한 형상이 천돌(天突)의 유래이다. "천지인(天地人) 삼재(三材)" 사상에 따라, 이름에 천(天)자가 붙은 경혈은 상부에 있는 경우가 많다.

염천(廉泉) "염(廉)"은 발, "천(泉)"은 물이 솟아나오는 것을 의미한다. 목뿔뼈(hyoid bone)에 붙은 근육을 발에 비유하고, 혀밑샘(sublingual gland)의 분비작용을 샘에서 물이 솟아나오는 것에 비유하여 염천(廉泉)이라 하였다.

3─ 임맥(任脈) 경혈의 주치(主治)

임맥(任脈)은 "음경(陰經)의 바다"라고 하며 모든 음경(陰經)을 통괄하는 작용을 한다. 그 유주에 따라 경혈의 주치(主治)는 ① 비뇨생식기계의 여러 증상, ② 소화기계의 여러 증상, ③ 심폐(心肺) 질환이나 인후(咽喉) 질환, 얼굴 아래쪽의 감각, 운동장애의 세 가지로 대별된다. 그 가운데 특히 아랫배부위의 경혈들은 **비뇨생식기계와 부인과** 질환에, 배의 경혈들은 **소화기계** 질환에 잘 쓰인다.

일부의 경혈은 강장작용(強壯作用)이나 진정안신(鎭靜安神) 작용이 있다.

경혈명칭	부위	주치(主治)	특수한 주치	자법(刺法)	비고
회음(會陰)	샅	치질, 배뇨장애, 월경이상, 자궁출혈, 음위(陰痿), 음경통, 전립선질환	익수, 질식, 실신	직자 0.5-1촌	
곡골(曲骨)		배뇨장애, 월경이상, 자궁수축부전, 대하, 음위(陰痿), 유정, 조루	수술후 배뇨곤란	직자 0.5-1촌	
중극(中極)		빈뇨, 요폐, 요루(尿漏), 생리불순, 불임, 음위(陰痿)	수술후 배뇨곤란	직자 0.5-1촌	방광경의 모혈
관원(關元)		빈뇨, 요폐, 요루(尿漏), 생리불순, 생리통, 불임, 음위(陰痿), 하리, 복통, 허냉증, 체력회복	양생 강장작용	직자 0.5-1촌	소장경의 모혈
석문(石門)	아랫배	소변불리, 생리불순, 신장염, 수종, 하리, 복통, 산후체력회복	피임작용	직자 0.5-1촌	삼초경의 모혈
기해(氣海)		배꼽근처의 복통, 하리, 생리불순, 음위(陰痿), 조루, 수종, 자율신경실조증	천식의 좌위호흡증	직자 0.5-1.5촌	
음교(陰交)		배꼽근처의 복통, 하리, 생리불순, 음위(陰痿), 조루, 수종, 자율신경실조증		직자 0.5-1촌	
신궐(神闕)		배꼽근처의 복통, 장명, 하리, 허냉증, 체력쇠약, 수종	양생 강장작용	금침, 격물구	
수분(水分)		복창, 장명, 복통, 오심, 위장염		직자 0.5-1촌	
하완(下脘)		식후복창, 장명, 복통, 오심, 위장염		직자 0.8-1.5촌	
건리(建里)		위장의 여러 증상에 상용	위장의 양생혈	직자 0.5-1촌	
중완(中脘)	윗배	위장의 여러 증상에 상용, 식후복창, 위통, 구토, 하리, 변비, 식중독, 위하수 등	우울증, 불면증	직자 0.8-1.5촌	위경의 모혈
상완(上脘)		식후복창, 위통, 구토, 오심, 트림, 구취, 토혈, 황달 등	거담, 안면(安眠)작용	직자 0.5-1촌	
거궐(巨闕)		심하팽만, 식후복창, 위통, 구토, 오심, 트림, 구취, 토혈, 황달, 횡격막경련 등	거담, 안면(安眠)작용	사자 0.5-1촌	
구미(鳩尾)		심하비만(心下痞滿), 동계(動悸), 기관지염, 구토, 오심, 트림, 구취, 횡격막경련, 늑간신경통		사자 0.5촌	임맥의 낙혈
중정(中庭)		흉협고만, 식도염, 구토, 오심, 트림, 횡격막경련, 늑간신경통 등		횡자 0.3-0.5촌	
단중(膻中)		심번, 고만, 심흉통, 동계(動悸), 해수, 천식, 구토, 트림, 유선염, 늑간신경통 등		횡자 0.3-0.5촌	심포경의 모혈
옥당(玉堂)	가슴	해수, 천식, 심흉고만, 심흉통, 동계(動悸), 구토		횡자 0.3-0.5촌	
자궁(紫宮)		해수, 천식, 심흉고만, 심흉통, 동계(動悸), 구토		횡자 0.3-0.5촌	
화개(華蓋)		해수, 천식, 심흉통, 인후염		횡자 0.3-0.5촌	
선기(璇璣)		인후염, 편도선염, 해수, 천식		횡자 0.3-0.5촌	
천돌(天突)	목	해수, 천식, 인후염, 편도선염	정천거담(定喘去痰)	0.2촌 사자 후 복장뼈 자루 안쪽 모서리에 닿으면 침끝을 아래쪽으로 바꿔 기관지 앞모서리를 1촌 횡자	
염천(廉泉)		설염, 침흘림, 혀의 감각이나 운동 마비, 실어증, 인후염		직자 0.5-1촌	
승장(承漿)	얼굴	안면신경마비, 삼차신경통, 하치통, 안면부종, 언어장애		사자 0.3-0.5촌	

1. 임맥(任脈)·독맥(督脈)의 경혈

4─독맥(督脈)의 경혈(28혈)

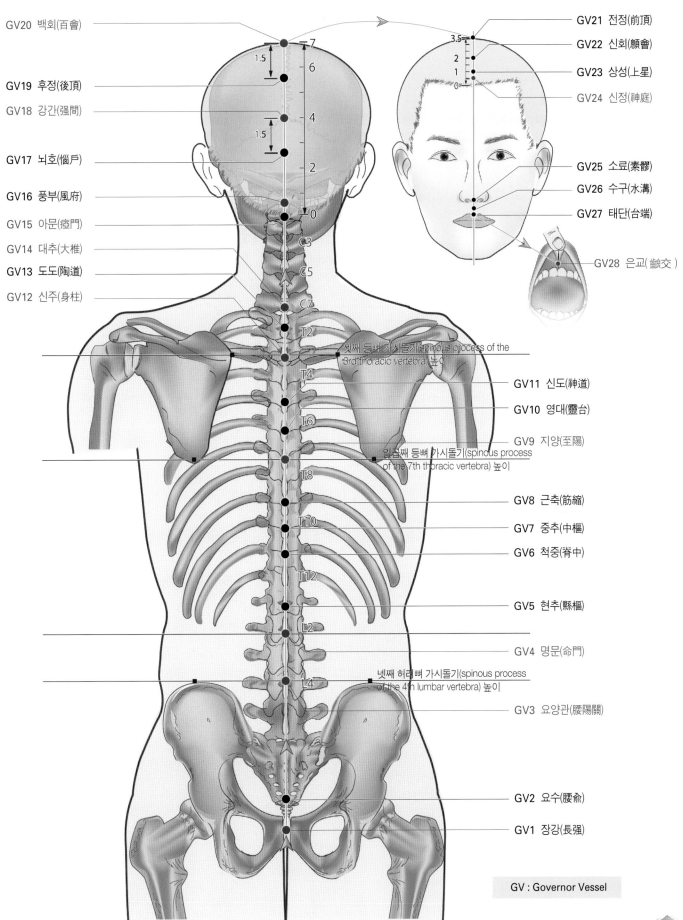

GV20 백회(百會)
GV19 후정(後頂)
GV18 강간(强間)
GV17 뇌호(惱戸)
GV16 풍부(風府)
GV15 아문(瘂門)
GV14 대추(大椎)
GV13 도도(陶道)
GV12 신주(身柱)

1.5
1.5

GV21 전정(前頂)
GV22 신회(顖會)
GV23 상성(上星)
GV24 신정(神庭)

3.5
2
1
0

GV25 소료(素髎)
GV26 수구(水溝)
GV27 태단(兌端)

GV28 은교(齦交)

셋째 등뼈 가시돌기(spinous process of the 3rd thoracic vertebra) 높이

GV11 신도(神道)
GV10 영대(靈台)
GV9 지양(至陽)

일곱째 등뼈 가시돌기(spinous process of the 7th thoracic vertebra) 높이

GV8 근축(筋縮)
GV7 중추(中樞)
GV6 척중(脊中)

GV5 현추(縣樞)

GV4 명문(命門)

넷째 허리뼈 가시돌기(spinous process of the 4th lumbar vertebra) 높이

GV3 요양관(腰陽關)

GV2 요수(腰兪)
GV1 장강(長强)

GV : Governor Vessel

27

5 ─ 독맥(督脈) 척추부 12혈의 취혈방법(1)

경혈의 위치

1 살, 엉치 부위 (2혈)

GV1	장강(長强)	회음부위(perineal region), 꼬리뼈(coccyx) 아래쪽, 꼬리뼈끝과 항문(anus)을 연결하는 선의 중점.
GV2	요수(腰兪)	엉치부위, 뒤정중선(posterior median line) 위, 엉치뼈틈새(sacral hiatus).

2 척추부 (12혈)

GV3	요양관(腰陽關)	허리부위, 뒤정중선(posterior median line) 위, 넷째 허리뼈 가시돌기(spinous process of the 4th lumbar vertebra) 아래쪽 오목한 곳.
GV4	명문(命門)	허리부위, 뒤정중선(posterior median line) 위, 둘째 허리뼈 가시돌기(spinous process of the 2nd lumbar vertebra) 아래쪽 오목한 곳.
GV5	현추(懸樞)	허리부위, 뒤정중선(posterior median line) 위, 첫째 허리뼈 가시돌기(spinous process of the 1st lumbar vertebra) 아래쪽 오목한 곳.
GV6	척중(脊中)	위쪽 등부위, 뒤정중선(posterior median line) 위, 열한째 등뼈 가시돌기(spinous process of the 11th thoracic vertebra) 아래쪽 오목한 곳.
GV7	중추(中樞)	위쪽 등부위, 뒤정중선(posterior median line) 위, 열째 등뼈 가시돌기(spinous process of the 10th thoracic vertebra) 아래쪽 오목한 곳.
GV8	근축(筋縮)	위쪽 등부위, 뒤정중선(posterior median line) 위, 아홉째 등뼈 가시돌기(spinous process of the 9th thoracic vertebra) 아래쪽 오목한 곳.
GV9	지양(至陽)	위쪽 등부위, 뒤정중선(posterior median line) 위, 일곱째 등뼈 가시돌기(spinous process of the 7th thoracic vertebra) 아래쪽 오목한 곳.
GV10	영대(靈臺)	위쪽 등부위, 뒤정중선(posterior median line) 위, 여섯째 등뼈 가시돌기(spinous process of the 6th thoracic vertebra) 아래쪽 오목한 곳.
GV11	신도(神道)	위쪽 등부위, 뒤정중선(posterior median line) 위, 다섯째 등뼈 가시돌기(spinous process of the 5th thoracic vertebra) 아래쪽 오목한 곳.
GV12	신주(身柱)	위쪽 등부위, 뒤정중선(posterior median line) 위, 셋째 등뼈 가시돌기(spinous process of the 3rd thoracic vertebra) 아래쪽 오목한 곳.
GV13	도도(陶道)	위쪽 등부위, 뒤정중선(posterior median line) 위, 첫째 등뼈 가시돌기(spinous process of the 1st thoracic vertebra) 아래쪽 오목한 곳.
GV14	대추(大椎)	목 뒤부위, 뒤정중선(posterior median line) 위, 일곱째 목뼈 가시돌기(spinous process of the 7th cervical vertebra) 아래쪽 오목한 곳.

독맥(督脈) 척추부 12혈의 취혈 방법

① 양 어깨뼈 아래각(inferior angle of the scapula)을 수평으로 연결하여 뒤정중선과 만나는 곳이 제7극돌기 높이이다. 그 아래에 지양(至陽)을 취한다.

② 양 엉덩뼈능선(iliac crest)의 최고점을 연결하는 수평선이 뒤정중선과 만나는 곳이 넷째 허리뼈 가시돌기이거나 셋째 허리뼈 가시돌기와 넷째 허리뼈 가시돌기 사이이다. 넷째 허리뼈 가시돌기 아래에 요양관(腰陽關)을 취한다.

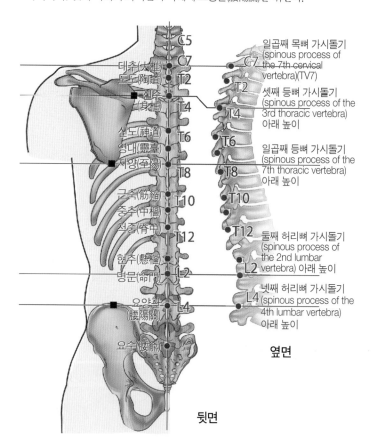

옆면

뒷면

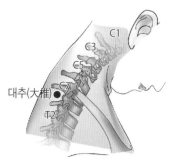

※ **대추(大椎) 취혈방법:** 앉은 상태에서 목에 힘을 빼고 고개를 숙이면, 목 뒤면에서 가장 높이 튀어나온 곳이 일곱째 목뼈 가시돌기이다. 목을 약간 숙인 상태에서 머리를 좌우로 돌리면 등뼈는 움직이지 않고, 목뼈는 움직인다. 일곱째 목뼈 가시돌기 아래쪽 오목한 곳에서 대추(大椎)를 취혈한다.

혈명의 유래

요양관(腰陽關) 임맥(任脈)의 관원(關元)과 독맥(督脈)의 요양관(腰陽關)은 앞뒤로 상응한다. 관원(關元)은 "원기(元氣)가 드나드는 문", 요양관(腰陽關)은 "양기(陽氣)가 드나드는 문"의 의미이다.

명문(命門) 양쪽 신(腎) 사이를 명문(命門)이라고 한다. 신(腎)의 정기(精氣)가 생명의 근본이므로 이런 이름이 붙여졌다.

척중(脊中) 척추의 중앙에 있다는 뜻이다.

근축(筋縮) 간수(肝兪)와 수평한 높이에 있는 경혈로, 간(肝)이 근육을 주관하는 것에서 유래했다.

지양(至陽) "지(至)"는 더 이상 나아갈 수 없는 지점에 이르렀다는 의미이다. 이 혈은 가로막(diaphragm)과 수평한 높이로, 상초(上焦)와 중초(中焦)의 경계에 위치한다. 상초(上焦)는 양(陽)에 속하므로 여기까지 양(陽)이 다다른다고 하여 "지양(至陽)"이라고 하였다.

신도(神道) "신(神)", "영(靈)" 등은 정신활동을 의미한다. 한의학에서는 정신활동이 심(心)의 작용에 의한다고 하여, 이러한 글자가 붙은 경혈(經穴)은 심장(心臟)의 위치에 가까이 있거나 심경(心經)에 있는 경우가 많다.

도도(陶道) 도도(陶道)는 가마에서 도자기를 굽는 불의 통로를 의미한다. 이 혈은 해열(解熱)의 요혈(要穴)이기 때문에 이런 이름이 붙여졌다.

대추(大椎) C7(일곱째 목뼈)을 고대에는 대추(大椎)라고 하였다.

5 — 독맥(督脈) 머리목부위 14혈의 취혈방법(2)

경혈의 위치

③ 머리목부위 (14혈)

GV15	아문(瘂門)	목 뒤부위, 뒤정중선(posterior median line), 둘째 목뼈 가시돌기(spinous process of the 2nd cervical vertebra) 위쪽 오목한 곳.
GV16	풍부(風府)	목 뒤부위, 바깥뒤통수뼈융기(external occipital protuberance)에서 수직으로 아래쪽, 양쪽 등세모근(trapezius muscle) 사이의 오목한 곳.
GV17	뇌호(腦戶)	머리, 뒤정중선(posterior median line) 위, 바깥뒤통수뼈융기(external occipital protuberance) 위쪽 오목한 곳.
GV18	강간(強間)	머리, 뒤정중선(posterior median line) 위, 後髮際(posterior hairline)에서 위쪽으로 4촌.
GV19	후정(後頂)	머리, 뒤정중선(posterior median line) 위, 後髮際(posterior hairline)에서 위쪽으로 5.5촌.
GV20	백회(百會)	머리, 앞정중선(anterior median line) 위, 前髮際(anterior hairline)에서 위쪽으로 5촌.
GV21	전정(前頂)	머리, 앞정중선(anterior median line) 위, 前髮際(anterior hairline)에서 위쪽으로 3.5촌.
GV22	신회(顖會)	머리, 앞정중선(anterior median line) 위, 前髮際(anterior hairline)에서 위쪽으로 2촌.
GV23	상성(上星)	머리, 앞정중선(anterior median line) 위, 前髮際(anterior hairline)에서 위쪽으로 1촌.
GV24	신정(神庭)	머리, 앞정중선(anterior median line) 위, 前髮際(anterior hairline)에서 위쪽으로 0.5촌.
GV25	소료(素髎)	앞정중선상에서 코끝 움푹한 곳.
GV26	수구(水溝)	얼굴, 인중 정중선(philtrum midline)의 중점.

※ 역자 주: 水溝(GV26)의 부위가 인중 정중선에서 위쪽으로부터 1/3과 아래쪽으로부터 2/3 되는 지점이라는 의견도 있다.

GV27	태단(兌端)	얼굴, 윗입술결절(tubercle of the upper lip)의 중점.
GV28	은교(齦交)	얼굴, 위입술주름띠(frenulum of the upper lip)와 위잇몸(upper gum)이 만나는 지점.

독맥(督脈) 머리목부위 14혈의 취혈방법

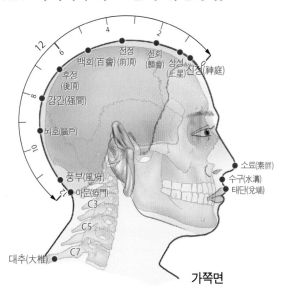

가쪽면

① 양 이첨(耳尖)을 연결하는 선과 정중선(正中線)이 두정(頭頂)에서 만나는 점을 백회(百會)로 취한다(백회(百會)는 두정(頭頂)의 정중선상(正中線上)에 전발제(前髮際)에서 5촌, 후발제(後髮際)에서 7촌에 취한다).
② 바깥뒤통수뼈융기(external occipital protuberance)를 확인하고 정중선(正中線)을 따라 후발제(後髮際) 방향으로 미끄러져 내려와 멈추는 움푹한 곳에 풍부(風府)를 취한다.
③ 풍부(風府) 직하 0.5촌, 후발제(後髮際) 위 0.5촌의 움푹한 곳에 아문(瘂門)을 취한다. 풍부(風府)와 백회(百會)의 중간에 강간(強間)을 취한다.

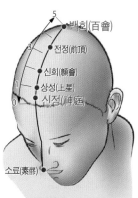

백회(百會)와 신정(神庭)
(위에서 본것)

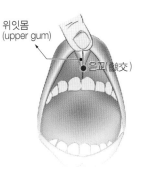

은교(齦交)의 취혈법

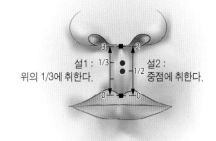

설1 : 1/3
위의 1/3에 취한다.

설2 : 중점에 취한다.

수구(水溝)의 위치에 대한 두 가지 설

혈명의 유래

아문(瘂門)	실어(失語) 등 언어장애의 치료에 관여하는 요혈(要穴)이기 때문에 이런 이름이 붙여졌다.
풍부(風府)	풍사(風邪)는 두경부(頭頸部)를 쉽게 침범한다. "풍(風)"의 사기(邪氣)가 모이는 곳을 의미한다.
강간(強間)	"강(強)"은 단단함, "간(間)"은 뼈의 틈을 의미한다. 이 혈이 뒷머리의 시옷봉합(lambdoid suture)에 있기 때문에 이런 이름이 붙여졌다.
백회(百會)	"백(百)"은 경맥(經脈)의 수가 많다, "회(會)"는 기혈(氣血)이 모인다는 뜻이다. 이 혈은 두정(頭頂)의 중앙에 있고, 머리의 모든 양기(陽氣)가 모이기 때문에 이런 이름이 붙여졌다.
신회(顖會)	고대에는 "천문(泉門)"을 "신(顖)"이라 하였다. 대천문(大泉門)이 있는 곳이므로 이렇게 이름하였다.
신정(神庭)	한의학에서 뇌는 "정신활동"의 부(府)라는 설이 있다. 신(神)을 뇌의 기능으로 해석하면, 이 혈은 전두엽(前頭葉)에 있기 때문에 정신활동을 행하는 곳이라는 의미이다.

6─독맥(督脈) 경혈의 주치(主治)

독맥(督脈)은 "양경(陽經)의 바다"라고 하며 모든 양경(陽經)을 총괄하는 작용을 한다. 이 경혈의 작용은 생체의 양기(陽氣)를 고무시키는 일이다. 구체적으로는 머리목부위의 **진정작용(鎭靜作用)**, 윗등부위의 **호흡**과 **순환기계** 조절, 중간등부위의 **소화기계 비뇨기계** 및 요추 질환의 치료, 허리엉치부위의 **생식기계**나 **부인과** 질환의 치료로 대별된다.

일부의 경혈은 **해열(解熱)** 작용을 가지고 있다.

경혈명칭	부위	주치(主治)	특수한 주치	자법(刺法)	비고
장강(長强)	샅	치질, 혈변, 유정, 조루, 배뇨장애, 탈항, 음위(陰痿)		사자 0.5-1촌	직장(直腸)을 찌르지 않도록 주의
요수(腰兪)	엉치	부인병, 냉증, 유정, 조루, 배뇨장애, 음위(陰痿), 만성하리, 요천골신경통, 성병		사자 0.5-1촌	
요양관(腰陽關)		요퇴통, 하지마비, 하지무력, 좌골신경통, 부인병, 유정, 조루, 음위(陰痿)		사자 0.5-1촌	
명문(命門)	허리	만성요통, 하지마비, 좌골신경통, 부인병, 냉증, 불임증, 위하수, 유정, 조루 음위(陰痿)	부신 호르몬을 조절 양생강장작용	직자 0.5-1촌	구(灸)의 상용혈
현추(懸樞)		복창, 장명, 소화불량, 만성하리, 위하수, 요배통		직자 0.5-1촌	
척중(脊中)		복창, 장명, 만성하리, 위하수, 요배통		사자 0.5-1촌	
중추(中樞)	등	요배통, 위통, 복창, 식욕부진, 황달, 감기	시신경(視神經)의 조절작용	사자 0.5-1촌	
근축(筋縮)		요배통, 위통, 위경련, 담낭염, 담석		사자 0.5-1촌	
지양(至陽)		늑간신경통, 위통, 위경련, 담낭염, 담석		사자 0.5-1촌	
영대(靈臺)		해수, 천식		사자 0.5-1촌	
신도(神道)		동계(動悸), 불면, 히스테리, 실어증		사자 0.5-1촌	
신주(身柱)		발열, 두통, 동계(動悸), 불면, 해수, 천식	소아의 양생보건혈	사자 0.5-1촌	
도도(陶道)		발열, 두통, 감기, 해수, 천식, 우울증	해열, 강압작용	사자 0.5-1촌	
대추(大椎)		발열, 두통, 감기, 우울증, 피부발진	해열, 강장작용	사자 0.5-1촌	
아문(瘂門)	목	후두통, 실어증, 뇌성마비, 비출혈		사자 0.5-1촌	
풍부(風府)		후두통, 어지럼증, 실어증, 편마비, 감기		사자 0.5-1촌	숨뇌를 찌르지 않도록 주의
뇌호(腦戶)		후두통, 두중증, 어지럼증, 간질		횡자 0.5-1촌	숨뇌를 찌르지 않도록 주의
강간(强間)		후두통, 두중증, 어지럼증, 간질		횡자 0.5-1촌	
후정(後頂)		후두통, 두중증, 어지럼증, 간질, 불면		횡자 0.5-1촌	
백회(百會)	머리	두통, 어지럼증, 코막힘, 실어증, 간질, 불면, 고혈압, 내장하수	진정, 강압작용 치질에 효과가 좋다	횡자 0.5-0.8촌	
전정(前頂)		두통, 어지럼증, 비염, 불면, 고혈압		횡자 0.3-0.5촌	
신회(顖會)		두통, 어지럼증, 비염, 불면, 고혈압		횡자 0.3-0.5촌	
상성(上星)		두통, 어지럼증, 코나 눈병, 불면, 고혈압		횡자 0.3-0.5촌	
신정(神庭)		두통, 어지럼증, 코나 눈병, 불면, 고혈압	두통의 상용혈	횡자 0.3-0.5촌	
소료(素髎)		코의 여러 질환		사자 0.3-0.5촌	
수구(水溝)	얼굴	안면신경마비, 삼차신경통, 실신	구급의 상용혈	상사자 0.3-0.5촌	
태단(兌端)		순염(脣炎), 치은염, 구취		사자 02.-0.3촌	
은교(齦交)		순염(脣炎), 치은염, 치통, 구취		사자 02.-0.3촌	

2-2

수족태음양명경
(手足太陰陽明經)의 경혈

1 — 수태음폐경(手太陰肺經)의 경혈(11혈)

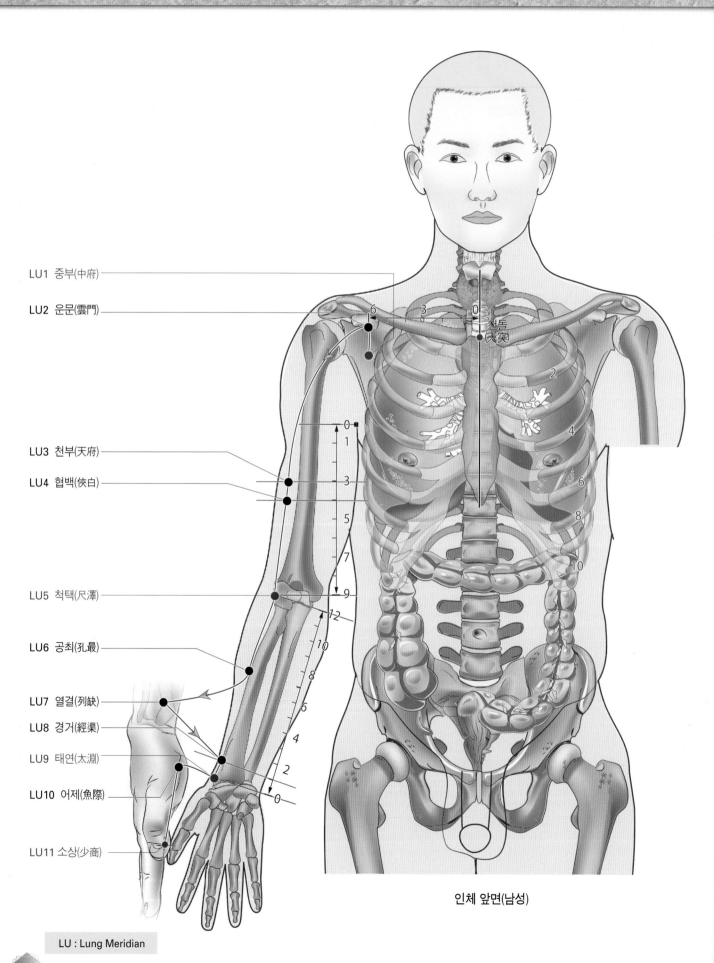

LU1 중부(中府)

LU2 운문(雲門)

LU3 천부(天府)

LU4 협백(俠白)

LU5 척택(尺澤)

LU6 공최(孔最)

LU7 열결(列缺)

LU8 경거(經渠)

LU9 태연(太淵)

LU10 어제(魚際)

LU11 소상(少商)

천돌
天突

인체 앞면(남성)

LU : Lung Meridian

2. 수족태음양명경(手足太陰陽明經)의 경혈

2─폐경(肺經) 가슴과 팔부위 9혈

경혈의 위치

1 가슴 (2혈)

LU1 중부(中府) 앞가슴부위, 첫째 갈비사이공간(the 1st intercostal space)과 같은 높이, 빗장아래오목(infraclavicular fossa)의 가쪽, 앞정중선(anterior median line)에서 가쪽으로 6촌.

LU2 운문(雲門) 앞가슴부위, 빗장아래오목(infraclavicular fossa), 어깨뼈 부리돌기(coracoid process) 안쪽, 앞정중선(anterior median line)에서 가쪽으로 6촌 오목한 곳.

2 팔 (7혈)

LU3 천부(天府) 위팔 앞가쪽면, 위팔두갈래근(biceps brachii muscle)의 가쪽모서리 바로 가쪽, 앞겨드랑주름(anterior axillary fold)에서 아래쪽으로 3촌.

LU4 협백(俠白) 위팔 앞가쪽면, 위팔두갈래근(biceps brachii muscle)의 가쪽모서리 바로 가쪽, 앞겨드랑주름(anterior axillary fold)에서 아래쪽으로 4촌.

LU5 척택(尺澤) 팔꿈치 앞쪽면, 팔오금주름(cubital crease) 위, 위팔두갈래근힘줄(biceps brachii tendon)의 가쪽 오목한 곳.

LU6 공최(孔最) 아래팔 앞가쪽면, 尺澤(LU5)과 太淵(LU9)을 연결하는 선 위, 손바닥쪽 손목주름(palmar wrist crease)에서 위쪽으로 7촌.

LU7 열결(列缺) 아래팔의 노쪽면, 긴엄지벌림근힘줄(abductor pollicis longus tendon)과 짧은엄지폄근힘줄(extensor pollicis brevis tendon)의 사이, 긴엄지벌림근힘줄 고랑(groove for the abductor pollicis longus tendon) 위, 손바닥쪽 손목주름(palmar wrist crease)에서 위쪽으로 1.5촌.

LU8 경거(經渠) 아래팔 앞가쪽면, 노뼈붓돌기(radial styloid process)와 노동맥(radial artery) 사이, 손바닥쪽 손목주름(palmar wrist crease)에서 위쪽으로 1촌.

LU9 태연(太淵) 손목 앞가쪽면, 노뼈붓돌기(radial styloid process)와 손배뼈(scaphoid bone) 사이, 긴엄지벌림근힘줄(abductor pollicis longus tendon)의 자쪽 오목한 곳.

3 손부위 (2혈)

LU10 어제(魚際) 손바닥, 첫째 손허리뼈(the 1st metacarpal bone) 중점의 노쪽, 적백육제.

LU11 소상(少商) 엄지손가락, 끝마디뼈(distal phalanx)의 노쪽, 엄지손톱 노쪽 뿌리각(radial corner of the thumb nail)에서 몸가쪽으로 0.1촌.

혈명의 유래 → p.34

폐경(肺經) 가슴과 팔부위 9혈의 취혈 방법

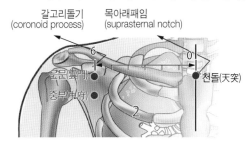

갈고리돌기(coronoid process)   목아래패임(suprasternal notch)

갈고리돌기와 운문(雲門)

① 빗장뼈(clavicle) 안쪽모서리를 따라 어깨관절(shoulder joint)로 손가락을 미끄러져 가다 멈추는 움푹한 곳에 운문(雲門)을 취한다 (갈고리돌기(coronoid process) 안쪽모서리, 정중선(正中線)으로부터 6촌에 취한다).
중부(中府)는 그 아래 1촌에 취한다.

② 팔꿈치를 굽히면 팔오금주름(cubital crease)에서 위팔두갈래근힘줄(biceps brachii tendon)이 쉽게 만져지고, 그 노쪽에 척택(尺澤)을 취한다.

③ 손목을 손바닥 쪽으로 굽혀 그 주름을 확인하고, 노쪽의 노동맥(radial a.) 박동부에 태연(太淵)을 취한다.

④ 양손의 엄지(thumb)와 집게손가락(index finger)을 교차시켜 집게손가락(index finger) 끝이 닿는 곳, 즉 노뼈붓돌기(radial styloid process)의 노쪽에 있는 고랑에 열결(列缺)을 취한다.

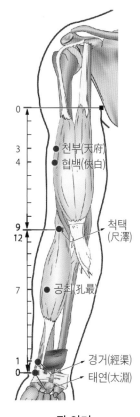

팔 앞면

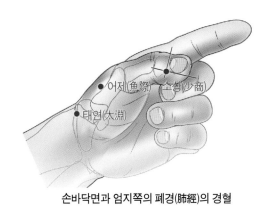

손바닥면과 엄지쪽의 폐경(肺經)의 경혈

긴엄지벌림근(abductor pollicis longus m.)
노뼈붓돌기(radial styloid process)
열결(列缺)
짧은엄지폄근(extensor hallucis brevis m.)

열결(列缺)의 간단 취혈법

3— 수태음폐경(手太陰肺經) 경혈의 주치(主治)

수태음폐경(手太陰肺經)은 체내에서는 폐(肺)에 속(屬)하고 대장(大腸)에 낙(絡)한다. 체표에서는 가슴과 팔 앞쪽 노쪽을 달려 엄지(thumb) 노쪽에 이른다. 그 유주에 따라 폐경(肺經)의 경혈은 호흡기계, 팔 앞면 노쪽의 감각과 운동장애를 치료하는 데 쓰인다. 고전에서는 "음(陰)은 내(內)를 주관한다"고 하여 음경(陰經)의 경혈은 일반적으로 장(臟)의 질환과 허증(虛證)에 많이 쓰인다.

경혈명칭	부위	주치(主治)	특수한 주치	자법(刺法)	비고
중부(中府)	가슴	해수, 천식, 흉부고만, 흉부통증, 감기, 인후염	폐경의 모혈로 폐질환의 상용혈	사자 0.5-0.8촌	기흉(氣胸)이 되지 않도록 주의
운문(雲門)		해수, 천식, 흉부고만, 흉부통증, 감기, 인후염		사자 0.5-0.8촌	기흉(氣胸)이 되지 않도록 주의
천부(天府)	위팔	위팔안쪽의 감각과 운동장애, 해수, 천식, 비출혈, 각혈, 토혈, 급만성비염	지혈작용	직자 0.5-1촌	
협백(俠白)		위팔안쪽의 감각과 운동장애, 해수, 천식, 비출혈, 급만성비염, 심흉통		직자 0.5-1촌	
척택(尺澤)	아래팔	해수, 천식, 흉부고만, 감기, 조열(潮熱), 인후염, 노신경장애, 주관절장애, 요루(尿漏)	사혈요법(瀉血療法)을 써서 심흉질환에 쓰인다.	직자 0.5-1촌	합수혈(合水穴)
공최(孔最)		발열, 무한(無汗), 해수, 천식, 비출혈, 각혈, 감기, 인후염, 노신경장애	해열발한작용	직자 0.5-1촌	극혈(郄穴)
열결(列缺)		두항통, 치통, 편두통, 항강, 얼굴신경마비, 비출혈, 인후염, 노신경장애	사총혈(四總穴)의 하나로 두항부 질환에 배혈	사자 0.5-0.8촌	낙혈(絡穴)
경거(經渠)		해수, 천식, 발열, 무한(無汗), 인후염, 흉배통, 수장열, 노신경의 감각장애	해열발한작용	직자 0.2-0.3촌	경금혈(經金穴)
태연(太淵)		해수, 천식, 발열, 무한(無汗), 인후염, 흉배통, 수장열, 완관절장애, 무맥증		직자 0.2-0.3촌	수토혈(兪土穴), 원혈(原穴), 팔회혈(八會穴)의 하나로 맥회(脈會)이다.
어제(魚際)	손	수장열, 해수, 천식, 발열, 무한(無汗), 인후염, 엄지두덩근의 감각과 운동장애	사혈요법(瀉血療法)을 써서 해열 진정작용을 한다.	직자 0.5-0.8촌	형화혈(滎火穴)
소상(少商)		인후염, 편도선염, 해수, 천식, 실신	구급혈	직자 0.1-0.1촌	정목혈(井木穴)

혈명의 유래

중부(中府) "부(府)"는 경기(經氣)가 모이는 곳을 의미한다. 폐경(肺經)은 중초(中焦)에서 시작하고, 그 기(氣)는 여기에서 체표로 나온다.

협백(俠白) 백(白)은 폐(肺)의 색이다. "협(俠)"은 "협(挾)"으로 "끼다"의 의미이다. 양팔이 폐(肺)를 끼고 있기 때문에 붙여진 이름이다.

척택(尺澤) "택(澤)"은 물이 모이는 곳이다. "택(澤)" 자가 붙은 경혈은 혈관이 풍부한 부위가 많다. 척택(尺澤)은 폐(肺)의 합수혈(合水穴)이며 또한 노동맥(radial a.) 박동부 근처에 위치하고 있다.

공최(孔最) 공규(孔竅)를 뚫어주는 데 가장 좋은 경혈이라는 의미이다. 공최(孔最)는 폐기(肺氣)를 선산(宣散)하는 요혈(要穴)이라는 데서 유래하였다.

열결(列缺) 폐경(肺經)의 낙혈(絡穴)로 폐경의 "열(列)"에서 "벗어나 있다"는 의미이다.

태연(太淵) 손목관절 앞면의 노동맥(radial a.) 박동부에 있어, 경맥(經脈)의 기혈(氣血)이 깊은 것을 나타낸다.

어제(魚際) 엄지두덩근(thenar m.)의 형상을 어복(魚腹)에 비유하고, 이 근육의 가장자리에 위치한 경혈이므로 이렇게 이름하였다.

4─ 수양명대장경(手陽明大腸經)의 경혈(20혈)

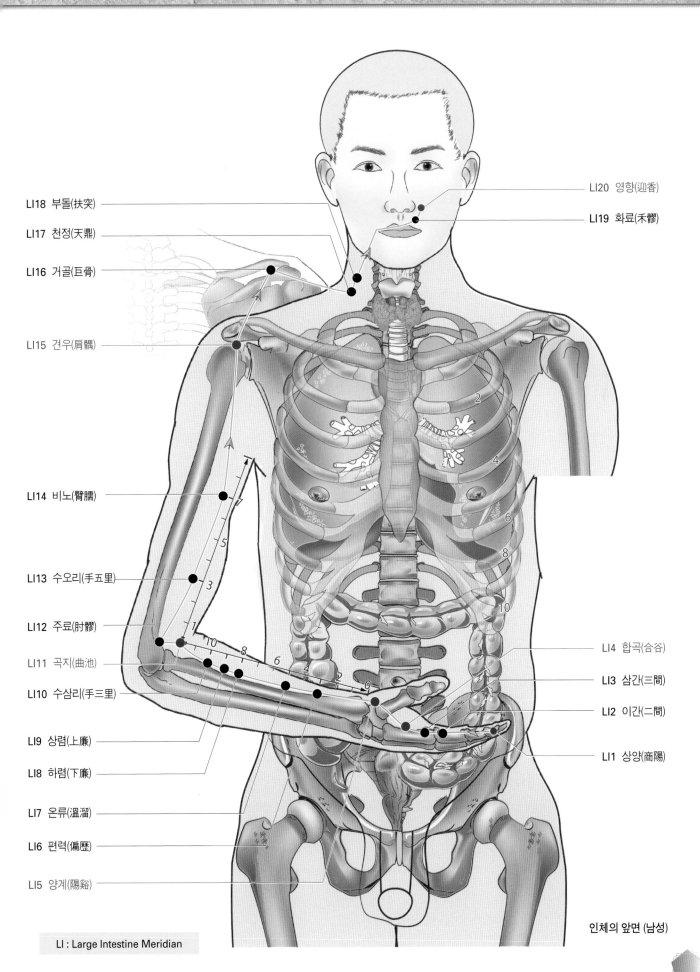

LI18 부돌(扶突)

LI17 천정(天鼎)

LI16 거골(巨骨)

LI15 견우(肩髃)

LI14 비노(臂臑)

LI13 수오리(手五里)

LI12 주료(肘髎)

LI11 곡지(曲池)

LI10 수삼리(手三里)

LI9 상렴(上廉)

LI8 하렴(下廉)

LI7 온류(溫溜)

LI6 편력(偏歷)

LI5 양계(陽谿)

LI20 영향(迎香)

LI19 화료(禾髎)

LI4 합곡(合谷)

LI3 삼간(三間)

LI2 이간(二間)

LI1 상양(商陽)

인체의 앞면 (남성)

LI : Large Intestine Meridian

35

5— 대장경(大腸經) 손과 아래팔부위 11혈(1)

경혈의 위치

1 손부위 (5혈)

LI1	상양(商陽)	집게손가락, 끝마디뼈(distal phalanx)의 노쪽, 집게손톱 노쪽 뿌리각(radial corner of the index fingernail)에서 몸가쪽으로 0.1촌.
LI2	이간(二間)	집게손가락, 둘째 손허리손가락관절(the 2nd metacarpophalangeal joint) 노쪽면의 먼쪽(distal) 오목한 곳, 적백육제.
LI3	삼간(三間)	손등, 둘째 손허리손가락관절(the 2nd metacarpophalangeal joint) 노쪽·몸쪽(proximal) 오목한 곳.
LI4	합곡(合谷)	손등, 둘째 손허리뼈(the 2nd metacarpal bone) 중점의 노쪽.
LI5	양계(陽谿)	손목 뒤가쪽면, 손등쪽 손목주름(dorsal wrist crease)의 노쪽, 노뼈붓돌기(radial styloid process)에서 몸쪽, 해부학적 코담배갑(anatomical snuffbox)의 오목한 곳.

2 아래팔부위 (6혈)

LI6	편력(偏歷)	아래팔 뒤가쪽면, 陽谿(LI5)와 曲池(LI11)를 연결하는 선 위, 손등쪽 손목주름(the dorsal wrist crease)에서 위쪽으로 3촌.
LI7	온류(溫溜)	아래팔 뒤가쪽면, 陽谿(LI5)와 曲池(LI11)를 연결하는 선 위, 손등쪽 손목주름(dorsal wrist crease)에서 위쪽으로 5촌.
LI8	하렴(下廉)	아래팔 뒤가쪽면, 陽谿(LI5)와 曲池(LI11)를 연결하는 선 위, 팔오금주름(cubital crease)에서 아래쪽으로 4촌.
LI9	상렴(上廉)	아래팔 뒤가쪽면, 陽谿(LI5)와 曲池(LI11)를 연결하는 선 위, 팔오금주름(cubital crease)에서 아래쪽으로 3촌.
LI10	수삼리(手三里)	아래팔 뒤가쪽면, 陽谿(LI5)와 曲池(LI11)를 연결하는 선 위, 팔오금주름(cubital crease)에서 아래쪽으로 2촌.
LI11	곡지(曲池)	팔꿈치 가쪽면, 尺澤(LU5)과 위팔뼈 가쪽위관절융기(lateral epicondyle of the humerus)를 연결하는 선의 중점.

대장경(大腸經) 손과 아래팔부위 11혈의 취혈 방법

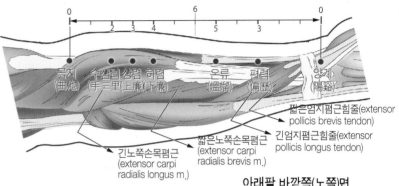

아래팔 바깥쪽(노쪽)면

① 주먹을 가볍게 쥐고 둘째 손허리손가락관절(the 2nd metacarpophalangeal joint) 노쪽의 전후 피부 경계에 이간(二間)과 삼간(三間)을 취한다.

② 취혈측의 엄지(thumb)와 집게손가락(index finger)을 벌려 생긴 V자 형의 각을 호구(虎口)라고 한다. 다른 손의 엄지손가락뼈사이관절(interphalangeal joint of the thumb)의 횡문을 이 호구(虎口)에 대고, 엄지(thumb) 끝이 닿는 곳에 합곡(合谷)을 취한다.

③ 엄지(thumb)를 신전시켜 긴엄지폄근힘줄(extensor pollicis longus tendon)과 짧은엄지폄근힘줄(extensor pollicis brevis tendon) 사이에 생기는 움푹한 곳에 양계(陽谿)를 취한다.

④ 팔꿈치를 굽혀 팔오금주름(cubital crease) 가쪽끝과 위팔뼈 가쪽위관절융기(lateral epicondyle of the humerus) 사이의 중앙점에 곡지(曲池)를 취한다.

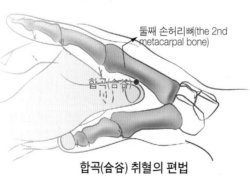

엄지(thumb)와 집게손가락(index finger)을 펴서 생긴 V자 형의 기저부를 호구(虎口)라고 한다.

합곡(合谷) 취혈의 편법

이간(二間)과 삼간(三間)의 취혈법

혈명의 유래

상양(商陽)	"상(商)"은 금(金)의 음(音)이고, 대장(大腸)은 오행(五行) 속성이 금(金)에 속하므로 이렇게 이름하였다.
합곡(合谷)	산과 산 사이를 "곡(谷)"이라고 한다. 엄지와 집게손가락을 벌리면 합곡(合谷) 부위가 깊은 계곡처럼 보이므로 이렇게 이름하였다.
양계(陽谿)	"계(谿)"는 산간의 얕은 개울을 의미하여, 혈관이나 근육, 힘줄이 얕게 있는 모양을 나타내는 경혈명(經穴名)에 많이 쓰인다. 양계(陽谿)가 위치한 해부학적 코담배갑(anatomical snuffbox)도 이처럼 보이기 때문에 이런 이름이 붙여졌다.
편력(偏歷)	"편(偏)"은 기울어짐을, "역(歷)"은 통과를 의미한다. 편력(歷)은 대장경(大腸經)의 낙혈(絡穴)로, 폐경(肺經)을 향하여 달리기 때문에 이런 이름이 붙여졌다.
상렴(上廉), 하렴(下廉)	"렴(廉)"은 능형(菱形)의 각(角)을 말하지만, 발(簾)의 의미도 있다. 이 두 경혈이 위치한 근육을 발에 비유한 것이다.
수삼리(手三里)	1촌을 1리(里)라고도 한다. 이 혈은 주료(肘髎)에서 3촌 되는 곳에 위치하여 수삼리(手三里)라고 이름하였다.
곡지(曲池)	지(池)는 연못이다. 팔꿈치를 굽히면 이 혈의 부위가 되는 움푹한 곳이 얕은 연못처럼 보이기 때문에 이런 이름이 붙여졌다.

2. 수족태음양명경(手足太陰陽明經)의 경혈

5 ─ 대장경(大腸經) 위팔과 머리목부위 9혈(2)

경혈의 위치

③ 위팔부위 (4혈)

LI12 주료(肘髎) 팔꿈치 뒤가쪽면, 위팔뼈 가쪽위관절융기(lateral epicondyle of the humerus) 위쪽, 가쪽위관절융기 위능선(lateral supraepicondylar ridge) 앞쪽.

LI13 수오리(手五里) 위팔 가쪽면, 曲池(LI11)와 肩髃(LI15)를 연결하는 선 위, 팔오금주름(cubital crease)에서 위쪽으로 3촌.

LI14 비노(臂臑) 위팔 가쪽면, 어깨세모근(deltoid muscle)의 앞모서리 바로 앞쪽, 曲池(LI11)에서 위쪽으로 7촌.

LI15 견우(肩髃) 팔이음뼈(shoulder girdle), 어깨뼈봉우리(acromion) 가쪽모서리의 앞쪽 끝과 위팔뼈 큰결절(greater tubercle of the humerus) 사이의 오목한 곳.

④ 머리목부위 (5혈)

LI16 거골(巨骨) 팔이음뼈(shoulder girdle), 빗장뼈 봉우리끝(acromial end of the clavicle)과 어깨뼈가시(spine of the scapula) 사이의 오목한 곳.

LI17 천정(天鼎) 목 앞부위, 반지연골(cricoid cartilage)과 같은 높이, 목빗근(sternocleidomastoid muscle)의 뒤모서리 바로 뒤쪽.

LI18 부돌(扶突) 목 앞부위, 방패연골(thyroid cartilage) 위모서리와 같은 높이, 목빗근(sternocleidomastoid muscle)의 앞모서리와 뒤모서리의 사이.

LI19 화료(禾髎) 얼굴, 인중 부위(philtrum)의 중점과 같은 높이, 콧구멍 가쪽모서리 아래쪽.

※ **역자주 :** 禾髎(LI19)의 부위가 얼굴, 인중 부위에서 위쪽으로부터 1/3과 아래로부터 2/3가 되는 지점과 같은 높이, 콧구멍 가쪽모서리 아래쪽이라는 의견도 있다.

LI20 영향(迎香) 얼굴, 코입술고랑(nasolabial sulcus) 위, 콧방울(ala of the nose) 가쪽모서리의 중점과 같은 높이.

대장경(大腸經) 위팔과 머리목부위 9혈의 취혈 방법

① 곡지(曲池)를 정하고 그 바깥 위쪽의 위팔뼈(humerus) 가쪽모서리에 주료(肘髎)를 취한다.

② 위팔이 수평이 되게 들어올려 어깨에 만들어진 두 개의 움푹한 곳 중 앞쪽에에 있는 것이 견우(肩髃)이다.

③ 방패 연골(thyroid cartilage) 가쪽 3촌, 목빗근(sternocleidomastoid m.)의 앞모서리와 뒤모서리 사이에 부돌(扶突)을 취하고, 결분(缺盆)과 부돌(扶突)의 중앙, 목빗근(sternocleidomastoid m.) 뒷모서리에 천정(天鼎)을 취한다.

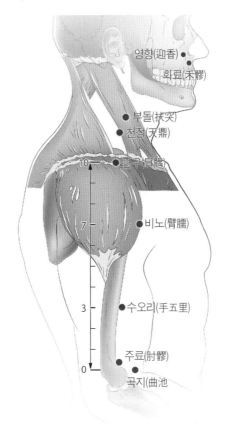

가쪽면

아래팔을 굽히고 위팔을 수평이 되도록 들어올리면 어깨관절(shoulder joint)에 두 개의 움푹한 곳이 보인다. 앞에 있는 것이 견우(肩髃)이고 뒤쪽이 삼초경(三焦經)의 견료(肩髎)이다.

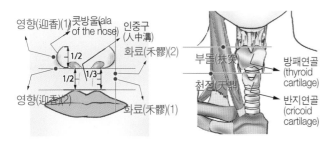

얼굴, 목 앞면

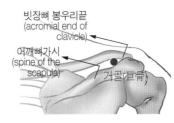

뒷면

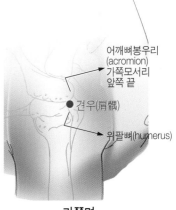

가쪽면

혈명의 유래

주료(肘髎) 뼈 사이의 틈을 "료(髎)"라고 한다. 위팔노관절(humeroradial joint)에 있기 때문에 이런 이름이 붙여졌다.

비노(臂臑) 위팔을 "비(臂)", 어깨세모근(deltoid m.) 하단을 "노(臑)"라고 한다.

견우(肩髃) 어깨뼈(scapula)의 봉우리끝(acromial extremity)을 "우(髃)"라고 한다. 어깨뼈봉우리(acromion) 바깥쪽과 위팔뼈머리(humeral head) 사이에 있기 때문에 이런 이름이 붙여졌다.

거골(巨骨) 빗장뼈(clavicle)를 예전에는 거골(巨骨)이라고 했다. 이 경혈은 빗장뼈(clavicle) 가쪽끝 아래에 있기 때문에 이런 이름이 붙여졌다.

천정(天鼎) "천(天)"은 위쪽으로 머리를 의미하며, "정(鼎)"은 다리 세 개와 귀 두 개가 달린 구리 그릇이다. 양측 수양명경(手陽明經)이 여기서 머리를 향해 주행하고, 또 독맥(督脈)의 대추(大椎)에 모여 머리를 떠받치니, 마치 "정(鼎)"의 형상과 같아 이렇게 이름한 것이다.

부돌(扶突) 네 손가락을 나란히 해서 "1부(扶)" - 3촌의 의미로, 후두융기(Adam's apple) 옆 3촌에 있기 때문에 이런 이름이 붙여졌다.

영향(迎香) 코는 후각기관(嗅覺器官)이며, 이 혈은 콧병에 관여하는 요혈(要穴)이다. 영향(迎香)은 향기를 맞이하여 "냄새 맡는다"는 의미이다.

2. 수족태음양명경(手足太陰陽明經)의 경혈

6 — 수양명대장경(手陽明大腸經) 경혈의 주치(主治)

　　수양명대장경(手陽明大腸經)은 체내에서는 대장(大腸)에 속(屬)하고 폐(肺)에 낙(絡)한다. 체표에서는 집게손가락(index finger)과 팔 뒷면의 노쪽을 달리고 얼굴의 코 옆에 이른다. 그 유주에 따라 **얼굴, 코, 치아나 인후(咽喉)**의 질환, **피부병, 노신경(radial n.)**의 **감각과 운동장애**의 치료에 쓰인다.

　　"양(陽)은 외(外)를 주관"하며, 양경(陽經)의 경혈은 음경(陰經)의 경혈보다 오관병(五官病)이나 체표의 증상(피부, 근육의 질환)에 많이 쓰인다. 대장경(大腸經)의 경혈은 ① 코와 치아나 피부의 질환, ② 노신경(radial n.)과 이 신경이 지배하는 근육의 질환을 치료하는데 많이 쓰이고 있다.

경혈명칭	부위	주치(主治)	특수한 주치	자법(刺法)	비고
상양(商陽)	손	집게손가락마비, 인후염, 하치통, 코감기, 이하선염, 발열, 무한(無汗), 급성위장염	사혈요법 발열작용	직자 0.1-0.2촌	정금혈(井金穴)
이간(二間)		집게손가락마비, 인후염, 하치통, 비출혈, 코감기, 편도선염, 발열, 무한(無汗), 급성위장염	소아 해열작용	직자 0.2-0.3촌	형수혈(滎水穴)
삼간(三間)		인후염, 하치통, 비출혈, 코감기, 편도선염, 얼굴신경마비, 급성하리	소아 해열작용	직자 0.2-0.3촌	수목혈(兪木穴)
합곡(合谷)		얼굴의 감각과 운동질환, 인후염, 편마비, 고혈압, 두드러기, 발열, 노신경장애	사총혈의 하나로 얼굴 질환의 상용혈. 소염, 진통, 강압작용	직자 0.5-0.8촌	원혈(原穴)
양계(陽谿)	아래팔	노신경장애, 손관절장애, 인후염, 편도선염, 치통, 두통, 목적(目赤), 소아 소화불량		직자 0.3-0.5촌	경화혈(經火穴)
편력(偏歷)		노신경장애, 손관절장애, 인후염, 치통, 비출혈, 편도선염, 아래팔감각운동장애, 오십견, 수종	항문의 질환(치질)에 쓰인다	사자 0.3-0.5촌	낙혈(絡穴)
온류(溫溜)		노신경장애, 손관절장애, 두통, 치통, 비출혈, 편도선염, 아래팔감각운동장애, 오십견		직자 0.5-0.8촌	극혈(郄穴)
하렴(下廉)		노신경장애, 아래팔감각운동장애, 두통, 복통, 하리, 장명, 소화불량		직자 0.5-0.8촌	
상렴(上廉)		노신경장애, 아래팔감각운동장애, 두통, 복통, 하리, 장명, 소화불량		직자 0.5-0.8촌	
수삼리(手三里)		노신경장애, 아래팔감각운동장애, 편마비, 두통, 장염		직자 0.5-0.8촌	
곡지(曲池)		노신경장애, 고혈압, 생리통, 인후염, 편마비, 담마진, 발열	강압, 소염, 진통작용 알레르기 체질개선 생리불순의 조절	직자 0.8-1.2촌	합토혈(合土穴)
주료(肘髎)	위팔	팔꿈관절 및 주위 연부조직장애, 테니스엘보, 편마비		직자 0.5-0.8촌	
수오리(手五里)		팔꿈관절 및 주위 연부조직장애, 테니스엘보, 편마비, 각혈, 경부임파절종		직자 0.5-0.8촌	
비노(臂臑)		어깨관절 및 주위 연부조직장애, 오십견, 편마비, 경부임파절종창		직자 0..5-1촌	
견우(肩髃)		어깨관절 및 주위 연부조직장애, 오십견, 편마비, 경부임파절종창	알레르기 체질개선	직자 0.5-0.8촌	
거골(巨骨)		어깨통증, 어깨관절 및 주위 연부조직장애, 오십견		외사자 0.5-0.8촌	기흉(氣胸)이 되지 않도록 주의
천정(天鼎)	목	인후종통, 연하장애, 항강, 편도선염, 경부임파절종창		직자 0.3-0.5촌	
부돌(扶突)		인후종통, 연하장애, 편도선염, 경부임파절종창, 갑상선종창, 천식		직자 0.5-0.8촌	
화료(禾髎)	얼굴	코의 여러 질환, 얼굴신경마비, 삼차신경통		직자 0.3-0.5촌	
영향(迎香)		코의 여러 질환, 얼굴신경마비, 삼차신경통		사자 0.3-0.5촌	

2. 수족태음양명경(手足太陰陽明經)의 경혈

7— 족양명위경(足陽明胃經)의 경혈(45혈)(1)

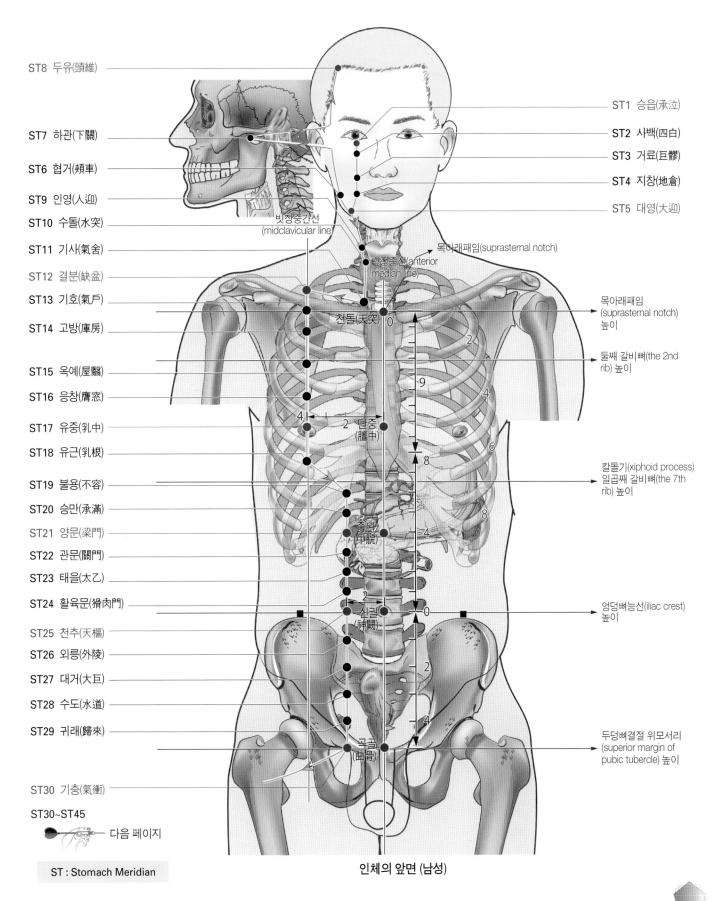

ST8 두유(頭維)

ST7 하관(下關)

ST6 협거(頰車)

ST9 인영(人迎)

ST10 수돌(水突)

ST11 기사(氣舍)

ST12 결분(缺盆)

ST13 기호(氣戶)

ST14 고방(庫房)

ST15 옥예(屋翳)

ST16 응창(膺窓)

ST17 유중(乳中)

ST18 유근(乳根)

ST19 불용(不容)

ST20 승만(承滿)

ST21 양문(梁門)

ST22 관문(關門)

ST23 태을(太乙)

ST24 활육문(猾肉門)

ST25 천추(天樞)

ST26 외릉(外陵)

ST27 대거(大巨)

ST28 수도(水道)

ST29 귀래(歸來)

ST30 기충(氣衝)

ST30~ST45

다음 페이지

ST : Stomach Meridian

ST1 승읍(承泣)

ST2 사백(四白)

ST3 거료(巨髎)

ST4 지창(地倉)

ST5 대영(大迎)

빗장중간선(midclavicular line)

앞정중선(anterior median line)

목아래패임(suprasternal notch)

목아래패임(suprasternal notch) 높이

둘째 갈비뼈(the 2nd rib) 높이

칼돌기(xiphoid process) 일곱째 갈비뼈(the 7th rib) 높이

엉덩뼈능선(iliac crest) 높이

두덩뼈결절 위모서리(superior margin of pubic tubercle) 높이

천돌(天突)

단중(膻中)

중완(中脘)

신궐(神闕)

곡골(曲骨)

인체의 앞면 (남성)

7 - 족양명위경(足陽明胃經)의 경혈(45혈)(2)

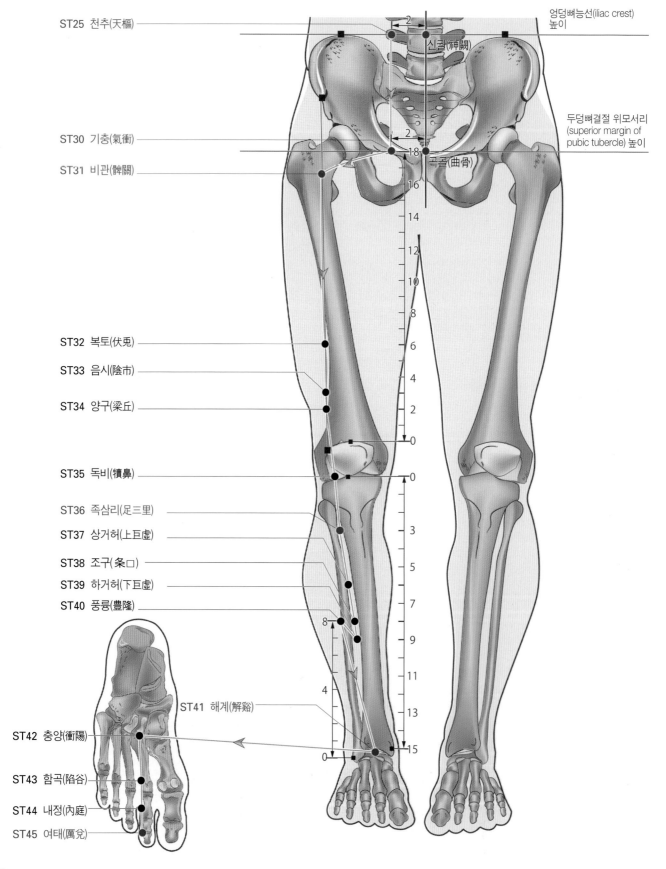

ST25 천추(天樞)

ST30 기충(氣衝)

ST31 비관(髀關)

ST32 복토(伏兎)

ST33 음시(陰市)

ST34 양구(梁丘)

ST35 독비(犢鼻)

ST36 족삼리(足三里)

ST37 상거허(上巨虛)

ST38 조구(条口)

ST39 하거허(下巨虛)

ST40 풍륭(豊隆)

ST41 해계(解谿)

ST42 충양(衝陽)

ST43 함곡(陷谷)

ST44 내정(內庭)

ST45 여태(厲兌)

신궐(神闕)

곡골(曲骨)

엉덩뼈능선(iliac crest) 높이

두덩뼈결절 위모서리 (superior margin of pubic tubercle) 높이

8─위경(胃經) 얼굴과 목 11혈(1)

경혈의 위치

1 얼굴, 목 (11혈)

ST1 승읍(承泣) 얼굴, 동공(pupil)에서 수직으로 아래쪽, 안구(eyeball)와 눈확아래모서리(infraorbital margin)의 사이.

ST2 사백(四白) 얼굴, 눈확아래구멍(infraorbital foramen).

ST3 거료(巨髎) 얼굴, 동공(pupil)에서 수직으로 아래쪽, 콧방울(ala of the nose) 아래모서리와 같은 높이.

ST4 지창(地倉) 얼굴, 입꼬리에서 가쪽으로 0.4촌.

ST5 대영(大迎) 얼굴, 턱뼈각(angle of the mandible) 앞쪽, 깨물근(masseter muscle) 부착부분 앞쪽 오목한 곳, 얼굴동맥(facial artery)이 뛰는 곳.

ST6 협거(頰車) 얼굴, 턱뼈각(angle of the mandible)에서 위앞쪽으로 1촌.

ST7 하관(下關) 얼굴, 광대활(zygomatic arch) 아래모서리의 중점과 턱뼈패임(mandibular notch) 사이의 오목한 곳.

ST8 두유(頭維) 머리, 이마각(corner of the forehead) 前髮際(anterior hairline)에서 수직으로 위쪽으로 0.5촌, 앞정중선(anterior median line)에서 가쪽으로 4.5촌.

ST9 인영(人迎) 목 앞부위, 방패연골(thyroid catilage) 위모서리와 같은 높이, 목빗근(sternocleidomastoid muscle) 앞쪽, 온목동맥(common carotid artery)이 뛰는 곳.

ST10 수돌(水突) 목 앞부위, 반지연골(cricoid cartilage)과 같은 높이, 목빗근(sternocleidomastoid muscle) 앞모서리 바로 앞쪽.

ST11 기사(氣舍) 목 앞부위, 작은빗장위오목(lesser supraclavicular fossa), 빗장뼈 복장끝(sternal end of the clavicle)의 위쪽, 목빗근(sternocleidomastoid muscle)의 빗장뼈갈래(clavicular head)와 복장뼈갈래(sternal head)의 사이 오목한 곳.

위경(胃經) 얼굴과 목 11혈의 취혈 방법

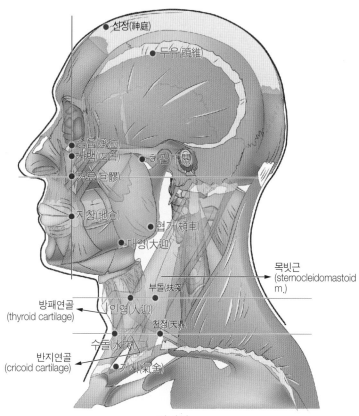

옆머리

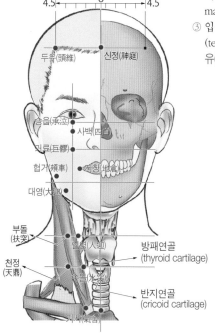

머리목부위(앞면)

① 입꼬리(oral angle) 바깥쪽에 지창(地倉)을 취하고, 사백(四白)과 거료(巨髎)는 승읍(承泣)과 지창(地倉)을 잇는 선상에서 각각 눈확아래구멍(infraorbital foramen)과 콧방울(ala of the nose) 높이에 취한다.

② 입을 꽉 다물면 아래턱뼈각(mandibular angle) 앞에 근육 융기가 만져지는데, 그 앞모서리(anterior margin)의 동맥 박동부에 대영(大迎)을 취한다.

③ 입을 꽉 다물면 옆머리 액각(額角)에도 관자근(temporal m.)의 융기가 만져지는데, 그 중앙에 두유(頭維)를 취한다.

④ 입을 다물고 광대활(zygomatic arch) 아래모서리, 아래턱뼈 관절돌기(condylar process of the mandible) 앞쪽의 움푹한 곳에 하관(下關)을 취한다.

⑤ 후두융기(Adam's apple) 바깥쪽 1.5촌, 목빗근(sternocleidomastoid m.) 앞모서리의 동맥 박동부에 인영(人迎)을 취하고, 천돌(天突) 바깥쪽 1.5촌, 빗장뼈(clavicle) 안쪽 위모서리에 기사(氣舍)를 취한다. 인영(人迎)과 기사(氣舍)의 중앙점에 수돌(水突)을 취한다.

혈명의 유래

사백(四白) "사(四)"는 넓다, "백(白)"은 밝다는 의미이다. 이 혈은 눈확아래구멍(infraorbital foramen)에 있어 눈의 질환을 주관한다.

지창(地倉) "천(天)"에 대해서 "지(地)"는 하반신의 경혈 이름에 많지만, 이것만은 예외이다. 이 혈은 위경(胃經)에 속하고 입가에 위치하는데, 입은 음식물을 섭취하고, 위(胃)는 음식물을 받아들이는 기관으로 "토(土)"에 속하며 창름지관(倉凜之官)이기 때문에 이런 이름이 붙여졌다.

협거(頰車) 예전에는 아래턱뼈(mandible)를 협거골(頰車骨)이라고 하였다.

하관(下關) "관(關)"은 관절(關節)의 "관(關)"과 같고, 축(軸)을 중심으로 움직인다는 뜻이다. 턱관절(temporomandibular joint)의 운동장애에 효과가 있기 때문에 이런 이름이 붙여졌다.

두유(頭維) "유(維)"는 "각(角)"을 뜻하는 것으로, 이 혈이 옆머리 액각(額角)에 있기 때문에 이런 이름이 붙여졌다.

인영(人迎) 천(天), 지(地), 인(人) 삼재이론(三才理論)에 따라 이 부위는 "인기(人氣)"를 진단하는 곳이며, 오늘날에도 온목동맥(common carotid a.)의 박동을 촉진하는 곳이다. 인영(人迎)의 "영(迎)"은 동맥 박동부를 맞이하여 "진단한다"는 뜻이다.

기사(氣舍) "사(舍)"는 부위의 뜻이다. 이 혈은 기관(氣管) 가까이 있어 기(氣)가 드나드는 부위가 된다.

8 — 위경(胃經) 가슴과 배 19혈(2)

경혈의 위치

2 가슴 (7혈)

ST12 결분(缺盆) 목 앞부위, 큰빗장위오목(greater supraclavicular fossa), 앞정중선(anterior median line)에서 가쪽으로 4촌, 빗장뼈(clavicle) 위쪽 오목한 곳.

ST13 기호(氣戶) 앞가슴부위, 빗장뼈(clavicle) 아래쪽, 앞정중선(anterior median line)에서 가쪽으로 4촌.

ST14 고방(庫房) 앞가슴부위, 첫째 갈비사이공간(the 1st intercostal space), 앞정중선(anterior median line)에서 가쪽으로 4촌.

ST15 옥예(屋翳) 앞가슴부위, 둘째 갈비사이공간(the 2nd intercostal space), 앞정중선(anterior median line)에서 가쪽으로 4촌.

ST16 응창(膺窓) 앞가슴부위, 셋째 갈비사이공간(the 3rd intercostal space), 앞정중선(anterior median line)에서 가쪽으로 4촌.

ST17 유중(乳中) 앞가슴부위, 젖꼭지(nipple)의 중심.

ST18 유근(乳根) 앞가슴부위, 다섯째 갈비사이공간(the 5th intercostal space), 앞정중선(anterior median line)에서 가쪽으로 4촌.

3 배 (12혈)

ST19 불용(不容) 윗배, 배꼽(umbilicus) 중심에서 위쪽으로 6촌, 앞정중선(anterior median line)에서 가쪽으로 2촌.

ST20 승만(承滿) 윗배, 배꼽(umbilicus) 중심에서 위쪽으로 5촌, 앞정중선(anterior median line)에서 가쪽으로 2촌.

ST21 양문(梁門) 윗배, 배꼽(umbilicus) 중심에서 위쪽으로 4촌, 앞정중선(anterior median line)에서 가쪽으로 2촌.

ST22 관문(關門) 윗배, 배꼽(umbilicus) 중심에서 위쪽으로 3촌, 앞정중선(anterior median line)에서 가쪽으로 2촌.

ST23 태을(太乙) 윗배, 배꼽(umbilicus) 중심에서 위쪽으로 2촌, 앞정중선(anterior median line)에서 가쪽으로 2촌.

ST24 활육문(滑肉門) 윗배, 배꼽(umbilicus) 중심에서 위쪽으로 1촌, 앞정중선(anterior median line)에서 가쪽으로 2촌.

ST25 천추(天樞) 윗배, 배꼽(umbilicus)의 중심에서 가쪽으로 2촌.

ST26 외릉(外陵) 아랫배, 배꼽(umbilicus) 중심에서 아래쪽으로 1촌, 앞정중선(anterior median line)에서 가쪽으로 2촌.

ST27 대거(大巨) 아랫배, 배꼽(umbilicus) 중심에서 아래쪽으로 2촌, 앞정중선(anterior median line)에서 가쪽으로 2촌.

ST28 수도(水道) 아랫배, 배꼽(umbilicus) 중심에서 아래쪽으로 3촌, 앞정중선(anterior median line)에서 가쪽으로 2촌.

ST29 귀래(歸來) 아랫배, 배꼽(umbilicus) 중심에서 아래쪽으로 4촌, 앞정중선(anterior median line)에서 가쪽으로 2촌.

ST30 기충(氣衝) 샅부위(groin region), 두덩결합(pubic symphysis) 위모서리와 같은 높이, 앞정중선(anterior median line)에서 가쪽으로 2촌, 넙다리동맥(femoral artery)이 뛰는 곳.

위경(胃經) 가슴과 배 19혈의 취혈 방법

가슴의 유두선(乳頭線), 배의 정중선과 위경(胃經)의 경혈

① 빗장뼈(clavicle) 중앙점과 위앞엉덩뼈가시(anterior superior iliac spine)를 잇는 선을 유두선(乳頭線) 또는 빗장중간선(midclavicular line)이라고 한다. 이 선상에서 빗장위오목(supraclavicular fossa)의 중앙에 결분(缺盆)을 취한다(정중선 임맥(任脈) 옆 4촌).

② 유두선상(乳頭線上)에서 넷째 갈비사이(the 4th intercostal)에 유중(乳中)을 취한다.

혈명의 유래

결분(缺盆) "결분(缺盆)"이란 "이지러진 찻잔"의 의미이다. 빗장위오목(supraclavicular fossa)이 그 형상과 비슷하기 때문에 이런 이름이 붙여졌다.

응창(膺窓) 큰가슴근(pectoralis major m.) 부위를 "응(膺)"이라고 한다.

불용(不容) 이 혈은 위(胃)의 분문(噴門)에 위치하여, 이 이상 음식물을 받아들일 수 없다.

양문(梁門) 심하비만(心下痞滿)은 가슴 밑이 더부룩하고 답답한 증상으로 "복량(伏梁)"이라고 한다. 이 혈은 위(胃)의 거북함, 소화불량, 위(胃)의 창만(脹滿)에 효과가 있기 때문에 이런 이름이 붙여졌다.

천추(天樞) 이는 별의 이름이다. 상반신은 천(天)이 되고 하반신은 지(地)가 되는데, 이 혈이 축이 되어, 이 추축을 경계로 상하가 나뉜다. 얼굴에 있는 "지창(地倉)"의 지(地)에 대해서 이곳은 "천(天)"자를 사용했다. 비(脾)의 승청(昇淸)과 위(胃)의 강탁(降濁)은 이 혈을 축으로 해서 작용한다. 이 혈에 천추(天樞)라는 이름을 붙인 것은 비위(脾胃)를 고르게 하는 요혈(要穴)이라는 것을 강조한 것이다.

귀래(歸來) 이 혈은 부인들의 생리불순(生理不順)과 불임증(不姙症)에 효과가 있다. 남편의 집에 돌아옴(귀래(歸來))을 기다리는 아내에게 축복을 주는 것을 시사한다.

기충(氣衝) "충(衝)"자가 붙은 경혈은 동맥 박동부에 있는 것이 많다.

2. 수족태음양명경(手足太陰陽明經)의 경혈

8─위경(胃經) 다리와 발부위 15혈(3)

경혈의 위치

4 다리 (10혈)

ST31	비관(髀關)	넓적다리 앞쪽면, 넙다리곧은근(rectus femoris muscle) 몸쪽끝, 넙다리빗근(sartorius muscle), 넙다리근막긴장근(tensor fasciae latae muscle)의 세 근육 사이의 오목한 곳.
ST32	복토(伏兎)	넓적다리앞가쪽면,위앞엉덩뼈가시(anterior superior iliac spine)와 무릎뼈바닥 가쪽끝(the lateral end of the base of the patella)을 연결하는 선 위, 무릎뼈바닥에서 위쪽으로 6촌.
ST33	음시(陰市)	넓적다리 앞가쪽면, 넙다리곧은근힘줄(rectus femoris tendon) 가쪽, 무릎뼈바닥(base of the patella)에서 위쪽으로 3촌.
ST34	양구(梁丘)	넓적다리 앞가쪽면, 가쪽넓은근(vastus lateralis muscle)과 넙다리곧은근힘줄(rectus femoris tendon) 가쪽모서리 사이, 무릎뼈바닥(base of patellae)에서 위쪽으로 2촌.
ST35	독비(犢鼻)	무릎 앞쪽면, 무릎인대(patella ligament)의 가쪽 오목한 곳.
ST36	족삼리(足三里)	종아리 앞쪽면, 犢鼻(ST35)와 解谿(ST41)를 연결하는 선 위, 犢鼻(ST35)에서 아래쪽으로 3촌.
ST37	상거허(上巨虛)	종아리 앞쪽면, 犢鼻(ST35)와 解谿(ST41)를 연결하는 선 위, 犢鼻(ST35)에서 아래쪽으로 6촌.
ST38	조구(条口)	종아리 앞쪽면, 犢鼻(ST35)와 解谿(ST41)를 연결하는 선 위, 犢鼻(ST35)에서 아래쪽으로 8촌.
ST39	하거허(下巨虛)	종아리 앞쪽면, 犢鼻(ST35)와 解谿(ST41)를 연결하는 선 위, 犢鼻(ST35)에서 아래쪽으로 9촌.
ST40	풍륭(豊隆)	종아리 앞가쪽면, 앞정강근(tibialis anterior muscle)의 가쪽모서리, 가쪽복사 융기(prominence of the lateral malleolus)에서 위쪽으로 8촌.

5 발부위 (5혈)

ST41	해계(解谿)	발목 앞쪽면, 발목관절 앞면 중앙부위, 긴엄지폄근힘줄(extensor hallucis longus tendon)과 긴발가락폄근힘줄(extensor digitorum longus tendon) 사이 오목한 곳.
ST42	충양(衝陽)	발등 부위, 둘째 발허리뼈(the 2nd metatarsal bone) 바닥과 중간쐐기뼈(intermediate cuneiform bone)의 관절부위, 발등동맥(dorsalis pedis artery)이 뛰는 곳.
ST43	함곡(陷谷)	발등 부위, 둘째와 셋째 발허리뼈(the 2nd and 3rd metatarsal bones)의 사이, 둘째 발허리발가락관절(the 2nd metatarsophalangeal joint)의 몸쪽 오목한 곳.
ST44	내정(內庭)	발등 부위, 둘째와 셋째 발가락(the 2nd and 3rd toes) 사이, 발샅 가장자리(web margin) 뒤쪽, 적백육제.
ST45	여태(厲兌)	둘째발가락, 끝마디뼈(distal phalanx) 가쪽, 둘째발톱 가쪽 뿌리각(lateral corner of the 2nd toenail)에서 몸가쪽으로 0.1촌.

위경(胃經) 다리와 발부위 15혈의 취혈 방법

① 책상다리를 하고 위앞엉덩뼈가시(anterior superior iliac spine) 직하에서 넙다리빗근(sartorius m.) 융기를 만진 다음 그 바깥쪽의 움푹한 곳에 비관(髀關)을 취한다.

② 무릎을 굽히고 무릎인대(patellar lig.) 바깥쪽과 정강뼈(tibia) 위쪽의 움푹한 곳에 독비(犢鼻)를 취한다.

③ 발을 뒤로 젖히고 발목관절(ankle joint) 앞면에서 앞정강근(anterior tibial m.) 힘줄의 융기를 만져서 그 바깥쪽 움푹한 곳에 해계(解谿)를 취한다.

④ 독비(犢鼻)에서 해계(解谿)를 향하여 3촌 아래에 족삼리(足三里)를 취한다(무릎을 굽혀 아래부터 손가락 끝으로 정강뼈(tibia) 앞모서리를 눌러가며 올라오면 멈춰지는 것이 정강뼈거친면(tuberosity of the tibia) 아래모서리로 그 바깥쪽 움푹한 곳에 족삼리(足三里)를 취한다).

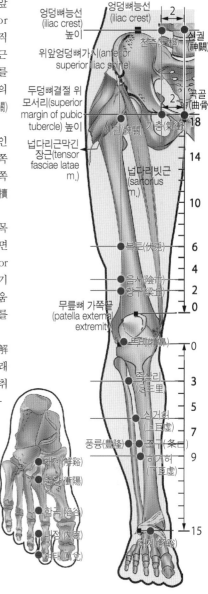

발등 　　　다리의 앞면

혈명의 유래

비관(髀關)	고대에 "비(髀)"는 넙다리뼈(femur)의 상부를 가리켰다. "관(關)"은 관절(關節)을 뜻한다.
복토(伏兎)	넙다리네갈래근(quadriceps femoris m.)이 긴장하면 엎드려 있는 토끼처럼 보이기 때문에 이런 이름이 붙여졌다.
양구(梁丘)	두 가지 설이 있다. 첫째는 옛날 중국 산동성(山東省)의 지명이라는 설이다. 둘째는 작은 산과 땅의 높은 곳을 "구(丘)"라고 하고, 그 뒤를 "양(梁)"이라고 하여, 무릎뼈(patella)와 그 부근의 근육이 이루고 있는 융기를 여기에 비유했다는 설이다.
독비(犢鼻)	송아지를 "독(犢)"이라 한다. 이 부위가 송아지의 코처럼 보이기 때문에 이런 이름이 붙여졌다.
족삼리(足三里)	1리(里)는 1촌으로, 이 혈이 독비(犢鼻) 아래 3촌 아래에 있기 때문에 이런 이름이 붙여졌다.
상거허(上巨虛)	종아리뼈(fibula)와 정강뼈(tibia) 사이의 커다란 간격을 강조하고 있다.
해계(解谿)	"해(解)"는 관절을 뜻한다. 힘줄이 얕게 있고 혈관도 얕게 있는 곳에 "계(谿)"자가 붙은 것이 많다.
충양(衝陽)	발등동맥(dorsal plantar a.)이 있는 곳으로, 양기(陽氣)의 박동을 명쾌하게 나타내고 있다.
여태(厲兌)	역학(易學)에서 "여(厲)"는 토(土), "태(兌)"는 구(口)를 가리킨다.

9—족양명위경(足陽明胃經) 경혈의 주치(主治)(1)

족양명위경(足陽明胃經)은 체내에서 위(胃)에 속(屬)하고 비장(脾臟)에 낙(絡)한다. 체표에서는 몸통의 앞면(가슴배부위의 제3라인), 다리 앞면을 달리고 둘째 발가락 바깥쪽에서 끝난다. 그 유주에 따라 얼굴(코, 치아)이나 인후 질환, 다리 앞면 바깥쪽의 감각과 운동장애, 위장 등의 소화기계 질환의 치료에 쓰인다.

일반적으로 양경(陽經)은 몸의 바깥쪽과 등쪽을 유주하는 일이 많지만, 위경(胃經)은 몸통의 앞면(가슴배부위)을 유주한다. 동양의학에서 위(胃)는 비(脾)와 더불어 오행(五行)의 "토(土)"에 속하고, 생체에 영혈(營血) 등의 영양소를 만들어 내는 "후천(後天)의 본(本), 기혈(氣血) 생화(生化)의 원(原)"이라 불린다. 그러므로 기능 면에서 음(陰)적인 성질을 갖는다고 생각되기 때문에 이 경맥(經脈)의 일부분은 음경(陰經)의 부위를 유주하고 있다.

경혈명칭	부위	주치(主治)	특수한 주치	자법(刺法)	비고
승읍(承泣)	얼굴 머리	눈의 여러 질환, 얼굴신경마비, 삼차신경통, 눈근육경련, 눈피로, 두경부		눈학아래모서리 직자 0.3-0.7촌	인구를 다치지 않도록 주의, 출혈하기 쉽다
사백(四白)		얼굴신경마비, 삼차신경통, 눈의 여러 질환, 눈근육경련, 눈피로, 비염, 두통	담낭통증의 진통	직자 0.2-0.3촌	
거료(巨髎)		얼굴신경마비, 삼차신경통, 얼굴근육경련, 비염, 치통		직자 0.3-0.6촌	
지창(地倉)		얼굴신경마비, 삼차신경통, 얼굴근육경련, 치통, 깨물근경련		직자 0.2 횡자 0.5-0.8	
대영(大迎)		얼굴신경마비, 삼차신경통, 깨물근경련, 이하선염, 치통		직자 0.3-0.5촌	
협거(頰車)		얼굴신경마비, 삼차신경통, 깨물근경련, 이하선염, 치통, 하악관절장애	얼굴신경마비에 지창까지 투침	직자 0.3-0.5촌 횡자 0.5-0.8	
하관(下關)		하악관절장애, 깨물근경련, 귀밑샘염, 치통, 얼굴신경마비, 삼차신경통, 이명		직자 0.3-0.5촌	
두유(頭維)		두통, 편두통, 어지럼증, 고혈압, 눈의 여러 질환, 얼굴신경마비, 얼굴근육경련, 탈모증		횡자 0.5-0.8	
인영(人迎)	목	고혈압, 저혈압, 인후종창, 갑상샘질환, 천식, 목림프절종창, 연하장애	강압 승압에 인영동 (人迎洞)에 자침	직자 0.2-0.5촌	목동맥을 다치지 않도록 주의, 출혈하기 쉽다
수돌(水突)		인후종창, 편도선염, 갑상샘질환, 천식, 목림프절종창	가로막 경련에 쓰인다.	직자 0.5-0.8촌	
기사(氣舍)		인후종창, 경부통, 트림, 항강통, 기관지염, 기관지천식		직자 0.8-1.2촌	
결분(缺盆)	가슴	해수, 천식, 흉부고만, 인후종통, 결분부위 통증		직자 0.2-0.4촌	기흉(氣胸)이 되지 않도록 주의
기호(氣戶)		해수, 천식, 흉부고만 등의 호흡기질환, 늑간신경통		직자 0.2-0.4촌	기흉(氣胸)이 되지 않도록 주의
고방(庫房)		해수, 천식, 흉부고만 등의 호흡기질환, 늑간신경통		횡자 0.5-0.8	기흉(氣胸)이 되지 않도록 주의
옥예(屋翳)		해수, 천식, 흉부고만 등의 호흡기질환, 흉막염, 늑간신경통		횡자 0.5-0.8	기흉(氣胸)이 되지 않도록 주의
응창(膺窓)		해수, 천식, 흉부고만 등의 호흡기질환, 흉막염, 늑간신경통		외사자 0.5-0.8촌	기흉(氣胸)이 되지 않도록 주의
유중(乳中)				금침(禁鍼), 금구(禁灸)	취혈의 기준으로 표지
유근(乳根)		해수, 천식, 흉부고만 등의 호흡기질환, 유선염, 유즙부족, 심흉통, 늑간신경통		사자 0.5-0.8	
불용(不容)	윗배	식욕부진, 구토, 오심, 복창, 복통 등의 소화기계 증상, 심흉통, 흉배늑통(胸背肋痛)		직자 0.5-0.8촌	
승만(承滿)		복창, 복통, 구토, 오심, 식욕부진 등의 소화기계 증상, 흉협고만		직자 0.5-0.8촌	
양문(梁門)		복창, 복통, 장명, 하리, 변비, 구토, 오심, 식욕부진 등의 소화기계 증상		직자 0.5-0.8촌	

9─ 족양명위경(足陽明胃經) 경혈의 주치(主治)(2)

경혈명칭	부위	주치(主治)	특수한 주치	자법(刺法)	비고
관문(關門)	배	복창, 복통, 장명, 하리, 변비 등의 소화기계 증상, 수종, 유뇨		직자 0.8-1.5촌	
태을(太乙)		복창, 복통, 장명, 하리, 변비 등의 소화기계 증상, 수종, 유뇨	진정, 안면(安眠)작용	직자 0.8-1.5촌	
활육문(滑肉門)		복창, 복통, 장명, 하리, 변비 등의 소화기계 증상, 수종, 유뇨		직자 0.8-1.5촌	
천추(天樞)		복창, 복통, 장명, 하리, 변비 등의 소화기계 증상, 생리불순, 생리통, 만성충수염	위장조절의 상용혈	직자 0.8-1.5촌	대장경의 모혈(募穴)
외릉(外陵)		복창, 복통, 장명, 하리, 변비 등의 소화기계 증상, 생리불순, 생리통, 요관결석		직자 0.8-1.5촌	
대거(大巨)	아랫배	하복창통, 생리불순, 생리통, 소변불리, 요관결석, 생식기계 질환, 수종		직자 0.8-1.5촌	
수도(水道)		하복창통, 생리불순, 생리통, 소변불리, 요관결석, 생식기계 질환, 수종		직자 0.8-1.5촌	
귀래(歸來)		하복창통, 생리불순, 생리통, 소변불리, 요관결석, 생식기계 질환, 불임증		직자 0.8-1.5촌	
기충(氣衝)		하복창통, 생리불순, 생리통, 소변불리, 요관결석, 생식기계 질환, 불임증		직자 0.8-1.5촌	
비관(髀關)	넙다리	엉덩관절장애, 엉덩넓적다리통증, 편마비, 무릎관절과 주위 연부조직의 감각과 운동장애		직자 0.8-1.5촌	
복토(伏兎)		엉덩넓적다리통증, 편마비, 무릎관절과 주위 연부조직의 감각과 운동장애		직자 0.8-1.5촌	
음시(陰市)		엉덩넓적다리통증, 편마비, 무릎관절과 주위 연부조직의 감각과 운동장애		직자 0.8-1.5촌	
양구(梁丘)		엉덩넓적다리통증, 편마비, 무릎관절과 주위 연부조직의 감각과 운동장애, 급성 위장염, 복통		직자 05-1촌	극혈(郄穴)
독비(犢鼻)	종아리	무릎관절과 주위 연부조직의 감각과 운동장애		사자 0.5-1.5촌	
족삼리(足三里)		소화기계의 여러 질환, 부인병, 고혈압, 만성피로, 궁둥신경통, 편마비, 무릎종아리장애	사총혈의 하나로 복부 질환의 상용혈. 소염, 진통, 강압, 양생보건작용	직자 0.5-1.5촌	합토혈(合土穴)
상거허(上巨虛)		하리, 복창, 복통, 장명, 변비 등의 소화기계 증상, 담낭결석통, 만성충수염		직자 0.5-1촌	
조구(條口)		종아리의 감각과 운동장애, 무릎관절장애, 복창, 복통, 장명, 편마비, 만성충수염	오십견, 어깨관절장애에도 쓰인다	직자 0.5-1촌	
하거허(下巨虛)		종아리의 감각과 운동장애, 무릎관절장애, 편마비, 복창, 복통, 장명, 하리, 만성충수염		직자 0.3-0.5촌	
풍륭(豊隆)		종아리의 감각과 운동장애, 무릎관절장애, 편마비, 복창, 복통, 장명, 하리, 두통, 고혈압	지해, 정천, 거담작용, 강압진정작용	직자 0.5-1.5촌	낙혈(絡穴)
해계(解谿)	발	종아리의 감각과 운동장애, 편마비, 발목관절장애, 두통, 어지럼증, 복창, 복통, 장명, 하리		직자 0.3-0.5촌	경화혈(經火穴)
충양(衝陽)		족연무력(足軟無力), 발목관절장애, 얼굴신경마비, 편마비, 레이노증, 치통		직자 0.2-0.3촌	원혈(原穴)
함곡(陷谷)		족연무력(足軟無力), 발목관절장애, 편마비, 레이노증, 치통, 급만성위장염		직자 0.3-0.5촌	수목혈(兪木穴)
내정(內庭)		족연무력(足軟無力), 발목관절장애, 발가락뼈사이관절장애, 레이노증, 치통, 비출혈, 급만성위장염		직자 0.3-0.5촌	형수혈(滎水穴)
여태(厲兌)		족연무력(足軟無力), 발목관절장애, 발가락뼈사이관절장애, 레이노증, 치통, 비출혈, 급만성위장염	진정, 안면(安眠)작용		정금혈(井金穴)

10─ 족태음비경(足太陰脾經)의 경혈(21혈)(1)

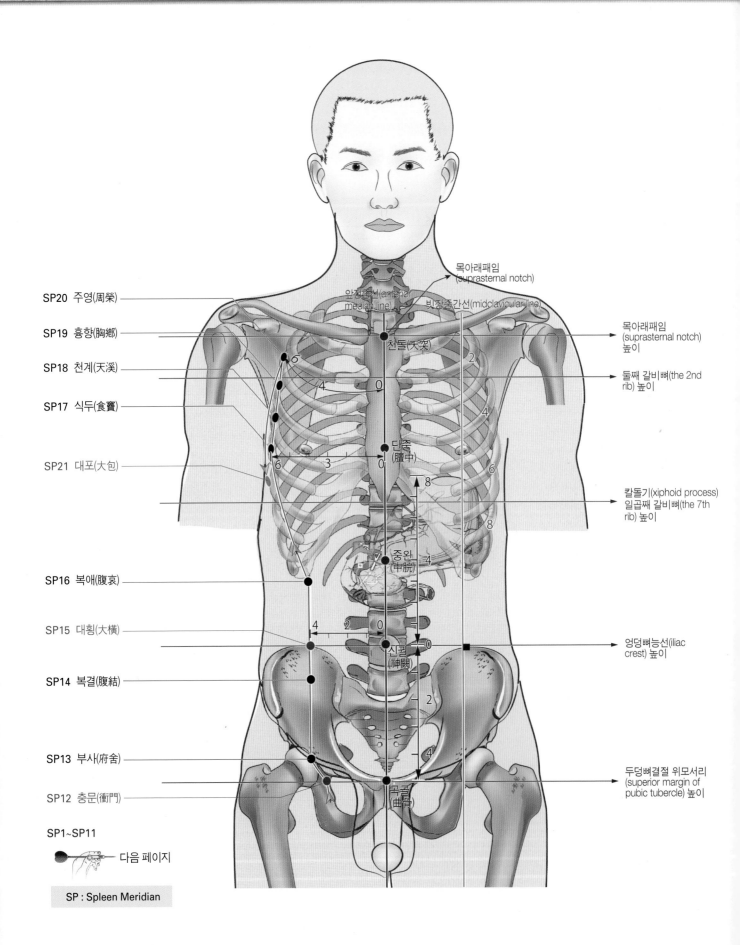

SP20 주영(周榮)

SP19 흉향(胸鄕)

SP18 천계(天溪)

SP17 식두(食竇)

SP21 대포(大包)

SP16 복애(腹哀)

SP15 대횡(大橫)

SP14 복결(腹結)

SP13 부사(府舍)

SP12 충문(衝門)

SP1~SP11

다음 페이지

목아래패임
(suprasternal notch)

앞정중선(anterior median line)

빗장중간선(midclavicular line)

천돌(天突)

단중(膻中)

중완(中脘)

신궐(神闕)

곡골(曲骨)

목아래패임
(suprasternal notch)
높이

둘째 갈비뼈(the 2nd rib) 높이

칼돌기(xiphoid process)
일곱째 갈비뼈(the 7th rib) 높이

엉덩뼈능선(iliac crest) 높이

두덩뼈결절 위모서리
(superior margin of pubic tubercle) 높이

SP : Spleen Meridian

10 ― 족태음비경(足太陰脾經)의 경혈(21혈)(2)

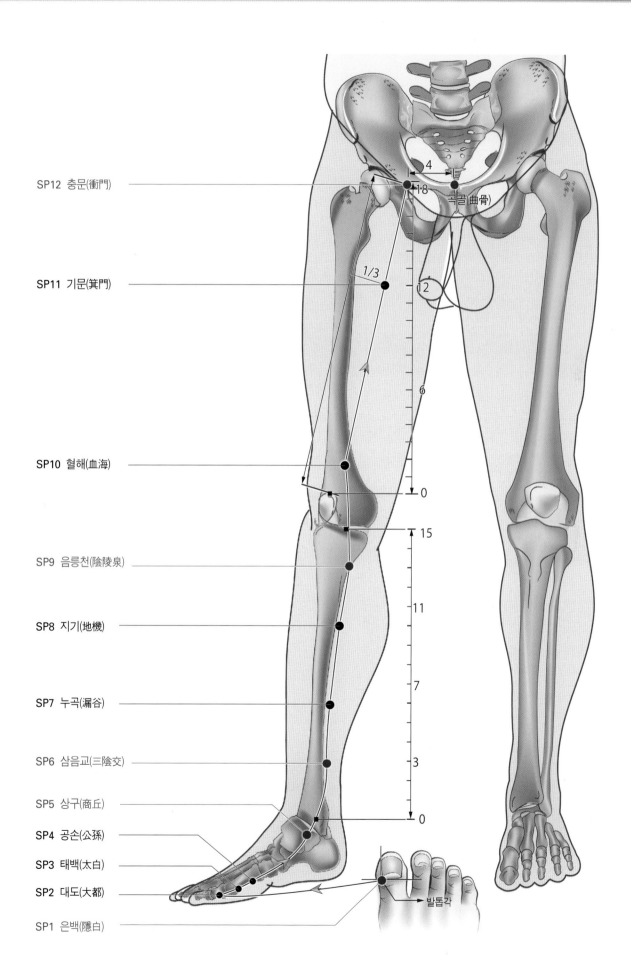

SP12 충문(衝門)

SP11 기문(箕門)

SP10 혈해(血海)

SP9 음릉천(陰陵泉)

SP8 지기(地機)

SP7 누곡(漏谷)

SP6 삼음교(三陰交)

SP5 상구(商丘)

SP4 공손(公孫)

SP3 태백(太白)

SP2 대도(大都)

SP1 은백(隱白)

곡골(曲骨)

발톱각

11 — 비경(脾經) 발과 다리 11혈(1)

경혈의 위치

1 발부위 (5혈)

SP1	은백(隱白)	엄지발가락, 끝마디뼈(distal phalanx) 안쪽, 엄지발톱 안쪽 뿌리각(medial corner of the toenail)에서 몸안쪽으로 0.1촌.
SP2	대도(大都)	엄지발가락, 첫째 발허리발가락관절(the 1st metatarsophalangeal joint)에서 먼쪽 오목한 곳, 적백육제.
SP3	태백(太白)	발 안쪽면, 첫째 발허리발가락관절(the 1st metatarsophalangeal joint) 몸쪽 오목한 곳, 적백육제.
SP4	공손(公孫)	발 안쪽면, 첫째 발허리뼈바닥(base of the 1st metatarsal bone)의 아래앞쪽, 적백육제.
SP5	상구(商丘)	발 안쪽면, 안쪽복사(medial malleolus) 아래앞쪽, 발배뼈거친면(tuberosity of the navicular bone)과 안쪽복사 융기(prominence of the medial malleolus)를 연결하는 선 중간의 오목한 곳.

2 다리 (6혈)

SP6	삼음교(三陰交)	종아리 정강뼈면, 정강뼈 안쪽모서리(medial border of the tibia) 뒤쪽, 안쪽복사 융기(prominence of the medial malleolus)에서 위쪽으로 3촌.
SP7	누곡(漏谷)	종아리 정강뼈면, 정강뼈 안쪽모서리(medial border of the tibia) 뒤쪽, 안쪽복사 융기(prominence of the medial malleolus)에서 위쪽으로 6촌.
SP8	지기(地機)	종아리 정강뼈면, 정강뼈 안쪽모서리(medial border of the tibia) 뒤쪽, 陰陵泉(SP9)에서 아래쪽으로 3촌.
SP9	음릉천(陰陵泉)	종아리 정강뼈면, 정강뼈 안쪽관절융기 아래모서리와 정강뼈 안쪽모서리(medial border of the tibia) 사이의 오목한 곳.
SP10	혈해(血海)	넓적다리 앞안쪽면, 안쪽넓은근(vastus medialis muscle)이 튀어나온 곳, 무릎뼈바닥(base of the patella) 안쪽끝에서 위쪽으로 2촌.
SP11	기문(箕門)	넓적다리 안쪽면, 무릎뼈바닥(base of the patella) 안쪽끝과 衝門(SP12)을 연결하는 선에서 위쪽으로부터 1/3과 아래쪽으로부터 2/3가 되는 지점, 긴모음근(adductor longus muscle)과 넙다리빗근(sartorius muscle)의 사이, 넙다리동맥(femoral artery)이 뛰는 곳.

비경(脾經) 발과 다리 11혈의 취혈 방법

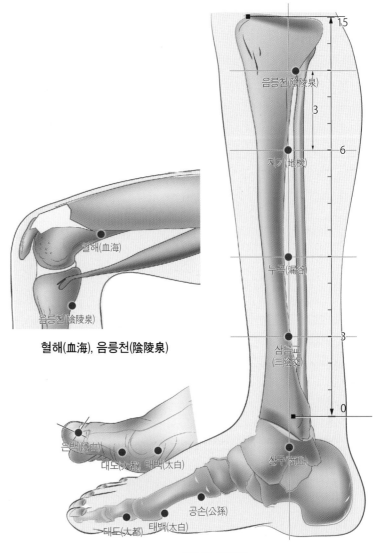

혈해(血海), 음릉천(陰陵泉)

다리의 안쪽면

① 무릎을 굽혀 넙다리빗근(sartorius m.)을 만져보고 무릎뼈(patella) 안쪽 위모서리 위 2촌, 넙다리곧은근(rectus femoris m.) 융기의 안쪽에 혈해(血海)를 취한다.

혈명의 유래

은백(隱白) 두 가지 설이 있다. 첫째는 백(白)은 폐(肺)의 색으로, 오행(五行)에서 비(脾)와 폐(肺)는 모자(母子)관계로서 폐기(肺氣)가 여기에 숨어있다는 뜻이다. 둘째는 피부의 등쪽면(dorsal surface)과 배쪽면(ventral surface)의 경계를 "적백육제(赤白肉際)"라고 하는데, 이 혈이 엄지발가락 안쪽에 있기 때문에 숨어있는 하얀 부위를 가리킨다는 설이다.

태백(太白) 서쪽에 있는 별을 "태백금성(太白金星)"이라고 하며, 폐(肺)는 여기에 응한다. 비토(脾土)는 폐금(肺金)을 생성시키기 때문에 이런 이름이 붙여졌다.

공손(公孫) "손(孫)"을 여기에서 비경(脾經)의 분지(分枝)로 해석한다. 이 혈이 비경(脾經)의 "낙혈(絡穴)"임을 가리킨다.

삼음교(三陰交) 다리의 삼음경(三陰經)이 여기에서 합류하기 때문에 이런 이름이 붙여졌다.

음릉천(陰陵泉) 정강뼈 안쪽관절융기(medial condyle of tibia)를 "음릉(陰陵)"이라고 하는데, 막힌 높은 돌기를 가리킨다. "천(泉)"은 습사(濕邪)를 내보내 비허(脾虛)의 부종(浮腫)에 효과가 있음을 시사한다.

혈해(血海) 여성은 혈(血)을 본(本)으로 한다. 이 혈을 혈(血)의 바다라고 하였으니, 부인병 치료의 의미가 일목요연(一目瞭然)하다.

11 — 비경(脾經) 배와 가슴 10혈(2)

경혈의 위치

3 배 (5혈)

SP12	충문(衝門)	샅부위(groin region), 샅고랑 주름(inguinal crease) 위, 넙다리동맥(femoral artery)의 가쪽.
SP13	부사(府舍)	아랫배, 배꼽(umbilicus) 중심에서 아래쪽으로 4.3촌, 앞정중선(anterior median line)에서 가쪽으로 4촌.
SP14	복결(腹結)	아랫배, 배꼽(umbilicus) 중심에서 아래쪽으로 1.3촌, 앞정중선(anterior median line)에서 가쪽으로 4촌.
SP15	대횡(大橫)	윗배, 배꼽(umbilicus) 중심에서 가쪽으로 4촌.
SP16	복애(腹哀)	윗배, 배꼽(umbilicus) 중심에서 위쪽으로 3촌, 앞정중선(anterior median line)에서 가쪽으로 4촌.

4 가슴 (5혈)

SP17	식두(食竇)	앞가슴부위, 다섯째 갈비사이공간(the 5th intercostal space), 앞정중선(anterior median line)에서 가쪽으로 6촌.
SP18	천계(天溪)	앞가슴부위, 넷째 갈비사이공간(the 4th intercostal space), 앞정중선(anterior median line)에서 가쪽으로 6촌.
SP19	흉향(胸鄉)	앞가슴부위, 셋째 갈비사이공간(the 3rd intercostal space), 앞정중선(anterior median line)에서 가쪽으로 6촌.
SP20	주영(周榮)	앞가슴부위, 둘째 갈비사이공간(the 2nd intercostal space), 앞정중선(anterior median line)에서 가쪽으로 6촌.
SP21	대포(大包)	가쪽가슴부위, 여섯째 갈비사이공간(the 6th intercostal space), 중간겨드랑선(midaxillary line) 위.

비경(脾經) 배와 가슴 10혈의 취혈 방법

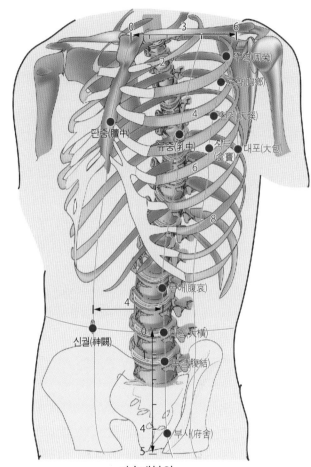

가슴배부위

① 두덩결합(pubic symphysis)에 곡골(曲骨)을 정하고, 그 가쪽 3.5촌의 샅고랑 동맥 박동부를 만져서 그곳에 충문(衝門)을 취한다.

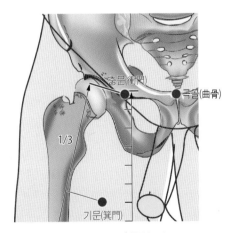

충문(衝門), 기문(箕門)

혈명의 유래

충문(衝門)	넙다리동맥(femoral a.) 박동부에 있음을 나타낸다.
부사(府舍)	"부(府)"는 "부(腑)"와 통한다. "사(舍)"는 부위의 뜻이다. 복부에는 대장(大腸), 소장(小腸) 등 육부(六腑)가 있음을 나타낸다.
복결(腹結)	복기(腹氣)를 조절하여 복부의 창만(脹滿)을 해소한다는 뜻이다.
대횡(大橫)	배꼽 "신궐(神闕)"에서 대폭 옆으로 떨어져 있기 때문에 이런 이름이 붙여졌다.
복애(腹哀)	괴로워서 소리를 내는 것을 "애명(哀鳴)"이라고 한다. 복통(腹痛), 장명(腸鳴) 등의 증상을 치료한다는 것에서 유래했다.
식두(食竇)	"두(竇)"는 공동(空洞)의 의미로, 식도(食道)와 위(胃)를 접속하는 부위이다. 음식물이 위(胃) 주머니로 들어가는 것을 나타낸다.
천계(天溪)	천(天)은 상(上)을 나타내고, 계(溪)는 젖이 분비되는 것을 얕은 천(川)에 비유한 것이다.
주영(周榮)	"영(榮)"은 "영(營)"으로, 영양소(營養素)의 의미이다. 비(脾)는 영기(營氣)를 만들어 내는 곳이므로 이런 이름이 붙여졌다.
대포(大包)	"포(包)"는 통합하다, 총괄하다의 뜻이다. 이 혈은 비(脾)의 대락(大絡)으로서 여러 경맥(經脈)을 통합하는 것을 의미한다.

12 — 족태음비경(足太陰脾經) 경혈의 주치(主治)

족태음비경(足太陰脾經)은 체내에서는 비장(脾臟)에 속(屬)하고 위(胃)에 낙(絡)한다. 체표에서는 다리 안쪽의 앞면, 몸통의 앞면(가슴배부위의 제4선)을 달리고, 가슴 옆면의 여섯째 갈비사이공간(the 6th intercostal space)에 이른다. 그 유주에 따라 다리 안쪽의 감각과 운동장애, 소화기계, 영양 흡수 불량이나 만성 피로의 개선, 부인과 질환의 치료에 쓰인다.

경혈명칭	부위	주치(主治)	특수한 주치	자법(刺法)	비고
은백(隱白)	발	부인과의 여러 증상, 만성출혈증상, 복창, 하리, 신경쇠약, 발가락통증	진정안신(鎭靜安神)작용	사자 0.1-0.3촌	정목혈(井木穴)
대도(大都)		발가락의 통증과 종창, 복창, 복통, 하리, 급만성위장염, 신경쇠약		직자 0.3-0.5촌	형화혈(滎火穴)
태백(太白)		발가락의 통증과 종창, 복창, 복통, 구토, 하리, 복명, 식욕부진, 급만성위장염, 신경쇠약		직자 0.3-0.5촌	원혈(原穴) 수토혈(兪土穴)
공손(公孫)		발가락의 통증과 종창, 복창, 복통, 구토, 하리, 복명, 식욕부진, 급만성위장염, 신경쇠약		직자 0 5-0.8촌	낙혈(絡穴)
상구(商丘)		족관절통과 종창 및 주위연부조직 장애, 장딴지근경련, 복창, 복통, 구토, 장명, 식욕부진		직자 0.3-0.5촌	경금혈(經金穴)
삼음교(三陰交)	종아리	부인과의 여러 증상, 생식기계장애, 만성출혈증상, 소화흡수불량장애, 신경쇠약 알레르기체질 개선	부인병의 상용혈, 고혈압과 갱년기증후군에 사용	직자 0.5-1촌	
누곡(漏谷)		무릎과 종아리의 감각과 운동장애, 만성출혈증상, 복창, 하리		직자 0.5-0.8촌	
지기(地機)		무릎과 종아리의 감각과 운동장애, 부인병, 생식기계장애, 복창, 복통, 하리, 요통		직자 0.5-0.8촌	극혈(郄穴)
음릉천(陰陵泉)		무릎과 종아리의 감각과 운동장애, 부인병, 생식기계장애, 복창, 복통, 하리, 요통	부인병의 상용혈, 갱년기증후군, 비뇨기계 증상도 개선된다	직자 0.5-0.8촌	합수혈(合水穴)
혈해(血海)	넙다리	부인과의 여러 증상, 만성출혈증상, 빈혈, 생식기계장애, 무릎관절장애	알레르기체질 개선의 상용혈	직자 0.8-1촌	
기문(箕門)		넙다리의 감각과 운동장애, 서혜부 임파선종창, 생식기계장애		직자 0.3-0.5촌	
충문(衝門)	배	하복통, 부인병, 생식기계장애, 서혜부 임파선종창, 만성충수염, 소변불리		직자 0.5-0.8촌	
부사(府舍)		변비, 하리, 장명, 하복통, 부인병, 생식기계장애, 서혜부 임파선종창, 소변불리		직자 0.5-0.8촌	
복결(腹結)		변비, 하리, 장명, 복통		직자 0.8-1.5촌	
대횡(大橫)		변비, 하리, 장명, 복통	변비의 상용혈(특히 왼쪽)	직자 0.8-1.5촌	
복애(腹哀)		식욕부진, 복통, 장명, 변비, 하리		직자 0.5-0.8촌	
식두(食竇)	가슴	식욕부진, 복창, 장명, 흉협고만, 늑간신경통		사자 0.5-0.8촌	기흉(氣胸)이 되지 않도록 주의
천계(天溪)		해수, 천식, 흉부고만 등의 호흡질환, 유선염, 심흉통, 늑간신경통		사자 0.5-0.8촌	기흉(氣胸)이 되지 않도록 주의
흉향(胸鄕)		해수, 천식, 흉부고만 등의 호흡질환		사자 0.5-0.8촌	기흉(氣胸)이 되지 않도록 주의
주영(周榮)		해수, 천식, 흉부고만 등의 호흡질환		사자 0.5-0.8촌	기흉(氣胸)이 되지 않도록 주의
대포(大包)		해수, 천식, 흉부고만, 권태무력	비(脾)의 대락(大絡)	사자 0.5-0.8촌	기흉(氣胸)이 되지 않도록 주의

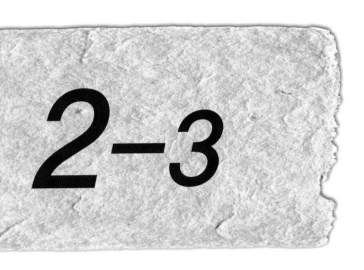

수족소음태양경
(手足少陰太陽經)의 경혈

1─ 수소음심경(手少陰心經)의 경혈(9혈)

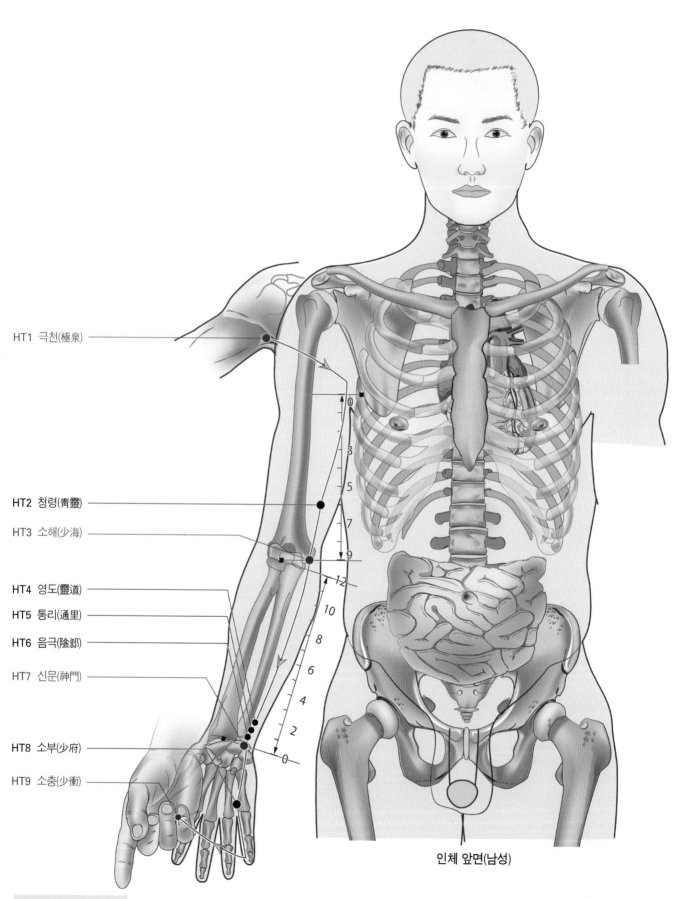

HT1 극천(極泉)

HT2 청령(靑靈)

HT3 소해(少海)

HT4 영도(靈道)

HT5 통리(通里)

HT6 음극(陰郄)

HT7 신문(神門)

HT8 소부(少府)

HT9 소충(少衝)

인체 앞면(남성)

HT : Heart Meridian

3. 수족소음태양경(手足少陰太陽經)의 경혈

2― 수소음심경(手少陰心經) 팔과 손부위 9혈

경혈의 위치

1 팔부위 (7혈)

HT1 극천(極泉) 겨드랑, 겨드랑 중심(center of the axillary fossa), 겨드랑동맥(axillary artery)이 뛰는 곳.

HT2 청령(靑靈) 위팔 안쪽면, 위팔두갈래근(biceps brachii muscle)의 안쪽모서리 바로 안쪽, 팔오금주름(cubital crease)에서 위쪽으로 3촌.

HT3 소해(少海) 팔꿈치 앞안쪽면, 위팔뼈 안쪽위관절융기(medial epicondyle of the humerus) 바로 앞쪽, 팔오금주름(cubital crease)과 같은 높이.

HT4 영도(靈道) 아래팔 앞안쪽면, 자쪽손목굽힘근 힘줄(flexor carpi ulnaris tendon)의 노쪽모서리 바로 노쪽, 손바닥쪽 손목주름(palmar wrist crease)에서 몸쪽으로 1.5촌.

HT5 통리(通里) 아래팔 앞안쪽면, 자쪽손목굽힘근 힘줄(flexor carpi ulnaris tendon) 노쪽, 손바닥쪽 손목주름(palmar wrist crease)에서 몸쪽으로 1촌.

HT6 음극(陰郄) 아래팔 앞안쪽면, 자쪽손목굽힘근 힘줄(flexor carpi ulnaris tendon) 노쪽, 손바닥쪽 손목주름(palmar wrist crease)에서 몸쪽으로 0.5촌.

HT7 신문(神門) 손목 앞안쪽면, 자쪽손목굽힘근힘줄(flexor carpi ulnaris tendon)의 노쪽모서리 노쪽, 손바닥쪽 손목주름(palmar wrist crease) 위.

2 손부위 (2혈)

HT8 소부(少府) 손바닥, 넷째와 다섯째 손허리뼈 (the 4th and 5th metacarpal bones) 사이, 다섯째 손허리손가락관절(the 5th metacarpophalangeal joint)의 몸쪽 오목한 곳.

HT9 소충(少衝) 새끼손가락, 끝마디뼈(distal phalanx)의 노쪽, 새끼손톱 노쪽 뿌리각(radial corner of the little fingernail)에서 몸가쪽으로 0.1촌.

심경(心經) 팔과 손부위 9혈의 취혈 방법

① 위팔을 벌리고, 겨드랑이 중앙에 극천(極泉)을 취한다.

② 팔꿈치를 굽히고 팔오금주름(cubital crease)의 자쪽, 위팔뼈 안쪽위관절융기(medial epicondyle of the humerus)의 안쪽에 소해(少海)를 취한다.

③ 손바닥쪽 손목주름(palmar wrist crease)의 자쪽, 콩알뼈(pisiform bone)와 자뼈(ulna) 사이의 움푹한 곳에 신문(神門)을 취한다.

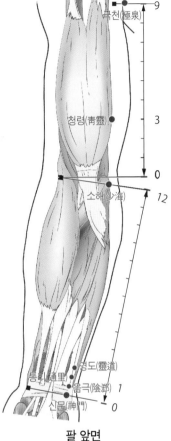

팔 앞면

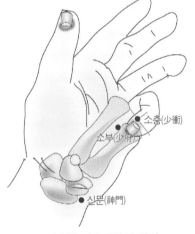

소부(少府) 취혈의 편법

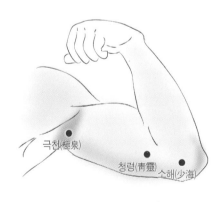

극천(極泉), 청령(靑靈), 소해(少海)

혈명의 유래

극천(極泉) 정점(頂点)을 "극(極)"이라고 한다. "천(泉)"은 기혈(氣血)이 시작한다는 뜻이다. 심(心)은 군주지관(君主之官)으로, 오장육부(五臟六腑)를 통괄한다. 이 혈은 심경(心經)의 기시혈(起始穴)이고, 또 겨드랑동맥(axillary a.)에 있기 때문에 이런 이름이 붙여졌다.

청령(靑靈) 두 가지 설이 있다. 첫째, 심(心)에는 신(神)이 깃들어 있고, 정신 의지 등의 일을 "신령(神靈)"이라고 하기 때문이다. 둘째, 통증은 청색으로 진찰되고, 이 혈은 통증에 효과가 좋기 때문이다.

소해(少海) 심경(心經)의 기혈(氣血) 유주는 이 합수혈(合水穴)에 바다와 같이 모인다.

통리(通里) 낙혈(絡穴)로서 심경(心經)은 이곳에서 안으로 들어가 태양경(太陽經)에 락(絡)한다.

음극(陰郄) "음(陰)"은 아래팔 안쪽을 가리킨다. "극(郄)"은 뼈나 근육의 틈을 말한다.

신문(神門) "신(神)"이란 대뇌(大腦)의 정신의식활동으로, "심(心)"의 기능에 속한다. 사상, 의지, 심리 등의 정신활동 표현에 "심(心)"자가 들어간 것도 같은 이유이다. 신문(神門)은 심경(心經)의 원혈(原穴)로 신기(神氣)가 출입하는 곳을 의미한다.

3─ 수소음심경(手少陰心經) 경혈의 주치(主治)

　　수소음심경(手少陰心經)은 체내에서는 심장(心臟)에 속(屬)하고 소장(小腸)에 낙(絡)한다. 체표에서는 겨드랑이, 팔 앞면의 자쪽을 달리고, 새끼손가락 노쪽에 이른다. 그 유주에 따라 심경(心經)의 경혈은 심장(心臟)과 순환기계, 뇌의 정신의식장애, 팔 앞면 자쪽의 감각과 운동장애의 치료에 쓰인다.

　　임상에서는 심장의 실질적인 질환의 치료에 수궐음심포경(手厥陰心包經)의 경혈을 주로 쓰고, 정신활동 등의 대뇌 기능 조정이나 심신장애의 치료에 수소음심경(手少陰心經)의 경혈을 쓰기도 한다.

경혈명칭	부위	주치(主治)	특수한 주치	자법(刺法)	비고
극천(極泉)	위팔	심흉통, 동계(動悸), 우울증, 목겨드랑림프절종창, 액취		직자 0.5-1촌	동맥을 찌르지 않도록 주의
청령(靑靈)		어깨관절장애, 두통		직자 0.3-0.5촌	
소해(少海)	아래팔	팔꿉관절 안쪽의 감각과 운동장애, 심흉통, 두통, 어지럼증, 정신병	진정안신(鎭靜安神)작용	직사 0.5-1촌	합수혈(合水穴)
영도(靈道)		자신경마비, 심흉통, 동계(動悸), 불면, 부정맥, 심장질환, 언어장애, 히스테리, 정신병	진정안신(鎭靜安神)작용	직자 0.3-0.5촌	경금혈(經金穴)
통리(通里)		자신경마비, 심흉통, 동계(動悸), 불면, 부정맥, 심장질환, 언어장애, 히스테리, 정신병		직자 0.3-0.5촌	낙혈(絡穴)
음극(陰郄)		심흉통, 동계(動悸), 도한(盜汗), 부정맥, 심장질환, 언어장애, 히스테리, 정신병, 자신경마비	자율신경조절작용 지혈작용	직자 0.3-0.5촌	극혈(郄穴)
신문(神門)		심통, 동계(動悸), 불면, 수장열(手掌熱), 히스테리, 정신병, 언어장애, 진정안신(鎭靜安神)작용	자율신경조절작용	직자 0.3-0.5촌	원혈(原穴) 수토혈(兪土穴)
소부(少府)	손	수장열(手掌熱), 자신경장애, 새끼 손가락감각운동장애, 심통, 동계(動悸), 히스테리, 정신병, 언어장애	외음부습진소양증에 거습지양작용	직자 0.2-0.3촌	형화혈(滎火穴)
소충(少衝)		자신경장애, 새끼 손가락감각운동장애, 심통, 동계(動悸), 히스테리, 정신병, 실신	구급혈 사혈요법(瀉血療法)	사자 0.1촌	정목혈(井木穴)

3. 수족소음태양경(手足少陰太陽經)의 경혈

4─수태양소장경(手太陽小腸經)의 경혈(19혈)

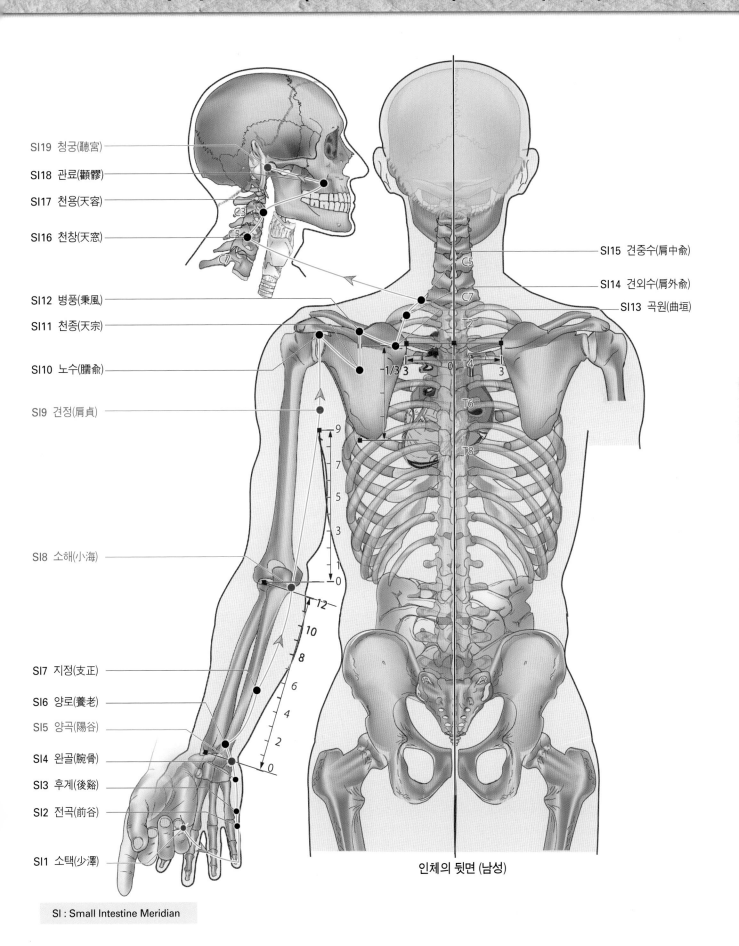

SI19 청궁(聽宮)
SI18 관료(觀髎)
SI17 천용(天容)
SI16 천창(天窓)
SI12 병풍(秉風)
SI11 천종(天宗)
SI10 노수(臑兪)
SI9 견정(肩貞)
SI8 소해(小海)
SI7 지정(支正)
SI6 양로(養老)
SI5 양곡(陽谷)
SI4 완골(腕骨)
SI3 후계(後谿)
SI2 전곡(前谷)
SI1 소택(少澤)

SI15 견중수(肩中兪)
SI14 견외수(肩外兪)
SI13 곡원(曲垣)

인체의 뒷면 (남성)

SI : Small Intestine Meridian

55

5 ─ 소장경(小腸經) 손과 아래팔부위 10혈(1)

경혈의 위치

1. 손 (5혈)

SI1	소택(少澤)	새끼손가락, 끝마디뼈(distal phalanx)의 자쪽, 새끼손톱 자쪽 뿌리각(ulnar corner of the little fingernail)에서 몸안쪽으로 0.1촌.
SI2	전곡(前谷)	새끼손가락, 다섯째 손허리손가락관절(the 5th metacarpophalangeal joint) 자쪽의 면쪽 오목한 곳, 적백육제.
SI3	후계(後谿)	손등, 다섯째 손허리손가락관절(the 5th metacarpophalangeal joint) 자쪽의 몸쪽 오목한 곳, 적백육제.
SI4	완골(腕骨)	손목 안쪽면, 다섯째 손허리뼈바닥(base of the 5th metacarpal bone)과 세모뼈(triquetral bone) 사이의 오목한 곳, 적백육제.
SI5	양곡(陽谷)	손목 뒤안쪽면, 자뼈붓돌기(ulnar styloid process)와 세모뼈(triquetral bone) 사이의 오목한 곳.

2. 팔 (5혈)

SI6	양로(養老)	아래팔 뒤안쪽면, 자뼈머리(head of the ulna)의 노쪽, 손등쪽 손목주름(dorsal wrist crease)에서 몸쪽으로 1촌 지점의 오목한 곳.
SI7	지정(支正)	아래팔 뒤안쪽면, 자뼈 안쪽모서리(medial border of the ulna)와 자쪽손목굽힘근(flexor carpi ulnaris muscle)의 사이, 손등쪽 손목주름(dorsal wrist crease)에서 몸쪽으로 5촌.
SI8	소해(小海)	팔꿈치 뒤안쪽면, 자뼈 팔꿈치머리(olecranon)와 위팔뼈 안쪽위관절융기(medial epicondyle of the humerus) 사이의 오목한 곳.
SI9	견정(肩貞)	팔이음뼈(shoulder girdle), 어깨관절(shoulder joint) 아래뒤쪽, 겨드랑주름(axillary fold) 뒤쪽끝에서 위쪽으로 1촌.
SI10	노수(臑兪)	팔이음뼈(shoulder girdle), 겨드랑주름(axillary fold) 뒤쪽끝에서 위쪽, 어깨뼈가시(spine of the scapula) 아래쪽 오목한 곳.

소장경(小腸經) 손과 아래팔부위 10혈의 취혈 방법

① 손목관절 등쪽면의 자쪽, 자뼈붓돌기(ulnar styloid process)를 정하고, 새끼손가락으로 미끄러져 내려가다가 손가락이 멈추는 곳에 세모뼈(triquetral bone) 뒤쪽모서리가 만져지면 그 사이의 움푹한 곳에 양곡(陽谷)을 취한다.

② 팔꿈치를 굽혀서 위팔뼈 안쪽위관절융기(medial epicondyle of the humerus)에서 자뼈 팔꿈치머리(olecranon)로 미끄러져가 자신경고랑(groove for the ulnar nerve)을 확인하고 거기에 소해(小海)를 취한다.

③ 팔꿈치를 굽혀 손가락을 양곡(陽谷)에서 비스듬히 손등(dorsum of hand) 노쪽으로 눌러 올라가 자뼈머리(head of the ulna)를 확인하고 자뼈머리(head of the ulna)를 누른 채로 아래팔을 뒤침(supination)시키면 손가락이 자연히 자뼈머리(head of the ulna) 아래모서리의 노쪽에 미끄러져 멈춘다. 그 움푹한 곳에 양로(養老)를 취한다.

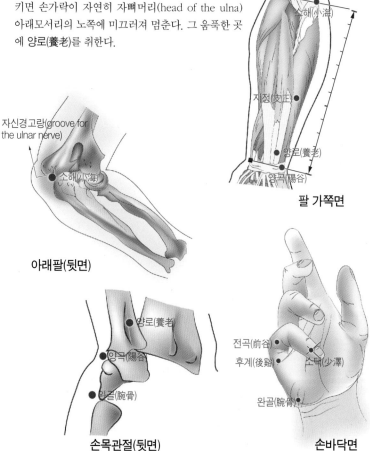

자신경고랑(groove for the ulnar nerve)

소해(小海)

아래팔(뒷면)

견정(肩貞)

지정(支正)

소해(小海)

양로(養老)

양곡(陽谷)

팔 가쪽면

양로(養老)

양곡(陽谷)

완골(腕骨)

손목관절(뒷면)

전곡(前谷)

후계(後谿)

소택(少澤)

완골(腕骨)

손바닥면

혈명의 유래

소택(少澤)	"택(澤)"은 기혈(氣血)이 나오는 모습을 윤택한 물에 비유한 것이다.
전곡(前谷)	손허리손가락관절(Metacarpophalangeal joint)의 면(distal)쪽을 "전(前)"이라 하고, 근육 사이의 틈을 산간의 "곡(谷)"에 비유한 것이다. 손을 쥐고 이 부위를 잘 음미해 보면 그대로이다.
후계(後谿)	손허리손가락관절(Metacarpophalangeal joint)의 몸(proximal)쪽을 "후(後)"라 하고, "곡(谷)"보다 얕은 우묵한 곳을 계(谿)에 비유했다.
양곡(陽谷)	아래팔 바깥쪽에 깊이 패인 곳에 위치하여 이런 이름이 붙여졌다.
양로(養老)	양생침구(養生鍼灸)의 상용혈로, 운동장애 등의 노화 방지나 건강 촉진 작용이 있다. 노인을 부양하는 의미가 있다.
지정(支正)	"지(支)"는 분지의 뜻으로 낙맥(絡脈)을 가리킨다. 경맥(經脈)을 정경(正經)이라고 하며, 지정(支正)은 낙혈(絡穴)로, 소장경(小腸經)의 낙맥(絡脈)이 여기에서 나누어지는 것을 표현하고 있다.
소해(小海)	소장경(小腸經)의 합수혈(合水穴)로, 기혈(氣血) 유주를 물의 흐름에 비유하면 이 지점에서 강물이 바다로 합류하는 것과 같음을 나타낸다.

5— 소장경(小腸經) 어깨와 머리목부위 9혈(2)

경혈의 위치

3 어깨부위 (5혈)

SI11 천종(天宗) 어깨뼈부위, 어깨뼈가시(spine of the scapula) 중점과 어깨뼈 아래각(inferior angle of the scapula)을 연결하는 선에서 위쪽으로부터 1/3과 아래쪽으로부터 2/3가 되는 지점의 오목한 곳.

SI12 병풍(秉風) 어깨뼈부위, 가시위오목 (supraspinatusfossa), 어깨뼈가시(spine of the scapula) 중점 위쪽의 오목한 곳.

SI13 곡원(曲垣) 어깨뼈부위, 어깨뼈가시(spine of the scapula) 안쪽끝 위쪽 오목한 곳.

※**취혈방법**: 곡원(曲垣)은 臑兪(ST10)와 둘째 등뼈 가시돌기 (spinous process of the 2nd thoracic vertebra)를 연결하는 선의 중점에 위치한다.

SI14 견외수(肩外兪) 위쪽 등부위, 첫째 등뼈 가시돌기(spinous process of the 1st thoracic vertebra) 아래 모서리와 같은 높이, 뒤정중선(posterior median line)에서 가쪽으로 3촌.

SI15 견중수(肩中兪) 위쪽 등부위, 일곱째 목뼈 가시돌기(spinous process of the 7th cervical vertebra) 아래 모서리와 같은 높이, 뒤정중선(posterior median line)에서 가쪽으로 2촌.

4 머리목부위 (4혈)

SI16 천창(天窓) 목 앞부위, 목빗근(sternocleidomastoid muscle)의 뒤쪽, 방패연골(thyroid cartilage) 위모서리와 같은 높이.

※**취혈방법**: 인영(人迎), 부돌(扶突), 천창(天窓)은 방패연골 위 모서리와 같은 높이에 위치한다. 人迎(ST9)은 목빗근의 앞쪽, 天窓(SI16)은 목빗근의 뒤쪽, 扶突(LI18)은 목빗근의 앞뒤모서리 중간에 있다.

SI17 천용(天容) 목 앞부위, 턱뼈각(mandibular angle) 뒤쪽, 목빗근(sternocleidomastoid muscle) 앞쪽 오목한 곳.

※**취혈방법**: 천용(天容)은 목빗근 뒤쪽의 天牖(TE16)와 같은 높이에 있다.

SI18 관료(顴髎) 얼굴, 광대뼈(zygomatic bone) 아래쪽, 가쪽눈구석(outer canthus)에서 수직으로 아래쪽 오목한 곳.

SI19 청궁(聽宮) 얼굴, 귀구슬(tragus) 중심의 앞모서리와 아래턱뼈 관절돌기(condylar process of the mandible) 사이의 오목한 곳.

소장경(小腸經) 어깨와 머리목부위 9혈의 취혈 방법

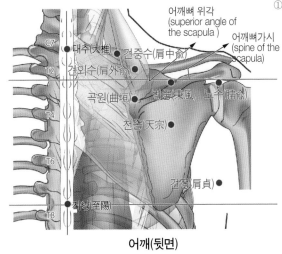

어깨(뒷면)

① 어깨뼈가시(spine of the scapula)의 중앙을 정하고, 그 밑에 있는 움푹한 곳(가시아래오목(Infraspinatus fossa))에 천종(天宗)을 취한다.

천종(天宗) 직상, 어깨뼈가시(spine of the scapula) 중앙에서 위로 움푹한 곳(가시위오목(supraspinatus fossa))에 병풍(秉風)을 취한다.

어깨뼈가시(spine of the scapula) 안쪽끝(medial extremity) 위에 있는 움푹한 곳에 곡원(曲垣)을 취한다.

② 도도(陶道) 바깥쪽 3촌에 견외수(肩外兪)를 취한다. 대추(大椎) 바깥쪽 2촌에 견중수(肩中兪)를 취한다. 귀구슬(tragus) 중앙 높이 에서 입을 벌리면 귀구슬 (tragus)과 턱관절 (temporomandibular joint) 뒤쪽모서리 사이에 움푹한 곳 이 생기고 이곳에 청궁(聽宮)을 취한다.

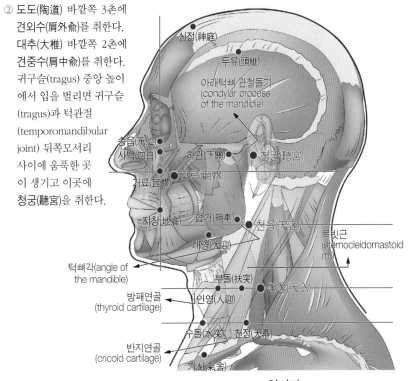

옆머리

혈명의 유래

노수(臑兪) 옛날에 위팔 어깨세모근(deltoid m.) 근처를 "노(臑)"라고 하였다.

천종(天宗) 가로막(diaphragm)을 경계로 해서 그 위를 "천(天)"이라 하니, 즉 상부를 의미한다. "종(宗)"은 중심이 되는 곳이다. 어깨뼈(scapula) 가시아래오목(Infraspinatus fossa)의 중앙에 있기 때문에 이런 이름이 붙여졌다.

병풍(秉風) 두 가지 설이 있다. 첫째, 어깨뼈(scapula)와 여기에 부착하는 근육이 병풍(屛風)처럼 풍사(風邪)가 침입하는 것을 방지한다는 뜻이다. 둘째, "병(秉)"은 "잡다", "처리하다"의 의미로, 이 혈이 풍사(風邪)에 의한 어깨뼈(scapula) 주변의 근육통을 치료하는 요혈(要穴)임을 나타내는 것이다.

곡원(曲垣) "원(垣)"은 벽(壁)의 의미로 어깨뼈가시(spine of the scapula)의 모양이 굽은 벽과 같아 보이기 때문에 이런 이름이 붙여졌다.

견중수(肩中兪) 대추(大椎)와 견정(肩井) 중간에 위치하기 때문에 이런 이름이 붙여졌다.

관료(顴髎) "관(顴)"은 광대뼈(zygomatic bone)이고 "료(髎)"는 뼈의 틈새이다.

청궁(聽宮) "궁(宮)"은 오음(五音)의 으뜸 자리이다. 이 혈은 이명(耳鳴)이나 난청(難聽) 치료의 요혈(要穴) 이기 때문에 이런 이름이 붙여졌다.

3. 수족소음태양경(手足少陰太陽經)의 경혈

6─수태양소장경(手太陽小腸經) 경혈의 주치(主治)

수태양소장경(手太陽小腸經)은 체내에서는 소장(小腸)에 속(屬)하고 심장(心臟)에 낙(絡)한다. 체표에서는 새끼 손가락(digitus minimus), 팔 뒷면의 자쪽, 어깨뼈(scapula)를 달리고, 얼굴의 귀 앞에 이른다. 그 유주에 따라 얼굴과 귀나 인후 질환, 팔 뒷면 자쪽의 감각과 운동장애의 치료에 쓰인다.

임상에서 소장경(小腸經)의 경혈은 ① 귀의 질환, ② 자신경(ulna n.)과 그 지배 영역의 근육 질환을 치료하는 데 쓰인다.

경혈명칭	부위	주치(主治)	특수한 주치	자법(刺法)	비고
소택(少澤)	손	새끼 손가락마비, 인후염, 이명. 두통, 발열, 실신, 유즙부족	구급혈, 사혈요법, 해열작용	사자 1촌	정금혈(井金穴)
전곡(前谷)		자신경마비, 발열, 인후염, 편도선염, 이명, 두통, 유선염	해열작용	직자 0.2-0.3촌	형수혈(榮水穴)
후계(後谿)		두통, 항강, 견비통, 척골신경마비, 눈병, 요통, 경항통, 정신병, 도한(盜汗)	진정지통작용	직자 0.5-0.8촌	수목혈(兪木穴)
완골(腕骨)		자신경마비, 손관절장애, 편마비, 두통, 발열, 무한(無汗)	해열신성안신작용	직자 0.3-0.5촌	원혈(原穴)
양계(陽谿)		자신경마비, 손관절장애, 인후염, 편도선염, 두통, 이명, 치통, 목적(目赤), 정신병	진정지통작용	직자 0.3-0.5촌	경화혈(經火穴)
양로(養老)	아래팔	굽은허리, 손관절장애, 항강, 두통, 편마비	진정지통작용	직자 0.5-0.8촌	극혈(郄穴)
지정(支正)		자신경장애, 팔꿈관절장애, 두통, 견비통, 어지럼증, 이명, 정신병, 발열		직자 0.5-0.8촌	낙혈(絡穴)
소해(小海)	위팔	자신경장애, 팔꿈관절장애, 두통, 어지럼증, 이명, 정신병		직자 0.5-0.8촌	합토혈(合土穴)
견정(肩貞)		어깨관절장애, 견갑통, 편마비		직자 0.5-1촌	
노수(臑兪)		어깨관절장애, 견갑통, 편마비		직자 0.5-1촌	
천종(天宗)		견갑통, 견비통, 어깨관절장애, 팔 바깥쪽의 감각과 운동장애		직자 0.5-1촌	
병풍(屛風)		견비통, 어깨관절장애, 견배통		직자 0.5-0.8촌	
곡원(谷垣)	어깨	견비통, 어깨관절장애, 견배통		직자 0.5-0.8촌	
견외수(肩外兪)		견비통, 항강, 견배통		사자 0.3-0.6촌	기흉(氣胸)이 되지 않도록 주의
견중수(肩中兪)		견비통, 항강, 견배통		직자 0.5-0.8촌	기흉(氣胸)이 되지 않도록 주의
천창(天窓)	목	경항강, 항강, 인후종통, 편도선염, 목림프절종창, 이명		직자 03-0.5촌	
천용(天容)		경항강, 자고난 후 항강, 인후종통, 편도선염, 목림프절종창, 이명		직자 0.5-0.8촌	
관료(顴髎)	얼굴	얼굴신경마비, 삼차신경통, 깨물근경련, 치통		직자 03-0.5촌	
청궁(聽宮)		귀의 여러 질환, 턱관절장애		직자 0.5-1촌	입을 벌리고 자입(刺入)

3. 수족소음태양경(手足少陰太陽經)의 경혈

7 — 족태양방광경(足太陽膀胱經)의 경혈(67혈)(1)

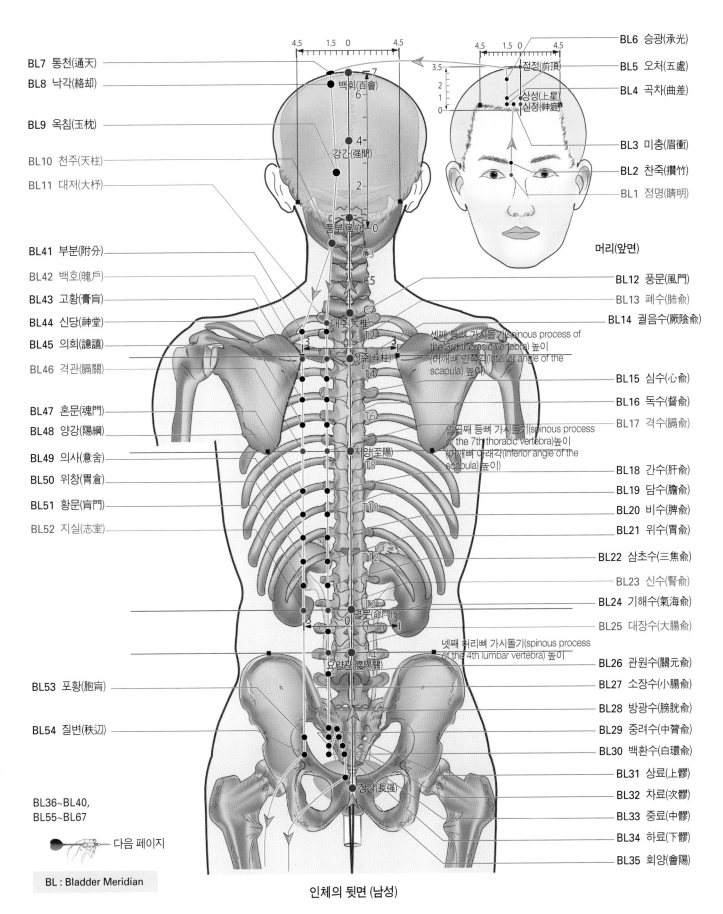

BL7 통천(通天)
BL8 낙각(絡却)
BL9 옥침(玉枕)
BL10 천주(天柱)
BL11 대저(大杼)

BL41 부분(附分)
BL42 백호(魄戶)
BL43 고황(膏肓)
BL44 신당(神堂)
BL45 의희(譩譆)
BL46 격관(膈關)
BL47 혼문(魂門)
BL48 양강(陽綱)
BL49 의사(意舍)
BL50 위창(胃倉)
BL51 황문(肓門)
BL52 지실(志室)

BL53 포황(胞肓)
BL54 질변(秩辺)

BL36~BL40,
BL55~BL67

다음 페이지

BL : Bladder Meridian

BL6 승광(承光)
BL5 오처(五處)
BL4 곡차(曲差)
BL3 미충(眉衝)
BL2 찬죽(攢竹)
BL1 정명(睛明)

전정(前頂)
상성(上星)
신정(神庭)

머리(앞면)

BL12 풍문(風門)
BL13 폐수(肺兪)
BL14 궐음수(厥陰兪)

셋째 등뼈 가시돌기(spinous process of
the 3rd thoracic vertebra) 높이
(어깨뼈 안쪽각(interior angle of the
scapula) 높이)

BL15 심수(心兪)
BL16 독수(督兪)
BL17 격수(膈兪)

일곱째 등뼈 가시돌기(spinous process
of the 7th thoracic vertebra)높이
(어깨뼈 아래각(inferior angle of the
scapula) 높이)

BL18 간수(肝兪)
BL19 담수(膽兪)
BL20 비수(脾兪)
BL21 위수(胃兪)
BL22 삼초수(三焦兪)
BL23 신수(腎兪)
BL24 기해수(氣海兪)
BL25 대장수(大腸兪)

넷째 허리뼈 가시돌기(spinous process
of the 4th lumbar vertebra) 높이

BL26 관원수(關元兪)
BL27 소장수(小腸兪)
BL28 방광수(膀胱兪)
BL29 중려수(中膂兪)
BL30 백환수(白環兪)
BL31 상료(上髎)
BL32 차료(次髎)
BL33 중료(中髎)
BL34 하료(下髎)
BL35 회양(會陽)

백회(百會)
강간(强間)
풍부(風府)
대추(大椎)
신주(身柱)
지양(至陽)
명문(命門)
요양관(腰陽關)
장강(長强)

인체의 뒷면 (남성)

7─족태양방광경(足太陽膀胱經)의 경혈(67혈)(2)

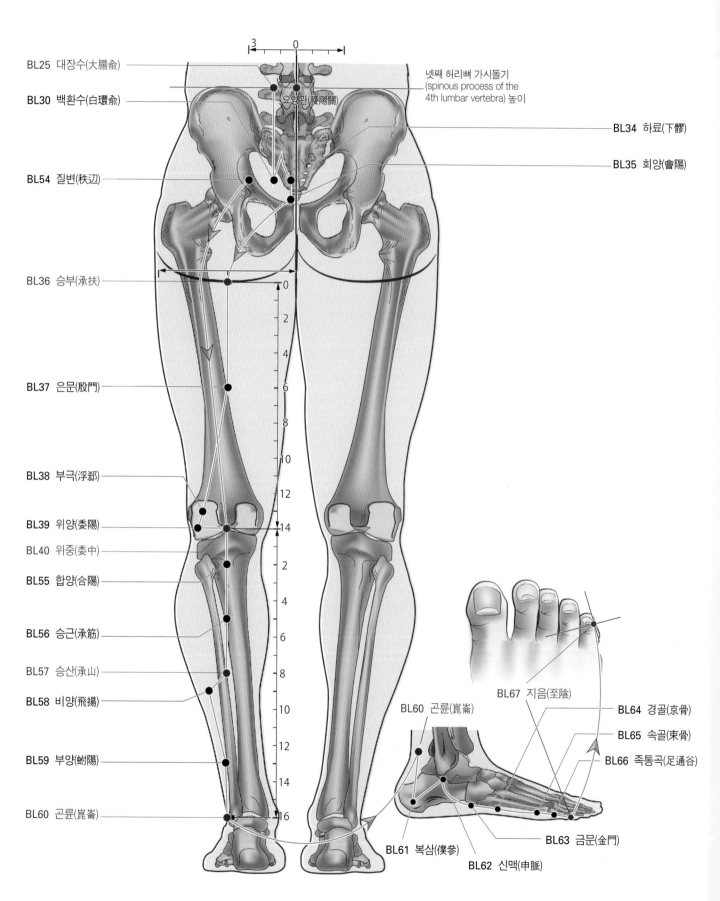

BL25 대장수(大腸兪)

BL30 백환수(白環兪)

BL54 질변(秩辺)

BL36 승부(承扶)

BL37 은문(殷門)

BL38 부극(浮郄)

BL39 위양(委陽)

BL40 위중(委中)

BL55 합양(合陽)

BL56 승근(承筋)

BL57 승산(承山)

BL58 비양(飛揚)

BL59 부양(蚹陽)

BL60 곤륜(崑崙)

요양관(腰陽關)

넷째 허리뼈 가시돌기
(spinous process of the
4th lumbar vertebra) 높이

BL34 하료(下髎)

BL35 회양(會陽)

BL67 지음(至陰)

BL60 곤륜(崑崙)

BL64 경골(京骨)

BL65 속골(束骨)

BL66 족통곡(足通谷)

BL63 금문(金門)

BL61 복삼(僕參)

BL62 신맥(申脈)

3. 수족소음태양경(手足少陰太陽經)의 경혈

8— 방광경(膀胱經) 머리목부위 10혈(1)

경혈의 위치

1 머리 (10혈)

BL1	정명(睛明)	얼굴, 안쪽눈구석(inner canthus)의 위안쪽 부분과 눈확(orbit)의 안쪽 벽 사이의 오목한 곳.
BL2	찬죽(攢竹)	머리, 눈썹 안쪽끝의 오목한 곳.
BL3	미충(眉衝)	머리, 이마뼈패임(frontal notch)의 위쪽, 前髮際(anterior hairline)에서 위쪽으로 0.5촌.
BL4	곡차(曲差)	머리, 前髮際(anterior hairline)에서 위쪽으로 0.5촌, 앞정중선(anterior median line)에서 가쪽으로 1.5촌.
BL5	오처(五處)	머리, 前髮際(anterior hairline)에서 위쪽으로 1촌, 앞정중선(anterior median line)에서 가쪽으로 1.5촌.
BL6	승광(承光)	머리, 前髮際(anterior hairline)에서 위로 2.5촌, 앞정중선(anterior median line)에서 가쪽으로 1.5촌.
BL7	통천(通天)	머리, 前髮際(anterior hairline)에서 위쪽으로 4촌, 앞정중선(anterior median line)에서 가쪽으로 1.5촌.
BL8	낙각(絡却)	머리, 前髮際(anterior hairline)에서 위쪽으로 5.5촌, 앞정중선(anterior median line)에서 가쪽으로 1.5촌.
BL9	옥침(玉枕)	머리, 바깥뒤통수뼈융기(external occipital protuberance) 위모서리와 같은 높이, 뒤정중선(posterior median line)에서 가쪽으로 1.3촌.
BL10	천주(天柱)	목 뒤부위, 둘째 목뼈 가시돌기(spinous process of the 2nd cervical vertebra) 위모서리와 같은 높이, 등세모근(trapezius muscle) 가쪽모서리 오목한 곳.

방광경(膀胱經) 머리목부위 10혈의 취혈 방법

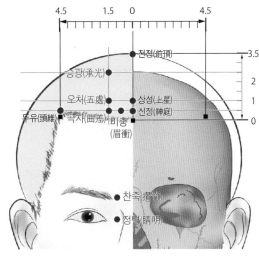

머리(앞면)

② 아문(瘂門) 바깥쪽 1.3촌 등세모근(trapezius m.) 바깥쪽 움푹한 곳에 천주(天柱)를 취한다.

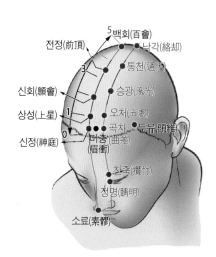

정중선과 방광경의 머리경혈

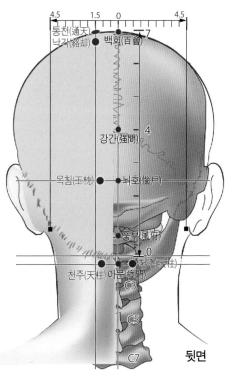

뒷면

① 눈을 감고 눈확(orbit) 안쪽 위모서리(안쪽눈구석(inner canthus)과 눈썹 안쪽끝 사이)에 정명(睛明)을 취한다.
정명(睛明) 직상 눈썹 안쪽끝에 찬죽(攢竹)을 취한다.
찬죽(攢竹)의 직상, 발제에서 위로 0.5촌에 미충(眉衝)을 취한다.

혈명의 유래

정명(睛明)	"정(睛)"은 눈이고 "명(明)"은 시력을 높인다는 뜻이다. 눈병 치료의 요혈(要穴)임을 강조했다.
찬죽(攢竹)	"찬(攢)"은 모여 있는 무리의 모습이다. 눈썹이 대나무 숲처럼 보이는 것에 비유했다.
곡차(曲差)	정명(睛明)에서 이 혈까지 일직선이 아니고 굽어진 것을 표현했다.
오처(五處)	곡차(曲差)에서 이 혈까지 5푼(分)임을 나타냄과 동시에, 방광경(膀胱經)의 다섯 번째 혈임을 알려주고 있다.
승광(承光)	"승(承)"은 받는다는 뜻이다. 광명을 받음을 의미하며, 눈병에 효과가 있는 것을 명쾌하게 나타냈다.

통천(通天)	"천(天)"은 상(上)으로, "두정(頭頂)"을 의미한다. "통(通)"은 통하게 한다는 뜻이다. 방광경(膀胱經)의 경기(經氣)가 이곳에서 머리로 들어간다는 의미이다.
낙각(絡却)	"낙(絡)"은 뇌에 락(絡)한다는 의미이고, "각(却)"은 다시 체표로 나온다는 뜻이다.
옥침(玉枕)	"옥(玉)"은 귀중하다는 뜻이다. "침(枕)"은 반듯이 누웠을 때 베개에 닿는 바깥뒤통수뼈융기(external occipital protuberance)를 가리킨 것이다.
천주(天柱)	옛날에 목뼈(cervical vertebra)를 "천주골(天柱骨)"이라고 하였다. 천(天)(머리)을 떠받치고 있는 기둥이라는 의미이다.

8— 방광경(膀胱經) 등부위 35혈(2)

경혈의 위치

② 등부위 제1선 (35혈)

BL11 대저(大杼) 위쪽 등부위, 첫째 등뼈 가시돌기(spinous process of the 1st thoracic vertebra) 아래모서리와 같은 높이, 뒤정중선(posterior median line)에서 가쪽으로 1.5촌.

BL12 풍문(風門) 위쪽 등부위, 둘째 등뼈 가시돌기(spinous process of the 2nd thoracic vertebra) 아래모서리와 같은 높이, 뒤정중선(posterior median line)에서 가쪽으로 1.5촌.

BL13 폐수(肺兪) 위쪽 등부위, 셋째 등뼈 가시돌기(spinous process of the 3rd thoracic vertebra) 아래모서리와 같은 높이, 뒤정중선(posterior median line)에서 가쪽으로 1.5촌.

BL14 궐음수(厥陰兪) 위쪽 등부위, 넷째 등뼈 가시돌기(spinous process of the 4th thoracic vertebra) 아래모서리와 같은 높이, 뒤정중선(posterior median line)에서 가쪽으로 1.5촌.

BL15 심수(心兪) 위쪽 등부위, 다섯째등뼈가시돌기(spinous process of the 5th thoracic vertebra) 아래모서리와 같은 높이, 뒤정중선(posterior median line)에서 가쪽으로 1.5촌.

BL16 독수(督兪) 위쪽 등부위, 여섯째 등뼈 가시돌기(spinous process of the 6th thoracic vertebra) 아래모서리와 같은 높이, 뒤정중선(posterior median line)에서 가쪽으로 1.5촌.

BL17 격수(膈兪) 위쪽 등부위, 일곱째 등뼈 가시돌기(spinous process of the 7th thoracic vertebra) 아래모서리와 같은 높이, 뒤정중선(posterior median line)에서 가쪽으로 1.5촌.

BL18 간수(肝兪) 위쪽 등부위, 아홉째 등뼈 가시돌기(spinous process of the 9th thoracic vertebra) 아래모서리와 같은 높이, 뒤정중선(posterior median line)에서 가쪽으로 1.5촌.

BL19 담수(膽兪) 위쪽 등부위, 열째 등뼈 가시돌기(spinous process of the 10th thoracic vertebra) 아래모서리와 같은 높이, 뒤정중선(posterior median line)에서 가쪽으로 1.5촌.

BL20 비수(脾兪) 위쪽 등부위, 열한째 등뼈 가시돌기(spinous process of the 11th thoracic vertebra) 아래모서리와 같은 높이, 뒤정중선(posterior median line)에서 가쪽으로 1.5촌.

BL21 위수(胃兪) 위쪽 등부위, 열두째 등뼈 가시돌기(spinous process of the 12th thoracic vertebra) 아래모서리와 같은 높이, 뒤정중선(posterior median line)에서 가쪽으로 1.5촌.

BL22 삼초수(三焦兪) 허리부위, 첫째 허리뼈 가시돌기(spinous process of the 1st lumbar vertebra) 아래모서리와 같은 높이, 뒤정중선(posterior median line)에서 가쪽으로 1.5촌.

BL23 신수(腎兪) 허리부위, 둘째 허리뼈 가시돌기(spinous process of the 2nd lumbar vertebra) 아래모서리와 같은 높이, 뒤정중선(posterior median line)에서 가쪽으로 1.5촌.

BL24 기해수(氣海兪) 허리부위, 셋째 허리뼈 가시돌기(spinous process of the 3rd lumbar vertebra) 아래모서리와 같은 높이, 뒤정중선(posterior median line)에서 가쪽으로 1.5촌.

BL25 대장수(大腸兪) 허리부위, 넷째 허리뼈 가시돌기(spinous process of the 4th lumbar vertebra) 아래모서리와 같은 높이, 뒤정중선(posterior median line)에서 가쪽으로 1.5촌.

BL26 관원수(關元兪) 허리부위, 다섯째 허리뼈 가시돌기(spinous process of the 5th lumbar vertebra) 아래모서리와 같은 높이, 뒤정중선(posterior median line)에서 가쪽으로 1.5촌.

BL27 소장수(小腸兪) 엉치부위, 첫째 뒤엉치뼈구멍(the 1st posterior sacral foramen)과 같은 높이, 정중엉치뼈능선(median sacral crest)에서 가쪽으로 1.5촌.

BL28 방광수(膀胱兪) 엉치부위, 둘째 뒤엉치뼈구멍(the 2nd posterior sacral foramen)과 같은 높이, 정중엉치뼈능선(median sacral crest)에서 가쪽으로 1.5촌.

BL29 중려수(中膂兪) 엉치부위, 셋째 뒤엉치뼈구멍(the 3rd posterior sacral foramen)과 같은 높이, 정중엉치뼈능선(median sacral crest)에서 가쪽으로 1.5촌.

BL30 백환수(白環兪) 엉치부위, 넷째 뒤엉치뼈구멍(the 4th posterior sacral foramen)과 같은 높이, 정중엉치뼈능선(median sacral crest)에서 가쪽으로 1.5촌.

BL31 상료(上髎) 엉치부위, 첫째 뒤엉치뼈구멍(the 1st posterior sacral foramen).

BL32 차료(次髎) 엉치부위, 둘째 뒤엉치뼈구멍(the 2nd posterior sacral foramen).

BL33 중료(中髎) 엉치부위, 셋째 뒤엉치뼈구멍(the 3rd posterior sacral foramen).

BL34 하료(下髎) 엉치부위, 넷째 뒤엉치뼈구멍(the 4th posterior sacral foramen).

BL35 회양(會陽) 엉덩이부위, 꼬리뼈끝(extremity of the coccyx)에서 가쪽으로 0.5촌.

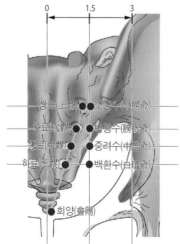

방광경(膀胱經) 등부위 35혈의 취혈 방법

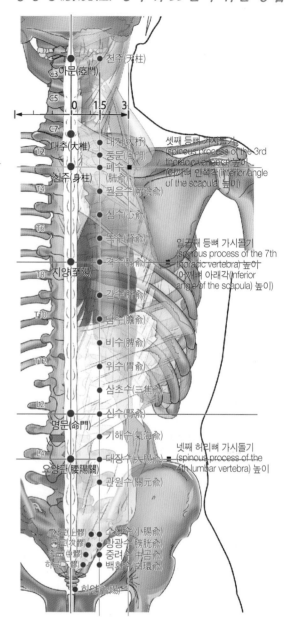

뒤정중선에서 바깥쪽으로 1.5촌에 방광경 제1선, 3촌에 제2선을 정한다.

① 일곱째 목뼈(the 7th cervical vertebra) 아래(대추(大椎))를 정하고, 첫째 등뼈 가시돌기(spinous process of the 1st thoracic vertebra) 아래(도도(陶道))에서 바깥쪽으로 1.5촌에 대저(大杼)를 취한다.

② 뒤정중선과 좌우 어깨뼈 아래각(inferior angle of the scapula)을 잇는 선이 만나는 점이 일곱째 등뼈 가시돌기(spinous process of the 7th thoracic vertebra)이고, 그 아래(지양(至陽)), 그 바깥쪽 1.5촌에 격수(膈兪), 3촌에 격관(膈關)를 취한다.

③ 넷째 등뼈 가시돌기(spinous process of the 4th thoracic vertebra) 아래에 요양관(腰陽關)을 정하고, 그 바깥쪽 1.5촌에 대장수(大腸兪)를 취한다.

④ 둘째 허리뼈 가시돌기(spinous process of the 2nd lumbar vertebra)를 확인하여 명문(命門)을 정한다. 그 바깥쪽 1.5촌에 신수(腎兪)를, 3촌에 지실(志室)을 취한다.

3. 수족소음태양경(手足少陰太陽經)의 경혈

8— 방광경(膀胱經) 등부위 14혈(3)

경혈의 위치

③ 등부위 제2선 (14혈)

BL41 부분(附分) 위쪽 등부위, 둘째 등뼈 가시돌기(spinous process of the 2nd thoracic vertebra) 아래모서리와 같은 높이, 뒤정중선(posterior median line)에서 가쪽으로 3촌.

BL42 백호(魄戶) 위쪽 등부위, 셋째 등뼈 가시돌기(spinous process of the 3rd vertebra) 아래모서리와 같은 높이, 뒤정중선(posterior median line)에서 가쪽으로 3촌.

BL43 고황(膏肓) 위쪽 등부위, 넷째 등뼈 가시돌기(spinous process of the 4th vertebra) 아래모서리와 같은 높이, 뒤정중선(posterior median line)에서 가쪽으로 3촌.

BL44 신당(神堂) 위쪽 등부위, 다섯째 등뼈 가시돌기(spinous process of the 5th thoracic vertebra) 아래모서리와 같은 높이, 뒤정중선(posterior median line)에서 가쪽으로 3촌.

BL45 의희(譩譆) 위쪽 등부위, 여섯째 등뼈 가시돌기(spinous process of the 6th thoracic vertebra) 아래모서리와 같은 높이, 뒤정중선(posterior median line)에서 가쪽으로 3촌.

BL46 격관(膈關) 위쪽 등부위, 일곱째 등뼈 가시돌기(spinous process of the 7th thoracic vertebra) 아래모서리와 같은 높이, 뒤정중선(posterior median line)에서 가쪽으로 3촌.

BL47 혼문(魂門) 위쪽 등부위, 아홉째 등뼈 가시돌기(spinous process of the 9th thoracic vertebra) 아래모서리와 같은 높이, 뒤정중선(posterior median line)에서 가쪽으로 3촌.

BL48 양강(陽綱) 위쪽 등부위, 열째 등뼈 가시돌기(spinous process of the 10th vertebra) 아래모서리와 같은 높이, 뒤정중선(posterior median line)에서 가쪽으로 3촌.

BL49 의사(意舍) 위쪽 등부위, 열한째 등뼈 가시돌기(spinous process of the 11th thoracic vertebra) 아래모서리와 같은 높이, 뒤정중선(posterior median line)에서 가쪽으로 3촌.

BL50 위창(胃倉) 위쪽 등부위, 열두째 등뼈 가시돌기(spinous process of the 12th thoracic vertebra) 아래모서리와 같은 높이, 뒤정중선(posterior median line)에서 가쪽으로 3촌.

BL51 황문(肓門) 허리부위, 첫째 허리뼈 가시돌기(spinous process of the 1st lumbar vertebra) 아래모서리와 같은 높이, 뒤정중선(posterior median line)에서 가쪽으로 3촌.

BL52 지실(志室) 허리부위, 둘째 허리뼈 가시돌기(spinous process of the 2nd lumbar vertebra) 아래모서리와 같은 높이, 뒤정중선(posterior median line)에서 가쪽으로 3촌.

BL53 포황(胞肓) 엉덩이부위, 둘째 뒤엉치뼈구멍(the 2nd posterior sacral foramen)과 같은 높이, 정중 엉치뼈능선(median sacral crest)에서 가쪽으로 3촌.

BL54 질변(秩邊) 엉덩이부위, 넷째 뒤엉치뼈구멍(the 4th posterior sacral foramen)과 같은 높이, 뒤정중선(posterior median line)에서 가쪽으로 3촌.

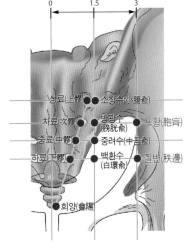

오장(五臟)과 오신(五神)의 관계
T3: 신주(身柱)-폐수(肺兪)-백호(魄戶)
T5: 신도(神道)-심수(心兪)-신당(神堂)
T9: 근축(筋縮)-간수(肝兪)-혼문(魂門)
T11: 척중(脊中)-비수(脾兪)-의사(意舍)
L2: 명문(命門)-신수(腎兪)-지실(志室)

뒤엉치뼈구멍(posterior sacral foramen)과 8료혈(髎穴)과의 관계
첫째 뒤엉치뼈구멍(the 1st posterior sacral foramen):
상료(上髎)-소장수(小腸兪)
둘째 뒤엉치뼈구멍(the 2nd posterior sacral foramen):
차료(次髎)-방광수(膀胱兪)-포황(胞肓)
셋째 뒤엉치뼈구멍(the 3rd posterior sacral foramen):
중료(中髎)-중려수(中膂兪)
넷째 뒤엉치뼈구멍(the 4th posterior sacral foramen):
하료(下髎)-백환수(白環兪)-질변(秩邊)
꼬리뼈(coccyx) 하단: 장강(長强)-회양(會陽)

※ 호(戶), 당(堂), 문(門), 사(舍), 실(室)은 장소의 뜻.

방광경(膀胱經) 등부위 14혈의 취혈 방법

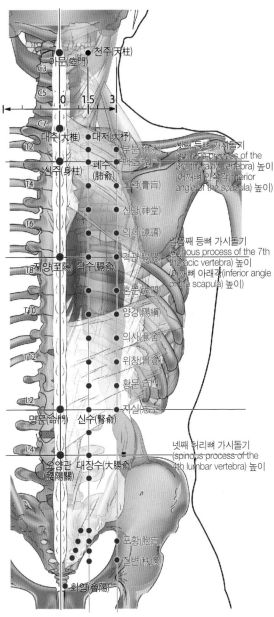

뒤정중선(posterior median line)(독맥)에서 바깥쪽으로 3촌에 방광경(膀胱經)의 제2선을 정한다.

① 좌우의 어깨뼈가시(spine of the scapula)의 안쪽끝을 연결하는 선상, 셋째 등뼈 가시돌기(spinous process of the 3rd thoracic vertebra) 높이에 해당하며, 그 바깥쪽 3촌에 백호(魄戶)를 취한다.

② 뒤정중선(posterior median line)과 좌우의 어깨뼈 아래각(inferior angle of the scapula)을 연결하는 선이 교차하는 곳에서 일곱째 등뼈 가시돌기(spinous process of the 7th thoracic vertebra) (지양(至陽))를 확인하고, 그 바깥쪽 3촌에 격관(膈關)을 취한다.

③ 둘째 허리뼈 가시돌기(spinous process of the 2nd lumbar vertebra) 아래모서리의 바깥쪽 1.5촌에 신수(腎兪)를, 3촌에 지실(志室)을 취한다.

8 — 방광경(膀胱經) 다리와 발부위 18혈(4)

경혈의 위치

4 다리부 (10혈)

BL36	승부(承扶)	엉덩이부위, 엉덩이 주름(gluteal fold)의 중점.
BL37	은문(殷門)	넓적다리 뒤쪽면, 넙다리두갈래근(biceps femoris muscle)과 반힘줄근(semitendinosus muscle)의 사이, 엉덩이주름(gluteal fold)에서 아래쪽으로 6촌.
BL38	부극(浮郄)	무릎 뒤쪽면, 넙다리두갈래근힘줄(biceps femoris tendon)의 안쪽모서리 바로 안쪽, 오금주름(popliteal crease)에서 위쪽으로 1촌.
BL39	위양(委陽)	무릎 뒤가쪽면, 오금주름(popliteal crease)에서 넙다리두갈래근힘줄(biceps femoris tendon)의 안쪽모서리 바로 안쪽.
BL40	위중(委中)	무릎 뒤쪽면, 오금주름(popliteal crease)의 가운데.
BL55	합양(合陽)	종아리 뒤쪽면, 장딴지근(gastrocnemius muscle) 가쪽갈래와 안쪽갈래의 사이, 오금주름(popliteal crease)에서 먼쪽으로 2촌.
BL56	승근(承筋)	종아리 뒤쪽면, 장딴지근(gastrocnemius muscle)의 두 힘살들 사이, 오금주름(popliteal crease)에서 먼쪽으로 5촌.
BL57	승산(承山)	종아리 뒤쪽면, 장딴지근(gastrocnemius muscle)의 두 힘살들과 발꿈치힘줄(calcaneal tendon)이 연결되는 오목한 곳.
BL58	비양(飛揚)	종아리 뒤가쪽면, 장딴지근(gastrocnemius m.) 가쪽갈래의 아래 모서리와 발꿈치힘줄(calcaneal tendon)의 사이, 곤륜(BL60)에서 몸쪽으로 7촌과 같은 높이.
BL59	부양(跗陽)	종아리 뒤가쪽면, 종아리뼈(fibula)와 발꿈치힘줄(calcaneal tendon)의 사이, 곤륜(BL60)에서 몸쪽으로 3촌.

5 발부위 (8혈)

BL60	곤륜(崑崙)	발목 뒤가쪽면, 가쪽복사 융기(prominence of the lateral malleolus)와 발꿈치힘줄(calcaneal tendon) 사이의 오목한 곳.
BL61	복삼(僕參)	발 가쪽면, 발꿈치뼈(calcaneus)의 가쪽, 곤륜(BL60)에서 먼쪽, 적백육제.
BL62	신맥(申脈)	발 가쪽면, 가쪽복사 융기(prominence of the lateral malleolus)에서 수직으로 아래쪽, 가쪽복사의 아래모서리와 발꿈치뼈(calcaneus) 사이의 오목한 곳.
BL63	금문(金門)	발등, 가쪽복사(lateral malleolus) 앞모서리에서 먼쪽, 다섯째 발허리뼈거친면(tuberosity of the 5th matatarsal bone) 뒤쪽, 입방뼈(cuboid bone) 아래쪽의 오목한 곳.
BL64	경골(京骨)	발 가쪽면, 다섯째 발허리뼈거친면(tuberosity of the 5th metatarsal bone) 먼쪽, 적백육제.
BL65	속골(束骨)	발 가쪽면, 다섯째 발허리발가락관절(the 5th metatarsophalangeal joint) 몸쪽 오목한 곳, 적백육제.
BL66	족통곡(足通谷)	새끼발가락, 다섯째 발허리발가락관절(the 5th metatarsophalangeal joint) 가먼쪽(distal and lateral) 오목한 곳, 적백육제.
BL67	지음(至陰)	새끼발가락, 끝마디뼈(distal phalanx)의 가쪽, 새끼발톱 가쪽 뿌리각(lateral corner of the toenail)에서 몸쪽으로 0.1촌.

방광경(膀胱經) 다리와 발부위 18혈의 취혈 방법

① 대략 종아리 뒷면의 중앙, 발을 발바닥 쪽으로 굽히면 장딴지근(gastrocnemius m.) 아래모서리에 보이는 "인(人)"자 모양의 근육 고랑에 승산(承山)을 취한다.

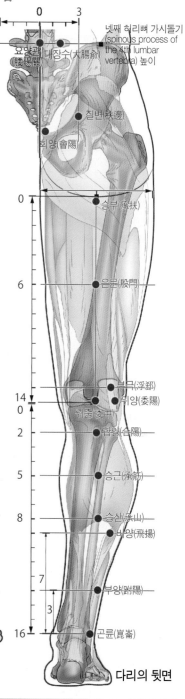

발 가쪽면

다리의 뒷면

혈명의 유래

승부(承扶)	"부(扶)"는 떠받치는 것을 말한다. 넙다리(thigh)의 볼기부위(gluteal region)에 위치하여 몸무게를 받쳐주는 것을 의미한다.
은문(殷門)	"은(殷)"은 깊은, 빨간, 중앙 등의 의미이다. 승부(承扶)와 위중(委中)의 중앙에 있기 때문에 이런 이름이 붙여졌다.
위양(委陽)	"양(陽)"은 바깥쪽을 의미한다. 위중(委中)의 바깥쪽에 있기 때문에 이런 이름이 붙여졌다.
위중(委中)	"위(委)"는 여인이 허리를 굽혀 벼이삭을 줍는 모양을 나타낸다. 위중(委中)은 사총혈(四總穴)의 하나로, 척주(脊柱)와
합양(合陽)	허리의 질환을 치료하는 요혈(要穴)임을 강조하고 있다. 족태양방광경(足太陽膀胱經)의 제1, 2선이 여기에서 합류하므로 이런 이름이 붙여졌다.
승산(承山)	하체가 인체를 받쳐주는 것이 산보다 중하다는 것에 비유했다.
비양(飛揚)	방광경(膀胱經)의 낙혈(絡穴)로서, 여기에서 낙맥(絡脈)이 갈라져 신경(腎經)으로 주행한다는 의미이다.
곤륜(崑崙)	중국에 "곤륜(崑崙)산"이라는 명산이 있다. 가쪽복사 융기(prominence of the lateral malleolus)와 아킬레스건을 여기에 비유하여 운동에 있어서의 중요성을 나타냈다.

3. 수족소음태양경(手足少陰太陽經)의 경혈

9─족태양방광경(足太陽膀胱經) 경혈의 주치(主治)(1)

족태양방광경(足太陽膀胱經)은 체내에서는 방광부(膀胱腑)에 속(屬)하고 신장(腎臟)에 낙(絡)한다. 체표에서는 안쪽눈구석(inner canthus), 목, 머리, 뒤통수부위, 몸통의 뒷면(척주(脊柱)를 에워싸고 제1지와 제2지로 나뉜다), 다리 뒤쪽을 달리고, 새끼발가락 바깥쪽에 이른다. 그 유주에 따라 눈, 뒷머리, 등근육, 허리의 질환, 궁둥신경통(sciatica), 다리의 굽힘근의 감각과 운동장애, 비뇨생식기계(泌尿生殖器系) 질환의 치료에 쓰인다.

경혈명칭	부위	주치(主治)	특수한 주치	자법(刺法)	비고
정명(晴明)	얼굴	눈의 여러 질환, 얼굴근육경련	안질환의 상용혈	손으로 눌러 안구를 보호하고 눈확 코뼈를 따라 0.3-0.5촌	안구를 찌르지 않도록. 출혈에도 주의
찬죽(攢竹)		얼굴신경마비, 삼차신경통, 눈의 여러 질환, 얼굴근육경련, 비염, 두통	요통에도 쓰인다	횡자 0.3-0.5촌	
미충(眉衝)	머리 목	두통, 어지럼증, 코막힘, 눈의 통증		횡자 0.3-0.5촌	
곡차(曲差)		두통, 어지럼증, 눈의 통증, 얼굴신경마비, 삼차신경통		횡자 0.3-0.5촌	
오처(五處)		두통, 어지럼증, 눈의 통증		횡자 0.3-0.5촌	
승광(承光)		두통, 어지럼증, 눈의 통증, 감기, 코의 질환		횡자 0.3-0.5촌	
통천(通天)		두통, 어지럼증, 삼차신경통, 깨물근마비		횡자 0.3-0.5촌	
낙각(絡却)		후두통, 항강, 어지럼증, 이명, 깨물근마비		횡자 0.3-0.5촌	
옥침(玉枕)		후두통, 항강, 견비통		횡자 0.3-0.5촌	
천주(天柱)		후두통, 항강, 견비통		직자 0.5-1촌	
대저(大杼)	가슴	감기, 후두통, 항강, 견비통		사자 0.5-0.8촌	팔회혈(八會穴)중 골회(骨會)
풍문(風門)		감기, 발열, 오풍(惡風), 항강, 견비통, 알레르기	체표 방어기능	사자 0.5-0.8촌	
폐수(肺兪)		호흡기계 질환, 감기, 알레르기, 도한(盜汗)		사자 0.5-0.8촌	폐의 배수혈
궐음수(厥陰兪)		흉부고만, 심흉통, 신경쇠약, 늑간신경통		사자 0.5-0.8촌	심포의 배수혈
심수(心兪)		심장질환, 불면증, 신경쇠약, 늑간신경통	진정안신작용	사자 0.5-0.8촌	심의 배수혈
독수(督兪)		심흉통, 복통, 가로막경련 알레르기		사자 0.5-0.8촌	
격수(膈兪)		구토, 트림, 가로막경련, 구토, 도한(盜汗)	알레르기 체질개선 혈액질환에 사용	사자 0.5-0.8촌	팔회혈(八會穴)중 혈회(血會)
간수(肝兪)		배근통(背筋痛), 눈병, 간 질환, 부인병, 신경쇠약	자율신경 조절작용	사자 0.5-0.8촌	간의 배수혈
담수(膽兪)		담낭질환, 흉협통, 구고(口苦), 조열(潮熱)		사자 0.5-0.8촌	담의 배수혈
비수(脾兪)		복창, 복통, 구토, 오심, 식욕부진 등의 소화기계 질환, 권태감, 빈혈, 췌장질환		직자 0.5-0.8촌	비의 배수혈
위수(胃兪)		위장질환, 흉협통, 췌장질환		직자 0.5-0.8촌	위의 배수혈
삼초수(三焦兪)	허리	복창, 복통, 장명, 하리, 소변불리, 수종		직자 0.5-1촌	삼초의 배수혈
신수(腎兪)		요슬연약, 요통, 비뇨기계질환, 생식기계질환, 만성하리, 냉증, 부인병	생식기계, 부인병, 냉증의 상용혈	직자 0.8-1촌	신의 배수혈
기해수(氣海兪)		요통, 냉증, 부인병, 다리감각운동장애	냉증의 상용혈	직자 0.8-1촌	
대장수(大腸兪)		요통, 궁둥신경통, 복창, 복명, 하리, 변비	치질에도 쓰인다	직자 0.8-1촌	대장의 배수혈
관원수(關元兪)		요통, 복창, 복명, 하리, 변비, 요루, 부인병	냉증의 상용혈	직자 0.8-1촌	
소장수(小腸兪)		하복통, 하리, 소변불리, 요루, 부인병		직자 0.8-1촌	소장의 배수혈
방광수(膀胱兪)		하복통, 비뇨기계질환, 하리, 변비, 부인병	치질에도 쓰인다	직자 0.8-1촌	방광의 배수혈
중려수(中膂兪)		생식기계질환, 부인병, 허리엉치신경얼기장애		직자 0.8-1촌	
백환수(白環兪)		생식기계질환, 부인병, 허리엉치신경얼기장애		직자 0.8-1촌	
상료(上髎) 차료(次髎) 중료(中髎) 하료(下髎)	엉치	팔료혈(八髎穴)이라고 한다. 엉치신경얼기장애, 엉치부교감신경조절에 많이 쓰인다. 예: ①구불주름창자 이하의 장기능조절: 하리, 변비, 치질 ②방광기능조절: 소변불리, 요루 ③생리불순, 대하증, 생리통 등의 부인병 ④음위(陰痿), 조루, 유정 등의 생식기계질환		사자 0.8-1촌	
회양(會陽)		치질, 하리, 변비, 혈변, 음위(陰痿), 대하증		사자 0.8-1촌	

9─ 족태양방광경(足太陽膀胱經) 경혈의 주치(主治)(2)

경혈명칭	부위	주치(主治)	특수한 주치	자법(刺法)	비고
승부(承扶)	넙다리	요통, 궁둥신경통, 편마비, 치질	궁둥신경통의 상용혈	직자 1.5-2.5촌	
은문(殷門)		궁둥신경통, 편마비	궁둥신경통의 상용혈	직자 1.5-2.5촌	
부극(浮郄)		다리뒷면의 감각운동장애, 편마비	온종아리신경장애의 상용혈	직자 0.5-1촌	
위양(委陽)		등허리의 여러 장애, 다리감각운동장애, 복통	삼초경의 하합혈. 비뇨기계 장애에 쓰인다	직자 0.5-1촌	
위중(委中)		요통, 종아리의 감각운동장애, 편마비, 복통	사총혈의 하나. 등허리의 여러 증상에 쓰인다. 사혈	직자 0.5-1촌	합토혈(合土穴)
부분(附分)	가슴	견비통, 항강		사자 0.5-0.8촌	
백호(魄戶)		호흡기계질환, 감기, 견비통		사자 0.5-0.8촌	
고황(膏肓)		호흡기계질환, 감기, 만성허약질환, 도한(盜汗)		사자 0.5-0.8촌	
신당(神堂)		흉부고만, 심흉통, 신경쇠약, 늑간신경통		사자 0.5-0.8촌	
의희(譩譆)		흉부고만, 심흉통, 신경쇠약, 늑간신경통		사자 0.5-0.8촌	
격관(膈關)		흉부고만, 심흉통, 가로막경련, 늑간신경통		사자 0.5-0.8촌	
혼문(魂門)		배부통(背部痛), 흉부고만, 자율신경실조, 복통, 하리	자율신경조절작용	사자 0.5-0.8촌	
양강(陽綱)		담낭질환, 흉협통, 구고(口苦), 복통, 장명, 하리		사자 0.5-0.8촌	
의사(意舍)		복창, 복통, 구토, 오심, 식욕부진 등의 소화기계 증상, 권태감, 만성빈혈, 췌장질환		사자 0.5-0.8촌	
위창(胃倉)		위장질환, 흉협통, 췌장질환		사자 0.5-0.8촌	
황문(肓門)	허리	요통, 복통, 부인병, 다리감각운동장애		직자 0.8-1촌	
지실(志室)		비뇨생식기계질환, 부인병, 요통	생식기계, 부인병, 냉증, 양생의 상용혈	직자 0.8-1촌	
포황(胞肓)	엉치	복창, 복통, 장명, 하리, 소변불리		직자 0.8-1.5촌	
질변(秩邊)		생식기계질환, 부인병, 허리엉치신경장애		직자 1-1.5촌	
합양(合陽)	종아리	다리의 감각운동장애		직자 1-1.5촌	
승근(承筋)		장딴지근의 감각운동장애, 궁둥신경통		직자 1-1.5촌	
승산(承山)		장딴지근의 감각운동장애, 궁둥신경통		직자 1-1.5촌	
비양(飛揚)		장딴지근의 감각운동장애, 후두통, 어지럼증		직자 1-1.5촌	낙혈(絡穴)
부양(跗陽)		후두통, 종아리통증, 가쪽복사 종통		직자 1-1.5촌	
곤륜(崑崙)	발	후두통, 발꿈치힘줄장애, 발꿈치통증	고혈압에도 쓰인다	직자 0.5촌	경화혈(經火穴)
복삼(僕參)		발꿈치통증, 가쪽복사 종통, 종아리통증		직자 0.3-0.5촌	
신맥(神脈)		후두통, 불면, 어지럼증, 요통	진정안신작용	직자 0.2-0.3촌	
금문(金門)		요통, 가쪽복사 종통, 종아리통증	진정안신작용	직자 0.3-0.5촌	극혈(郄穴)
경골(京骨)		후두통, 요퇴통		직자 0.3-0.5촌	원혈(原穴)
속골(束骨)		후두통, 요배하지후면통		직자 0.3-0.5촌	수목혈(兪木穴)
족통곡(足通谷)		후두통, 어지럼증, 비출혈		직자 0.2-0.3촌	형수혈(滎水穴)
지음(至陰)		두통, 어지럼증, 비출혈, 난산		사자 0.1촌	정금혈(井金穴)

3. 수족소음태양경(手足少陰太陽經)의 경혈

10― 족소음신경(足少陰腎經)의 경혈(27혈)(1)

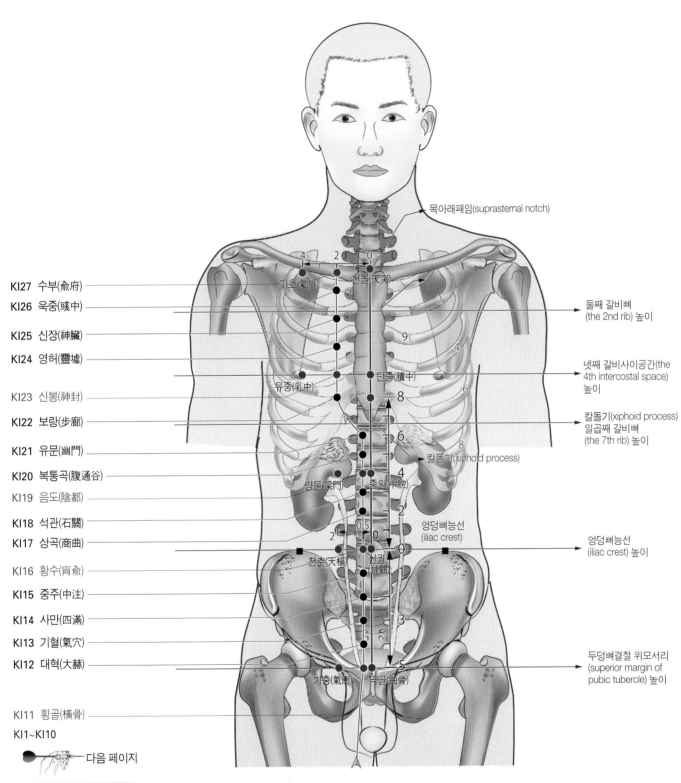

KI27 수부(俞府)
KI26 욱중(彧中)
KI25 신장(神臟)
KI24 영허(靈墟)
KI23 신봉(神封)
KI22 보랑(步廊)
KI21 유문(幽門)
KI20 복통곡(腹通谷)
KI19 음도(陰都)
KI18 석관(石關)
KI17 상곡(商曲)
KI16 황수(肓兪)
KI15 중주(中注)
KI14 사만(四滿)
KI13 기혈(氣穴)
KI12 대혁(大赫)
KI11 횡골(橫骨)
KI1~KI10

목아래패임(suprasternal notch)
기호(氣戶)
천돌(天突)
둘째 갈비뼈
(the 2nd rib) 높이
탄중(膻中)
유중(乳中)
넷째 갈비사이공간(the
4th intercostal space)
높이
칼돌기(xiphoid process)
일곱째 갈비뼈
(the 7th rib) 높이
칼돌기(xiphoid process)
양문(梁門)
중완(中脘)
엉덩뼈능선
(iliac crest)
엉덩뼈능선
(iliac crest) 높이
천추(天樞)
신궐(神闕)
두덩뼈결절 위모서리
(superior margin of
pubic tubercle) 높이
기충(氣衝)
곡골(曲骨)

다음 페이지

KI : Kidney Meridian

10 — 족소음신경(足少陰腎經)의 경혈(27혈)(2)

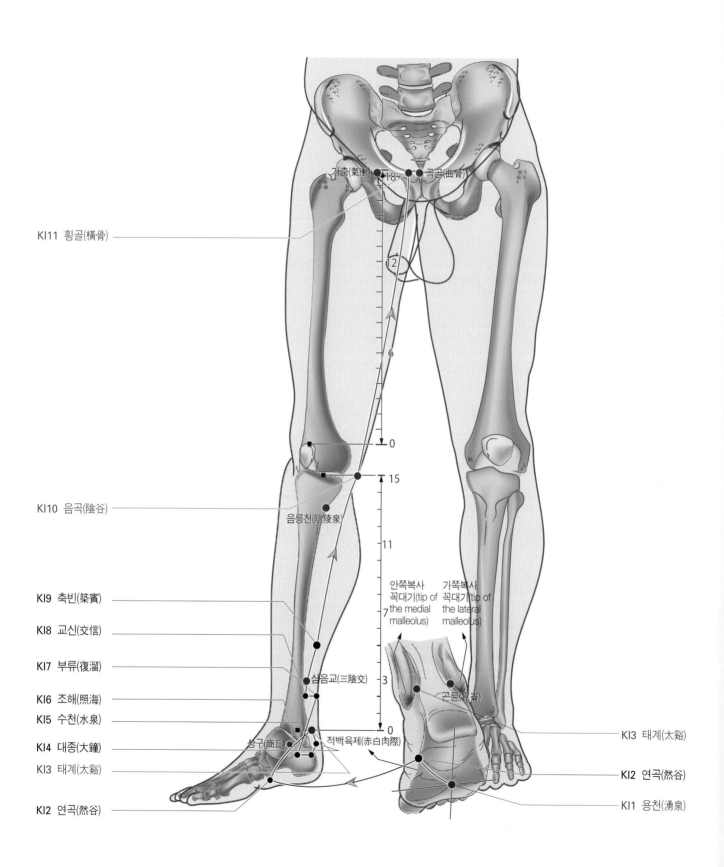

KI11 횡골(橫骨)

기충(氣衝)   곡골(曲骨)

KI10 음곡(陰谷)

음릉천(陰陵泉)

안쪽복사 꼭대기(tip of the medial malleolus)

가쪽복사 꼭대기(tip of the lateral malleolus)

KI9 축빈(築賓)

KI8 교신(交信)

KI7 부류(復溜)

삼음교(三陰交)

KI6 조해(照海)

곤륜(崑崙)

KI5 수천(水泉)

KI4 대종(大鐘)

상구(商丘)   적백육제(赤白肉際)

KI3 태계(太谿)

KI3 태계(太谿)

KI2 연곡(然谷)

KI2 연곡(然谷)

KI1 용천(湧泉)

3. 수족소음태양경(手足少陰太陽經)의 경혈

11―신경(腎經) 발과 다리부 10혈(1)

경혈의 위치

1 발부위 (6혈)

KI1	용천(涌泉)	발바닥, 발가락을 굽혔을 때, 발바닥의 가장 오목한 곳.
KI2	연곡(然谷)	발 안쪽면, 발배뼈거친면(tuberosity of the navicular bone) 아래쪽, 적백육제.
KI3	태계(太谿)	발목 뒤안쪽면, 안쪽복사 융기(prominence of the medial malleolus)와 발꿈치힘줄(calcaneal tendon) 사이의 오목한 곳.
KI4	대종(大鐘)	발 안쪽면, 안쪽 복사(medial malleolus) 아래뒤쪽, 발꿈치뼈(calcaneus) 위쪽, 발꿈치힘줄(calcaneal tendon) 안쪽 부착부의 앞쪽 오목한 곳.
KI5	수천(水泉)	발 안쪽면, 太谿(KI3)에서 아래쪽으로 1촌, 발꿈치뼈융기(calcaneal tuberosity) 앞쪽 오목한 곳.
KI6	조해(照海)	발 안쪽면, 안쪽복사 융기(prominence of the medial malleolus)에서 아래쪽으로 1촌, 안쪽복사 아래쪽 오목한 곳.

2 다리부 (4혈)

KI7	부류(復溜)	종아리 뒤안쪽면, 발꿈치힘줄(calcaneal tendon) 앞쪽, 안쪽복사 융기(prominence of the medial malleolus)에서 위쪽으로 2촌.
KI8	교신(交信)	종아리 안쪽면, 정강뼈 안쪽모서리(medial border of the tibia)의 뒤쪽, 안쪽복사 융기(prominence of the medial malleolus)에서 위쪽으로 2촌 오목한 곳.
KI9	축빈(築賓)	종아리 뒤안쪽면, 가자미근(soleus muscle)과 발꿈치힘줄(calcaneal tendon) 사이, 안쪽복사 융기(prominence of the medial malleolus)에서 위쪽으로 5촌.
KI10	음곡(陰谷)	무릎 뒤안쪽면, 반힘줄근 힘줄(semitendinosus tendon)의 바로 가쪽, 오금주름(popliteal crease) 위.

신경(腎經) 발과 다리부 10혈의 취혈 방법

① 발가락을 굽혀서 발바닥 중앙의 앞쪽 1/3에 생기는 "인(人)"자 모양의 움푹한 곳에 용천(涌泉)을 취한다.
② 무릎을 30도 정도 굽혀서 오금(popliteal space) 안쪽에 두 개의 힘줄을 촉진하고, 그 사이에 음곡(陰谷)을 취한다.
③ 교신(交信)은 부류(復溜)와 정강뼈 안쪽모서리 사이에 취한다.

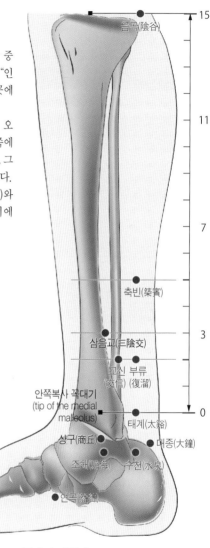

종아리 안쪽면

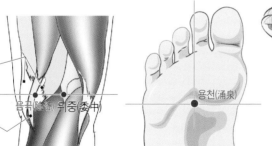

발바닥

혈명의 유래

용천(涌泉)	정혈(井穴)로서, 족소음신경(足少陰腎經)의 기혈(氣血)이 샘물처럼 솟아나는 것을 표현했다.
연곡(然谷)	발배뼈거친면(tuberosity of navicular bone)을 연골(然骨)이라고 하는데, 그 아래 움푹한 곳에 위치하기 때문에 이런 이름이 붙여졌다.
대종(大鐘)	발꿈치뼈(calcaneus)의 형상이 큰 종과 같이 보이는 데서 유래하였다.
조해(照海)	기경팔맥(奇經八脈)의 음교맥(陰蹻脈)이 여기에서 시작하여 안쪽눈구석(inner canthus)에서 양교맥(陽蹻脈)과 합류한다. 눈병을 치료하고, 눈에 바다를 비추는 것같이 광명을 준다고 하는 데서 유래되었다.
부류(復溜)	다시 흘러온다는 뜻으로, 신경(腎經)의 유주가 태계(太谿)로부터 대종(大鐘), 수천(水泉)으로 내려와서 조해(照海)를 돌아 이곳으로 다시 올라온다.
교신(交信)	두 가지 설이 있다. 첫째, 신경(腎經)이 여기를 지나 비경(脾經)의 삼음교(三陰交)에서 족삼음(足三陰)과 합류한다. "신(信)"은 뻗어난다는 뜻이다. 둘째, 옛날에 여성의 생리주기를 "월신(月信)"이라고 했다. 생리불순 치료의 요혈(要穴)이기 때문에 이런 이름이 붙여졌다.
축빈(築賓)	"영빈관(迎賓館)"을 세움, 내빈을 맞이한다는 뜻이다. 기경(奇經)인 음유맥(陰維脈)이 이곳에서 합류한다는 것을 시사한다.

12─신경(腎經) 배와 가슴 17혈(2)

경혈의 위치

3 배 (11혈)

KI11	횡골(橫骨)	아랫배, 배꼽(umbilicus) 중심에서 아래쪽으로 5촌, 앞정중선(anterior median line)에서 가쪽으로 0.5촌.
KI12	대혁(大赫)	아랫배, 배꼽(umbilicus) 중심에서 아래쪽으로 4촌, 앞정중선(anterior median line)에서 가쪽으로 0.5촌.
KI13	기혈(氣穴)	아랫배, 배꼽(umbilicus) 중심에서 아래쪽으로 3촌, 앞정중선(anterior median line)에서 가쪽으로 0.5촌.
KI14	사만(四滿)	아랫배, 배꼽(umbilicus) 중심에서 아래쪽으로 2촌, 앞정중선(anterior median line)에서 가쪽으로 0.5촌.
KI15	중주(中注)	아랫배, 배꼽(umbilicus) 중심에서 아래쪽으로 1촌, 앞정중선(anterior median line)에서 가쪽으로 0.5촌.
KI16	황수(肓兪)	윗배, 배꼽(umbilicus)의 중심에서 가쪽으로 0.5촌.
KI17	상곡(商曲)	윗배, 배꼽(umbilicus)의 중심에서 위로 2촌, 앞정중선(anterior median line)에서 가쪽으로 0.5촌.
KI18	석관(石關)	윗배, 배꼽(umbilicus)의 중심에서 위쪽으로 3촌, 앞정중선(anterior median line)에서 가쪽으로 0.5촌.
KI19	음도(陰都)	윗배, 배꼽(umbilicus) 중심에서 위쪽으로 4촌, 앞정중선(anterior median line)에서 가쪽으로 0.5촌.
KI20	복통곡(腹通谷)	윗배, 배꼽(umbilicus) 중심에서 위쪽으로 5촌, 앞정중선(anterior median line)에서 가쪽으로 0.5촌.
KI21	유문(幽門)	윗배, 배꼽(umbilicus) 중심에서 위쪽으로 6촌, 앞정중선(anterior median line)에서 가쪽으로 0.5촌.

4 가슴 (6혈)

KI22	보랑(步廊)	앞가슴부위, 다섯째 갈비사이공간(the 5th intercostal space), 앞정중선(anterior median line)에서 가쪽으로 2촌.
KI23	신봉(神封)	앞가슴부위, 넷째 갈비사이공간(the 4th intercostal space), 앞정중선(anterior median line)에서 가쪽으로 2촌.
KI24	영허(靈墟)	앞가슴부위, 셋째 갈비사이공간(the 3rd intercostal space), 앞정중선(anterior median line)에서 가쪽으로 2촌.
KI25	신장(神藏)	앞가슴부위, 둘째 갈비사이공간(the 2nd intercostal space), 앞정중선(anterior median line)에서 가쪽으로 2촌.
KI26	욱중(彧中)	앞가슴부위, 첫째 갈비사이공간(the 1st intercostal space), 앞정중선(anterior median line)에서 가쪽으로 2촌.
KI27	수부(兪府)	쇄앞가슴부위, 빗장뼈(clavicle) 바로 아래쪽, 앞정중선(anterior median line)에서 가쪽으로 2촌.

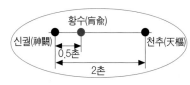

넷째 갈비사이 공간과 단중(膻中), 신봉(神封), 유중(乳中)과의 관계

배꼽과 수평선상에 있는 황수(肓兪), 천추(天樞)

신경(腎經) 배와 가슴 17혈의 취혈 방법

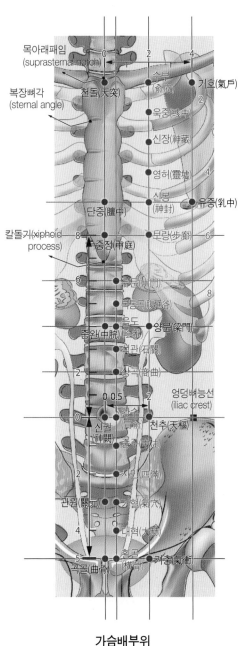

가슴배부위

혈명의 유래

횡골(橫骨)	옛날에 두덩뼈(pubis)를 횡골(橫骨)이라고 했다.
대혁(大赫)	"혁(赫)"은 대단히 큰 것을 말한다. 여기는 신경(腎經)과 충맥(衝脈)이 합류해서 음기(陰氣)가 많이 모이는 곳으로, "자궁(子宮) 부위"를 시사한다.
황수(肓兪)	"고(膏)"와 "황(肓)"은 고대의 병명(病名)으로 가로막(diaphragm)을 경계로 해서 위쪽은 "고(膏)", 아래쪽은 "황(肓)"이다. 방광경(膀胱經)의 고황수(膏肓兪)는 넷째 등뼈(the 4th thoracic vertebra)에, 황문(肓門)과 포황(胞肓)은 허리뼈(lumbar vertebra)와 엉치뼈(sacrum)에 있는 것도 설명된다.

상곡(商曲) 오음(五音) 중 "상(商)"은 금(金)의 음(音)이며, 대장(大腸)은 금(金)에 속한다. 이 혈은 가로주름창자(transverse colon) 부위에 위치하여 만곡(彎曲)과 장명(腸鳴)의 의미를 나타냈다.

석관(石關) 석(石)은 단단함을 의미한다. 이 혈은 복부창만(腹部脹滿), 변비, 복통, 어혈(瘀血)에 의한 불임(不姙)에 효과가 있기 때문에 이런 이름이 붙여졌다.

신봉(神封) 심장(心臟)이 체표에 투영되는 부위는 둘째 갈비사이공간(the 2nd intercostal space)에서 넷째 갈비사이공간(the 4th intercostal space) 사이이다. 심(心)은 신(神)을 간직하기 때문에 신봉(神封)이라 하였다.

12— 족소음신경(足少陰腎經) 경혈의 주치(主治)

족소음신경(足少陰腎經)은 체내에서는 신장(腎臟)에 속(屬)하고 방광(膀胱)에 낙(絡)한다. 체표에서는 발바닥, 다리 안쪽, 몸통의 앞면(가슴의 제2선)을 달리고, 빗장뼈(clavicle) 아래모서리에 이른다. 그 유주에 따라 발바닥과 다리 안쪽의 감각과 운동장애, 비뇨생식기계(泌尿生殖器系), 내분비계, 부인과 질환의 치료에 쓰인다.

경혈명칭	부위	주치(主治)	특수한 주치	자법(刺法)	비고
용천(涌泉)	발	발바닥열, 발가락통증, 편마비, 장딴지근경련, 두통, 불면, 고혈압, 신경쇠약, 실신, 열중증(熱中症)	구급혈 진정안신(鎭靜安神)작용	사자 0.1-0.3촌	정목혈(井木穴)
연곡(然谷)		발가락통증, 부인병, 비뇨생식기계장애, 편마비, 발의 냉증	부인병의 상용혈	직자 0.3-0.5촌	형화혈(榮火穴)
태계(太谿)		발가락통증, 편마비, 비뇨생식기계장애, 부인병	부인병의 상용혈	직자 0.3-0.5촌	원혈(原穴) 수토혈(兪土穴)
대종(大鐘)		안쪽복사종통, 발목관절장애, 발꿈치통증, 비뇨생식기계장애, 부인병, 수종, 신경쇠약	부인병의 상용혈	직자 0.3-0.5촌	낙혈(絡穴)
수천(水泉)		발꿈치통증, 부인병, 비뇨생식기계장애		직자 0.3-0.5촌	극혈(郄穴)
조해(照海)	종아리	발목관절장애, 부인병, 비뇨생식기계장애, 불면증, 신경쇠약	부인병의 상용혈, 고혈압 갱년기장애에 사용, 알레르기 체질개선	직자 0.5-0.8촌	
부류(復溜)		부인병, 비뇨생식기계장애, 도한(盜汗), 종아리안쪽의 감각운동장애, 냉증	부인병의 상용혈	직자 0.5-1촌	경금혈(經金穴)
교신(交信)		부인병, 비뇨생식기계장애, 도한(盜汗), 만성하리, 냉증, 종아리안쪽의 감각운동장애	부인병, 생리불순의 상용혈	직자 0.5-1촌	
축빈(築賓)		종아리안쪽의 감각운동장애		직자 0.5-1촌	
음곡(陰谷)		오금안쪽의 감각운동장애, 무릎 냉증, 부인병, 비뇨생식기계장애		직자 0.8-1촌	합수혈(合水穴)
횡골(橫骨)	배	부인병, 비뇨생식기계장애, 하복통		직자 0.8-1.5촌	
대혁(大赫)		하복통, 부인병, 비뇨생식기계장애, 하리		직자 0.8-1.5촌	
기혈(氣穴)		하복통, 부인병, 비뇨생식기계장애, 하리		직자 0.8-1.5촌	
사만(四滿)		하복통, 부인병, 비뇨생식기계장애, 하리		직자 0.8-1.5촌	
중주(中注)		부인병, 변비, 하리, 장명, 복통		직자 0.8-1.5촌	
황수(肓兪)		복통, 장명, 변비, 하리, 부인병		직자 0.5-1.5촌	
상곡(商曲)		복통, 장명, 변비, 하리, 부인병		직자 0.5-0.8촌	
석관(石關)		구토, 복통, 장명, 변비, 하리, 불임증		직자 0.5-0.8촌	
음도(陰都)		복통, 복창, 장명, 변비, 하리, 불임증		직자 0.5-0.8촌	
복통곡(復通谷)		구토, 복통, 복창, 장명, 소화불량		직자 0.5-0.8촌	
유문(幽門)	가슴	구토, 복통, 복창, 장명, 소화불량		사자 0.5-0.8촌	
보랑(步廊)		해수, 천식		횡자 0.5-0.8촌	기흉(氣胸)이 되지 않도록 주의
신봉(神封)		해수, 천식, 흉협고만		횡자 0.5-0.8촌	기흉(氣胸)이 되지 않도록 주의
영허(靈墟)		해수, 천식, 흉협고만		횡자 0.5-0.8촌	기흉(氣胸)이 되지 않도록 주의
신장(神藏)		해수, 천식, 흉협고만, 심흉통		횡자 0.5-0.8촌	기흉(氣胸)이 되지 않도록 주의
욱중(或中)		해수, 천식, 흉협고만		횡자 0.5-0.8촌	기흉(氣胸)이 되지 않도록 주의
수부(兪府)		해수, 천식, 흉협고만		횡자 0.5-0.8촌	기흉(氣胸)이 되지 않도록 주의

2-4

수족궐음소양경 (手足厥陰少陽經)의 경혈

4. 수족궐음소양경(手足厥陰少陽經)의 경혈

1 — 수궐음심포경(手厥陰心包經)의 경혈(9혈)

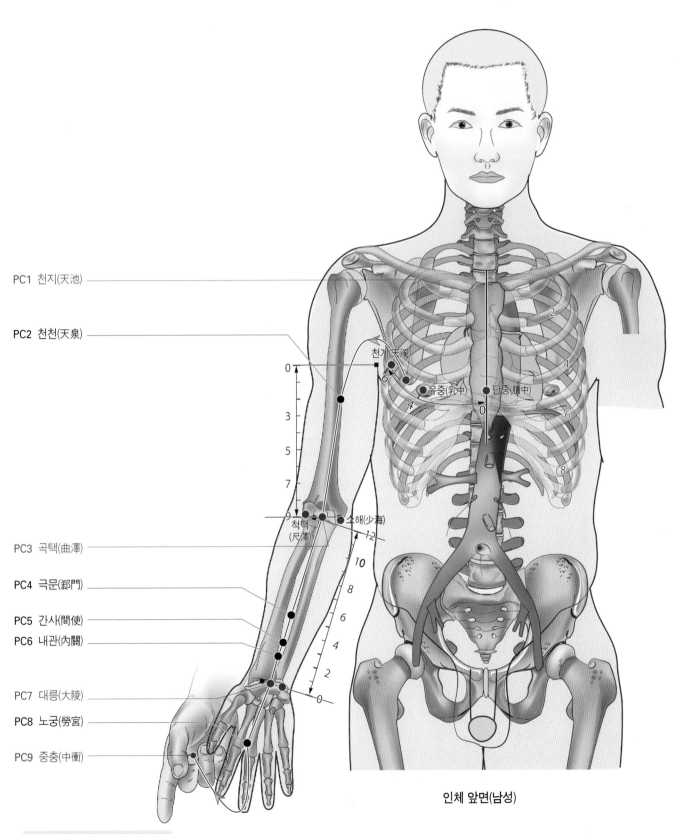

PC1 천지(天池)

PC2 천천(天泉)

천계(天溪)

유중(乳中) 단중(膻中)

척택(尺澤) 소해(少海)

PC3 곡택(曲澤)

PC4 극문(郄門)

PC5 간사(間使)

PC6 내관(內關)

PC7 대릉(大陵)

PC8 노궁(勞宮)

PC9 중충(中衝)

인체 앞면(남성)

PC : Pericardium Meridian

2 — 심포경(心包經) 가슴과 팔, 손부위 9혈

경혈의 위치

① 가슴 (1혈)

PC1 천지(天池) 앞가슴부위, 넷째 갈비사이공간(the 4th intercostal space)으로, 앞정중선 (anterior median line)에서 가쪽으로 5촌.

② 팔 (6혈)

PC2 천천(天泉) 위팔 앞쪽면, 위팔두갈래근(biceps brachii m.)의 긴갈래와 짧은갈래 사이, 앞겨드랑주름(anterior axillary fold)에서 먼쪽으로 2촌.

PC3 곡택(曲澤) 팔꿈치 앞쪽면, 팔오금주름(cubital crease) 위, 위팔두갈래근힘줄(biceps brachii tendon)의 안쪽 오목한 곳.

PC4 극문(郄門) 아래팔 앞쪽면, 긴손바닥근힘줄 (palmaris longus tendon)과 노쪽손목 굽힘근힘줄(flexor carpi radialis tendon) 의 사이, 손바닥쪽 손목주름(palmar wrist crease)에서 몸쪽으로 5촌.

PC5 간사(間使) 아래팔 앞쪽면, 긴손바닥근힘줄 (palmaris longus tendon)과 노쪽손목 굽힘근힘줄(flexor carpi radialis tendon)의 사이, 손바닥쪽 손목주름 (palmar wrist crease)에서 몸쪽으로 3촌.

PC6 내관(內關) 아래팔 앞쪽면, 긴손바닥근힘줄 (palmaris longus tendon)과 노쪽손목 굽힘근힘줄(flexor carpi radialis tendon)의 사이, 손바닥쪽 손목주름 (palmar wrist crease)에서 위로 2촌.

PC7 대릉(大陵) 손목 앞쪽면, 긴손바닥근힘줄 (palmaris longus tendon)과 노쪽손목 굽힘근힘줄(flexor carpi radialis tendon)의 사이, 손바닥쪽 손목주름 (palmar wrist crease) 위.

③ 손부위 (2혈)

PC8 노궁(勞宮) 손바닥, 둘째와 셋째 손허리뼈(the 2nd and 3rd metacarpal bone)의 사이, 손허리손가락관절(metacar-pophalangeal joint)의 몸쪽 오목한 곳.

※역자주: 勞宮(PC8)의 부위가 손바닥, 셋째와 넷째 손허리 뼈의 사이, 손허리손가락관절의 몸쪽 오목한 곳이라는 의견도 있다.

PC9 중충(中衝) 가운데손가락, 가운데손가락 끝의 중심.

※역자주: 中衝(PC9)의 부위가 가운데손가락의 손톱 노쪽 뿌리각(radial corner of the middle fingernail)에서 몸쪽 으로 0.1촌, 가운데손톱 노쪽모서리를 지나는 수직선과 손톱뿌리를 지나는 수평선이 만나는 지점이라는 의견도 있다.

혈명의 유래 → p.75

심포경(心包經) 가슴과 팔, 손부위 9혈의 취혈 방법

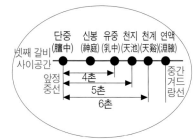

넷째 갈비사이공간에 있는 경혈

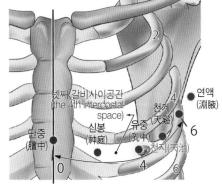

앞면

① 위 그림처럼 넷째 갈비사이공간(the 4th intercostal space)에 있는 여러 경 혈들의 상호 위치를 잘 확인한다. 그 리고 나서 유중(乳中) 바깥쪽 1촌에 천지(天池)를 취한다.

② 팔을 굽혀 팔오금주름(cubital crease) 상에 위팔두갈래근(biceps brachii m.) 힘줄을 만져보고, 그 노쪽에 척택 (尺澤)을 자쪽에 곡택(曲澤)을 취한다.

③ 손목을 굽혀서 태연(太淵)과 신문(神 門) 사이의 노쪽손목굽힘근(flexor carpi radialis m.) 힘줄과 긴손바닥근 (palmaris longus m.) 힘줄을 만져보 고, 그 사이에 대릉(大陵)을 취한다.

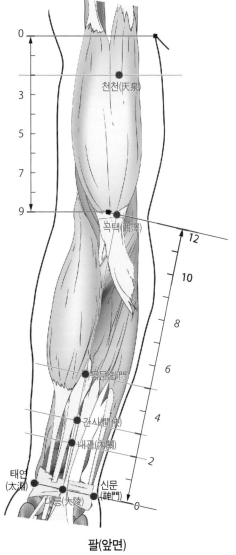

팔(앞면)

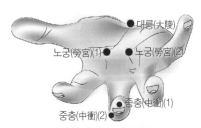

손바닥과 노궁(勞宮)

4. 수족궐음소양경(手足厥陰少陽經)의 경혈

3— 수궐음심포경(手厥陰心包經) 경혈의 주치(主治)

수궐음심포경(手厥陰心包經)은 체내에서는 심포(心包)에 속(屬)하고 삼초(三焦)에 낙(絡)한다. 체표에서는 가슴, 겨드랑이, 팔 앞면을 달리고, 가운데손가락(middle filger)에 이른다. 그 유주에 따라 심장, 순환기계, 정신의식 장애(신경증), 팔 앞면, 특히 정중신경(median n.)과 그 지배 영역의 감각과 운동장애의 치료에 쓰인다.

임상에서는 심장(心臟)의 실질적인 질환에 많이 쓰인다.

경혈명칭	부위	주치(主治)	특수한 주치	자법(刺法)	비고
천지(天池)	가슴	심흉통, 동계(動悸), 해수, 천식, 흉협고만		횡자 0.5-0.8촌	기흉(氣胸)이 되지 않도록 주의
천천(天泉)	위팔	심흉통, 동계(動悸), 흉협고만		직자 0.5-0.8촌	
곡택(曲澤)	아래팔	심흉통, 동계(動悸), 위통, 구토, 팔꿈관절장애, 정중신경마비	사혈요법에도 쓰인다	직자 0.8-1촌	합수혈(合水穴)
극문(郄門)		정중신경마비, 심흉통, 동계(動悸), 각혈, 토혈, 심장질환, 언어장애, 히스테리, 정신병	진정지통안신 (鎭靜止痛安神) 작용	직자 0.5-1촌	극혈(郄穴)
간사(間使)		정중신경마비, 심흉통, 동계(動悸), 불면, 부정맥, 심장질환, 히스테리, 정신병	진정지통안신 (鎭靜止痛安神) 작용	직자 0.3-0.5촌	경금혈(經金穴)
내관(內關)		심흉통, 동계(動悸), 도한(盜汗), 부정맥, 심장질환, 언어장애, 위통, 구토, 히스테리, 정신병	자율신경조절작용 강압작용	직자 0.5-1촌	낙혈(絡穴)
대릉(大陵)	손	언어장애, 수장열(手掌熱), 심통, 동계(動悸), 불면, 히스테리, 위통, 구토, 정신병, 자율신경조절작용	진정안신작용	직자 0.3-0.5촌	원혈(原穴) 수토혈(兪土穴)
노궁(勞宮)		수장열(手掌熱), 정중신경장애, 손의 감각운동장애, 심통, 동계(動悸), 구취, 히스테리, 정신병	외음부습진, 소양증	직자 0.2-0.3촌	형화혈(榮火穴)
중충(中衝)		정중신경장애, 손의 감각운동장애, 심통, 동계(動悸), 히스테리, 정신병, 실신, 열중증(熱中症)	구급혈 사혈요법(瀉血療法)	사자 0.1촌	정목혈(井木穴)

혈명의 유래

천지(天池) 여기에서 "지(池)"에는 두 가지 의미가 있다. 하나는 심장(心臟)을, 또 하나는 연못처럼 저장된 유즙(乳汁)을 가리킨다.

천천(天泉) 기혈(氣血)이 샘처럼 위로부터 흘러내리는 것을 나타냈다.

곡택(曲澤) "곡(曲)"은 팔을 굽히는 부위를 나타낸 것이다. 기혈(氣血)이 팔꿈치의 관절이나 근육을 적시는 것을 "택(澤)"으로 표현하였다.

극문(郄門) 수궐음(手厥陰)의 극혈(郄穴)이다. 노뼈(radius)와 자뼈(ulna) 사이에 있는 뼈의 틈새를 표현했다.

간사(間使) "간(間)"은 뼈의 틈새이고 "사(使)"는 명령을 받아 심부름을 하는 것을 말한다. 심포(心包)는 신사지관(臣使之官)으로, 심(心)을 보호하면서 심(心)의 일을 돕는다.

내관(內關) 수궐음(手厥陰)의 낙혈(絡穴)로서 수소양(手少陽)의 외관(外關)과 내외(內外)로 상응한다. 외관(外關)에 대하여 안쪽에 있는 관문을 의미한다.

대릉(大陵) 반달뼈(lunate bone) 융기(隆起)를 커다란 구릉(丘陵)에 비유했다.

노궁(勞宮) "궁(宮)"은 손바닥의 중앙을 말한다. "노(勞)"는 노동(勞動)의 의미이다. 도구를 쥐려면 가운데손가락 끝이 여기에 닿기 때문에 이런 이름이 붙여졌다.

중충(中衝) 가운데손가락의 동맥 박동부에 있음을 나타냈다.

4─수소양삼초경(手少陽三焦經)의 경혈(23혈)

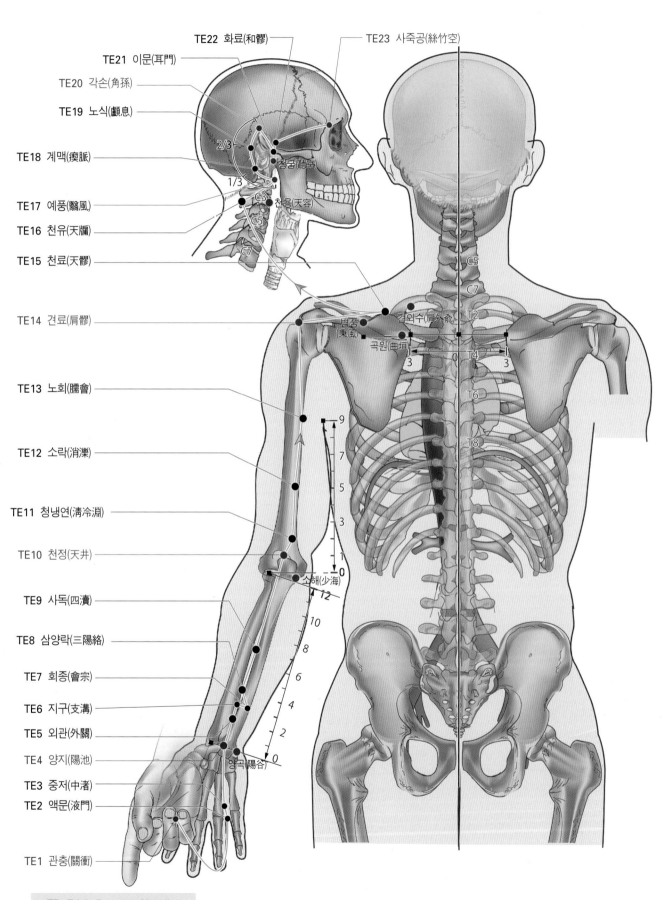

TE22 화료(和髎)　　　　　　　TE23 사죽공(絲竹空)

TE21 이문(耳門)

TE20 각손(角孫)

TE19 노식(顱息)

TE18 계맥(瘈脈)

청궁(聽宮)

TE17 예풍(翳風)

천용(天容)

TE16 천유(天牖)

TE15 천료(天髎)

TE14 견료(肩髎)

견외수(肩外俞)

병풍(秉風)

곡원(曲垣)

TE13 노회(臑會)

TE12 소락(消濼)

TE11 청냉연(清冷淵)

TE10 천정(天井)

소해(少海)

TE9 사독(四瀆)

TE8 삼양락(三陽絡)

TE7 회종(會宗)

TE6 지구(支溝)

TE5 외관(外關)

TE4 양지(陽池)

양곡(陽谷)

TE3 중저(中渚)

TE2 액문(液門)

TE1 관충(關衝)

TE : Triple Energizer Meridian

76

4. 수족궐음소양경(手足厥陰少陽經)의 경혈

5─삼초경(三焦經) 손과 팔부위 14혈(1)

경혈의 위치

1 손부위 (4혈)

TE1	관충(關衝)	넷째손가락, 끝마디뼈(distal phalanx)의 자쪽, 넷째손톱 자쪽 뿌리각(ulnar corner of the fingernail)에서 몸쪽으로 0.1촌.
TE2	액문(液門)	손등, 약손가락과 새끼손가락 사이, 손샅 가장자리(web margin) 위쪽 오목한 곳, 적백육제.
TE3	중저(中渚)	손등, 넷째와 다섯째 손허리뼈(the 4th and 5th metacarpal bone) 사이, 넷째 손허리손가락관절(the 4th meta-carpophalangeal joint) 몸쪽 오목한 곳.
TE4	양지(陽池)	손목 뒤쪽면, 손등쪽 손목주름(dorsal wrist crease) 위, 손가락폄근힘줄(extensor digitorum tendon) 자쪽 오목한 곳.

2 팔부위 (10혈)

TE5	외관(外關)	아래팔 뒤쪽면, 자뼈와 노뼈 뼈사이공간(interosseous space between the radius and the ulna)의 중점, 손등쪽 손목주름(dorsal wrist crease)에서 몸쪽으로 2촌.
TE6	지구(支溝)	아래팔 뒤쪽면, 자뼈와 노뼈 뼈사이공간(interosseous space between the radius and the ulna)의 중점, 손등쪽 손목주름(dorsal wrist crease)에서 몸쪽으로 3촌.
TE7	회종(會宗)	아래팔 뒤쪽면, 자뼈(ulna)의 바로 노쪽, 손등쪽 손목주름(dorsal wrist crease)에서 몸쪽으로 3촌.
TE8	삼양락(三陽絡)	아래팔 뒤쪽면, 자뼈와 노뼈 뼈사이공간(interosseous space between the radius and the ulna)의 중점, 손등쪽 손목주름(dorsal wrist crease)에서 몸쪽으로 4촌.
TE9	사독(四瀆)	아래팔 뒤쪽면, 자뼈와 노뼈 뼈사이공간(interosseous space between the radius and the ulna)의 중점, 팔꿈치머리 융기(prominence of the olecranon)에서 먼쪽으로 5촌.
TE10	천정(天井)	팔꿈치 뒤쪽면, 팔꿈치머리 융기(prominence of the olecra-non)에서 몸쪽으로 1촌이 되는 오목한 곳.
TE11	청랭연(淸冷淵)	위팔 뒤쪽면, 팔꿈치머리 융기(prominence of the olecra-non)와 봉우리각(acromial angle)을 연결하는 선 위, 팔꿈치머리 융기에서 몸쪽으로 2촌.
TE12	소락(消濼)	위팔 뒤쪽면, 팔꿈치머리 융기(prominence of the olecra-non)와 봉우리각(acromial angle)을 연결하는 선 위, 팔꿈치머리 융기에서 몸쪽으로 5촌.
TE13	노회(臑會)	위팔 뒤쪽면, 어깨세모근(deltoid muscle)의 뒤모서리 아래 뒤쪽, 봉우리각(acromial angle)에서 아래쪽으로 3촌.
TE14	견료(肩髎)	팔이음뼈(shoulder girdle), 봉우리각(acromial angle)과 위팔뼈 큰결절(greater tubercle of the humerus) 사이의 오목한 곳.

혈명의 유래 → p.79

삼초경(三焦經) 손과 팔부위 14혈의 취혈 방법

① 손등쪽 손목주름(dorsal wrist crease)의 중앙, 손가락폄근(exten-sor digitorum m.) 힘줄과 새끼폄근(extensor digiti minimi m.) 힘줄 사이의 움푹한 곳에 양지(陽池)를 취한다(손가락을 펴서 손을 뒤로 젖혀 둘째, 셋째, 넷째 손가락을 앞뒤로 움직이면 손가락폄근(extensor digitorum m.) 힘줄이 확인된다. 반지손가락(ring finger)을 움직여 새끼폄근(extensor digi-ti minimi m.) 힘줄을 확인한다).

② 팔꿈치를 굽혀서 팔꿈치머리(ole-cranon) 위의 움푹한 곳에 천정(天井)을 취한다.
회종(會宗)은 지구(支溝)의 자쪽, 자뼈(ulna) 노쪽 가장자리에 취한다.

③ 어깨를 수평 위치까지 들어올리면 어깨뼈봉우리(acromion) 앞에 두 개의 움푹한 곳이 생긴다. 앞쪽의 견우(肩髃)를 확인하고 뒤쪽에 견료(肩髎)를 취한다.

④ 노회(臑會)는 비노(臂臑)의 바깥쪽, 어깨세모근(deltoid m.)의 뒤쪽 아래모서리, 견료(肩髎) 아래 3촌에 취한다.
소락(消濼)은 청냉연(淸冷淵)과 노회(臑會)의 중간에 취한다.

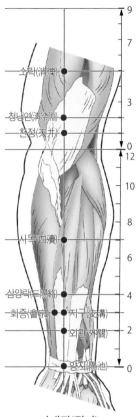

아래팔(뒷면)

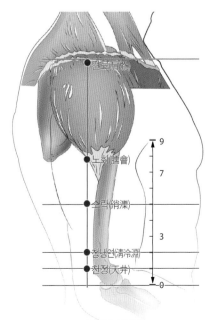

위팔(가쪽연)

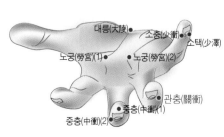

관충(關衝)

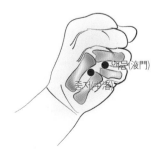

손등

5─ 삼초경(三焦經) 어깨와 머리목부위 9혈(2)

경혈의 위치

③ 어깨 (3혈)

TE15 천료(天髎) 어깨뼈부위, 어깨뼈 위각(superior angle of the scapula)에서 위쪽 오목한 곳.

TE16 천유(天牖) 목 앞부위, 턱뼈각(angle of the mandible)과 같은 높이, 목빗근(sternocleidomastoid muscle)의 뒤쪽 오목한 곳.

TE17 예풍(翳風) 목앞부위, 귓불(ear lobe)의 뒤쪽, 꼭지돌기(mastoid process) 아래끝의 앞쪽 오목한 곳.

④ 머리목부위 (6혈)

TE18 계맥(瘈脈) 머리, 꼭지돌기(mastoid process) 중심, 翳風(TE17)에서 角孫(TE20)을 연결하는 곡선에서 위쪽으로부터 2/3와 아래쪽으로부터 1/3이 되는 지점.

TE19 노식(顱息) 머리, 翳風(TE17)에서 角孫(TE20)을 연결하는 곡선에서 위쪽으로부터 1/3과 아래쪽으로부터 2/3가 되는 지점.

TE20 각손(角孫) 머리, 귓바퀴끝(auricular apex)의 바로 위쪽 지점.

TE21 이문(耳門) 얼굴, 귀구슬위패임(supratragic notch)과 아래턱뼈 관절돌기(condylar process of the mandible) 사이의 오목한 곳.

TE22 화료(和髎) 머리, 관자놀이 머리카락경계선(temple hairline)의 뒤쪽, 귓바퀴 뿌리(auricular root)의 앞쪽, 얕은 관자동맥(superficial temporal artery)의 뒤쪽.

TE23 사죽공(絲竹空) 머리, 눈썹 가쪽끝의 오목한 곳.

삼초경(三焦經) 어깨와 머리목부위 9혈의 취혈 방법

① 대추(大椎)와 어깨뼈봉우리(acromion)의 중간에 견정(肩井)을, 어깨뼈 가시(spine of the scapula) 안쪽끝의 위 가장자리에 곡원(曲垣)을 확인하고, 이 두 혈의 중간에 천료(天髎)를 취한다.

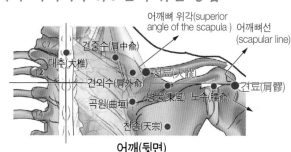

어깨뼈 위각(superior angle of the scapula) 어깨뼈선(scapular line)
C7 견중수(肩中兪)
대추(大椎) 천료(天髎)
T2 견외수(肩外兪) 견료(肩髎)
곡원(曲垣) 병풍(秉風) 노수(臑兪)
T4 천종(天宗)

어깨(뒷면)

② 턱뼈각(angle of the mandible)에서 귓불(ear lobe) 뒤쪽으로 눌러 올라가 꼭지돌기(mastoid process)와 턱뼈 사이에 멈추는 움푹한 곳에 예풍(翳風)을 취한다.

③ 귓바퀴를 앞으로 구부려 그 꼭지점에 해당하는 곳의 발제(髮際)에 각손(角孫)을 취한다.
입을 벌려 귀구슬(tragus) 앞의 중앙에 청궁(聽宮)을 취하고, 그 위의 움푹한 곳에 이문(耳門)을 취한다.
화료(和髎)는 이문(耳門) 위 후발제(後髮際)의 얕은관자동맥(superficial temporal artery) 박동부 뒤쪽에 취한다.

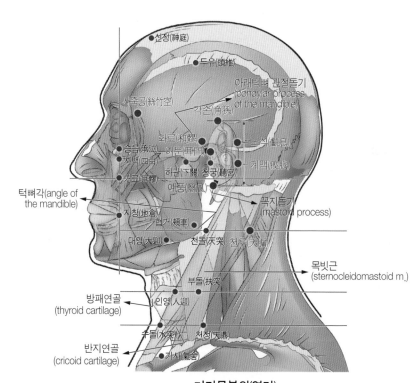

신정(神庭)
두유(頭維)
아래턱뼈 관절돌기(condylar process of the mandible)
사죽공(絲竹空)
각손(角孫)
노식(顱息)
승읍(承泣) 화료(和髎) 이문(耳門)
사백(四白) 청궁(聽宮) 계맥(瘈脈)
거료(巨髎) 하관(下關) 예풍(翳風)
턱뼈각(angle of the mandible) 꼭지돌기(mastoid process)
지창(地倉)
협거(頰車)
대영(大迎) 천돌(天突) 천유(天牖)
목빗근(sternocleidomastoid m.)
부돌(扶突)
방패연골(thyroid cartilage) 인영(人迎)
수돌(水突) 천정(天鼎)
반지연골(cricoid cartilage) 기사(氣舍)

머리목부위(옆면)

혈명의 유래

천료(天髎) "료(髎)"는 어깨뼈 위각(superior angle of the scapula)의 틈새를 가리킨다.

천유(天牖) "천(天)"은 머리, "유(牖)"는 창구(窓口)로, 머리의 칠규(七竅)를 의미한다. 오관병(五官病)을 치료하여 이런 이름이 붙여졌다.

예풍(翳風) "예(翳)"는 일산(日傘)으로, 귀를 비유한 것이다. 풍사(風邪)의 침입을 방지하는 동시에 귀 질환을 치료하는 요혈(要穴)이기 때문에 이런 이름이 붙여졌다.

계맥(瘈脈) "계(瘈)"는 닭다리를 의미한다. 귀 뒤의 혈맥이 이와 닮아 있기 때문에 이런 이름이 붙여졌다.

노식(顱息) "노(顱)"는 머리를 가리킨다. "식(息)"은 천식(喘息)을 의미한다. 두통, 발열, 천식에 효과가 있기 때문에 이런 이름이 붙여졌다.

각손(角孫) "각(角)"은 귀의 상각(上角)을 가리키고, "손(孫)"은 손락(孫絡)으로, 소혈관의 의미이다.

이문(耳門) 귀의 앞에 있기 때문이다.

화료(和髎) "화(和)"는 조화시킨다는 의미로, 청력(聽力)을 조화시키는 것을 가리킨다.

사죽공(絲竹空) "사죽(絲竹)"은 눈썹을 가느다란 대나무에 비유한 것이다.

경혈부위(經穴部位) → p.77

4. 수족궐음소양경(手足厥陰少陽經)의 경혈

6 — 수소양삼초경(手少陽三焦經) 경혈의 주치(主治)

수소양삼초경(手少陽三焦經)은 체내에서는 삼초(三焦)에 속(屬)하고 심포(心包)에 낙(絡)한다. 체표에서는 반지손가락(ring finger)과 팔 뒷면의 중앙, 어깨, 목, 옆머리를 지나서 얼굴의 가쪽눈구석(outer canthus)에 이른다. 그 유주에 따라 얼굴, 귀, 눈의 질환, 어깨관절(shoulder joint)과 팔 가쪽(위팔폄근)의 감각과 운동장애의 치료에 쓰인다.

고전에는 "소양(少陽)은 반표반리(半表半裏)를 주관한다"고 하였다. 소양경(少陽經)의 경혈은 옆머리와 몸통 옆부분의 증상에 많이 쓰인다.

경혈명칭	부위	주치(主治)	특수한 주치	자법(刺法)	비고
관충(關衝)	손	자신경마비, 편두통, 이명, 목적(目赤), 인후염, 발열, 열중증(熱中症), 실신	해열작용	사자 0.1촌 사혈요법(瀉血療法)	정금혈(井金穴)
액문(液門)		자신경마비, 손의 마비, 편두통, 이명, 목적(目赤), 인후염		직자 0.3-0.5촌	형수혈(滎水穴)
중저(中渚)		손가락손등종통과 마비, 이명, 목적(目赤), 인후염, 편도선염	허리염좌에도 쓰인다	직자 0.3-0.5촌	수목혈(兪木穴)
양지(陽池)		눈병, 이명, 손관절장애		직자 0.3-0.5촌	원혈(原穴)
외관(外關)	아래팔	손관절장애, 두통, 목적(目赤), 이명	팔맥교회혈의 하나로 양유맥과 통한다	직자 0.5-1촌	낙혈(絡穴)
지구(支溝)		이명, 언어장애, 흉협고만, 변비, 발열	해열작용	직자 0.5-1촌	경화혈(經火穴)
회종(會宗)		이명		직자 0.5-1촌	극혈(郄穴)
삼양락(三陽絡)		이명, 치통, 언어장애, 변비, 발열		직자 0.5-1촌	
사독(四瀆)		이명, 치통, 언어장애, 변비, 발열		직자 0.5-1촌	
천정(天井)	위팔	편두통, 이명, 흉협고만, 팔꿈관절장애		직자 0.5-1촌	합토혈(合土穴)
청냉연(淸冷淵)		편두통		직자 0.5-1촌	
소락(消濼)		두통, 항강, 견배통		직자 0.5-1촌	
노회(臑會)		두통, 항강, 견배통		직자 0.5-1촌	
견료(肩髎)		어깨관절과 주위 연부조직장애, 오십견, 편마비, 경부임파절종창		직자 0.5-1촌	
천료(天髎)	어깨	견비통, 견배통, 항강		직자 0.3-0.5촌	기흉(氣胸)이 되지 않도록 주의
천유(天牖)	목	견비통, 어깨관절과 주위 연부조직장애		직자 0.5-1촌	
예풍(翳風)		얼굴신경마비, 청각신경장애, 턱관절장애, 치통, 항강, 편마비	안면, 청각신경장애의 상용혈	직자 0.5-1촌	
계맥(瘈脈)	옆머리	편두통, 이명		직자 0.3-0.5촌 사혈요법도 쓰인다	
노식(顱息)		편두통, 이명		직자 0.3-0.5촌	
각손(角孫)		편두통, 이명, 눈병, 치통		직자 0.3-0.5촌	
이문(耳門)	얼굴	이명, 치통		직자 0.5-1촌	
화료(禾髎)		이명, 편두통, 치통		직자 0.3-0.5촌	
사죽공(絲竹空)		눈병, 편두통, 치통		직자 0.3-0.5촌	

혈명의 유래

액문(液門) 삼초(三焦)는 수액대사의 통로로, 이른바 "삼초(三焦)는 결독지관(決瀆之官)으로, 수도(水道)는 여기서부터 나온다"라는 말은 이를 강조한 것이다. 따라서 삼초경(三焦經)에 있는 경혈들은 "액(液)", "저(渚)", "구(溝)", "독(瀆)" 등, 물이 흐르는 통로를 뜻하는 글자를 붙인 것이 많다.

양지(陽池) 손등은 양(陽)에 속하며, 지(池)는 연못으로, 손을 뒤로 젖혀 중앙에 생기는 움푹한 곳을 연못에 비유한 것이다.

외관(外關) 삼초경(三焦經)의 낙혈(絡穴)로서 내관(內關)에 대해 등쪽면(dorsal surface)에 있기 때문에 이런 이름이 붙여졌다.

삼양락(三陽絡) 수삼양경(手三陽經)이 이곳에서 합류한다.

천정(天井) "정(井)"은 우물, "천(天)"은 위를 가리킨다. 여기서는 팔꿈치오목(olecranon fossa)을 위에 면하고 있는 것을 우물에 비유했다.

청냉연(淸冷淵) "청냉(淸冷)"은 차다는 뜻이다. "연(淵)"은 깊은 곳으로, 움푹한 곳을 말한다. 한증(寒症)에 효과가 있기 때문에 이런 이름이 붙여졌다.

소락(消濼) "소(消)"는 흩어지다, "락(濼)"은 물의 흐름을 가리킨다. 삼초경(三焦經)의 유주는 정(井), 연(淵)을 지나서 이곳에 와 얕게 되는 것에서 유래되었다.

견료(肩髎) "료(髎)"는 어깨관절(shoulder joint) 사이의 틈새를 가리킨다.

7 — 족소양담경(足少陽膽經)의 경혈(44혈)(1)

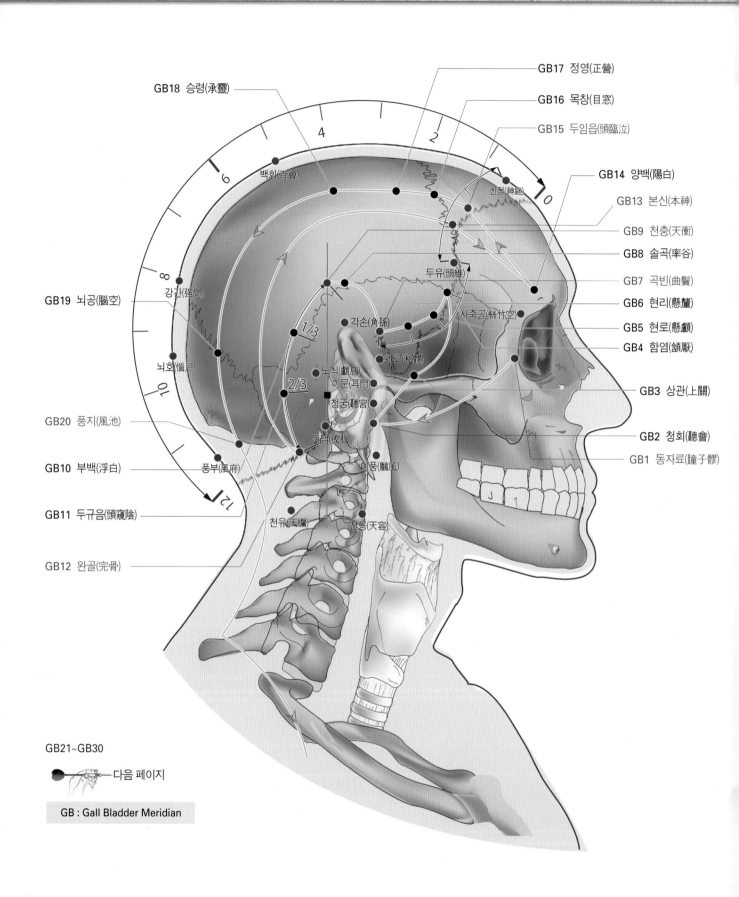

GB17 정영(正營)

GB16 목창(目窓)

GB15 두임읍(頭臨泣)

GB18 승령(承靈)

GB14 양백(陽白)

GB13 본신(本神)

GB9 천충(天衝)

GB8 솔곡(率谷)

GB7 곡빈(曲鬢)

GB6 현리(懸釐)

GB5 현로(懸顱)

GB4 함염(頷厭)

GB3 상관(上關)

GB2 청회(聽會)

GB1 동자료(瞳子髎)

GB19 뇌공(腦空)

GB20 풍지(風池)

GB10 부백(浮白)

GB11 두규음(頭竅陰)

GB12 완골(完骨)

백회(百會)

강간(强間)

뇌호(腦戶)

풍부(風府)

각손(角孫)

두유(頭維)

사죽공(絲竹空)

화료(和髎)

뇌식(顱息)

이문(耳門)

청궁(聽宮)

계맥(瘈脈)

예풍(翳風)

신정(神庭)

천유(天牖)

천용(天容)

GB21~GB30

다음 페이지

GB : Gall Bladder Meridian

4. 수족궐음소양경(手足厥陰少陽經)의 경혈

7 ─ 족소양담경(足少陽膽經)의 경혈(44혈)(2)

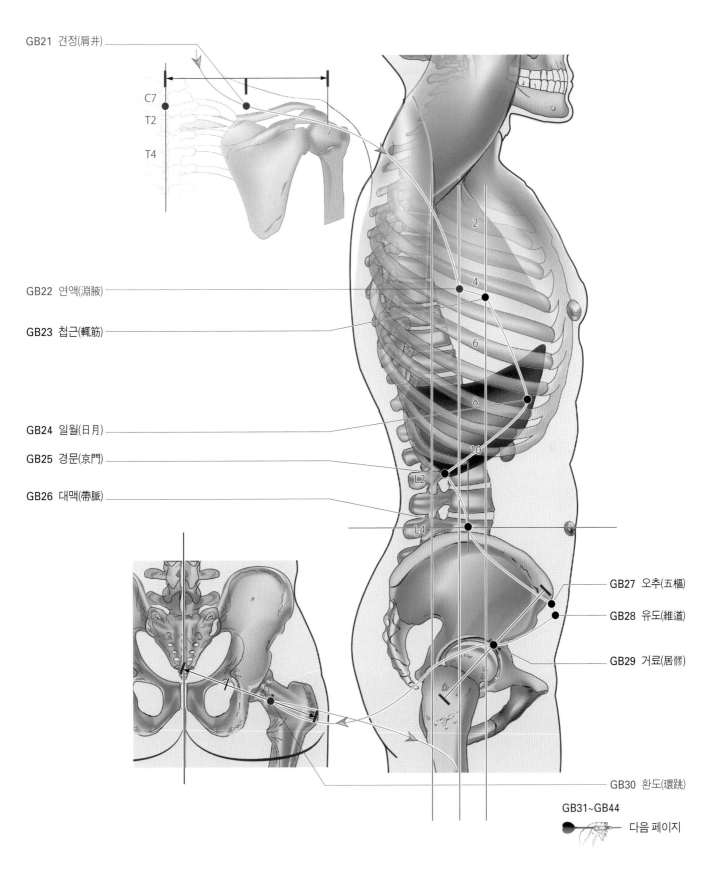

GB21 견정(肩井)

GB22 연액(淵腋)

GB23 첩근(輒筋)

GB24 일월(日月)

GB25 경문(京門)

GB26 대맥(帶脈)

GB27 오추(五樞)

GB28 유도(維道)

GB29 거료(居髎)

GB30 환도(環跳)

GB31~GB44 다음 페이지

7─ 족소양담경(足少陽膽經)의 경혈(44혈)(3)

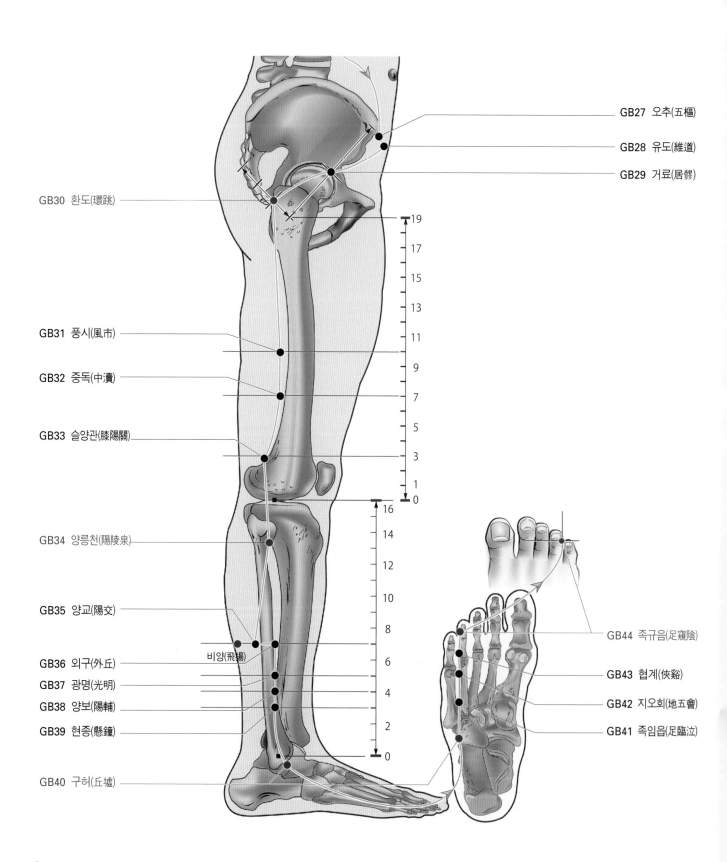

GB27 오추(五樞)

GB28 유도(維道)

GB29 거료(居髎)

GB30 환도(環跳)

GB31 풍시(風市)

GB32 중독(中瀆)

GB33 슬양관(膝陽關)

GB34 양릉천(陽陵泉)

GB35 양교(陽交)

GB36 외구(外丘)

GB37 광명(光明)

GB38 양보(陽輔)

GB39 현종(懸鐘)

GB40 구허(丘墟)

비양(飛揚)

GB44 족규음(足竅陰)

GB43 협계(俠谿)

GB42 지오회(地五會)

GB41 족임읍(足臨泣)

4. 수족궐음소양경(手足厥陰少陽經)의 경혈

8 – 담경(膽經) 머리 20혈(1)

경혈의 위치

1 머리 (20혈)

GB1	동자료(瞳子髎)	머리, 가쪽눈구석(outer canthus)에서 가쪽으로 0.5촌 오목한 곳.
GB2	청회(聽會)	얼굴, 귀구슬사이패임(intertragic notch)과 아래턱뼈 관절돌기(condylar process of mandible) 사이의 오목한 곳.
GB3	상관(上關)	머리, 광대활(zygomatic arch) 중점 위쪽의 오목한 곳.
GB4	함염(頷厭)	머리, 頭維(ST8)와 曲鬢(GB7)을 연결하는 곡선에서 위쪽으로부터 1/4과 아래쪽으로부터 3/4이 되는 지점.
GB5	현로(懸顱)	머리, 頭維(ST8)와 曲鬢(GB7)을 연결하는 곡선의 중점.
GB6	현리(懸釐)	머리, 頭維(ST8)와 曲鬢(GB7)을 연결하는 곡선에서 위쪽으로부터 3/4과 아래쪽으로부터 1/4이 되는 지점.
GB7	곡빈(曲鬢)	머리, 귓바퀴끝(auricular apex)을 지나는 수평선과 관자놀이 머리카락경계선(temple hairline)의 뒤모서리를 지나는 수직선이 만나는 지점.
GB8	솔곡(率谷)	머리, 귓바퀴끝(auricular apex)에서 수직으로 위쪽, 관자놀이 머리카락경계선(temporal hairline)에서 위쪽으로 1.5촌.
GB9	천충(天衝)	머리, 귓바퀴뿌리(auricular root) 뒤모서리에서 수직으로 위쪽, 髮際(hairline)에서 위쪽으로 2촌.
GB10	부백(浮白)	머리, 꼭지돌기(mastoid process)의 위쪽, 天衝(GB9)에서 完骨(GB12)을 연결하는 곡선에서 위로부터 1/3과 아래로부터 2/3가 되는 지점.
GB11	두규음(頭竅陰)	머리, 꼭지돌기(mastoid process) 위뒤쪽, 天衝(GB9)에서 完骨(GB12)을 연결하는 곡선에서 위쪽으로부터 2/3과 아래쪽으로부터 1/3이 되는 지점.
GB12	완골(完骨)	목 앞부위, 꼭지돌기(mastoid process) 아래뒤쪽의 오목한 곳.
GB13	본신(本神)	머리, 前髮際(anterior hairline)에서 머리 안쪽으로 0.5촌, 앞정중선(anterior median line)에서 가쪽으로 3촌.
GB14	양백(陽白)	머리, 동공(pupil) 중심에서 수직으로 위쪽, 눈썹 위쪽으로 1촌.
GB15	두임읍(頭臨泣)	머리, 동공(pupil) 중심에서 수직으로 위쪽, 前髮際 (anterior hairline)에서 머리 안쪽으로 0.5촌.
GB16	목창(目窓)	머리, 동공(pupil) 중심에서 수직으로 위쪽, 前髮際 (anterior hairline)에서 머리 안쪽으로 1.5촌.
GB17	정영(正營)	머리, 동공(pupil) 중앙에서 수직으로 위쪽, 前髮際 (anterior hairline)에서 머리 안쪽으로 2.5촌.
GB18	승령(承靈)	머리, 동공(pupil) 중심에서 수직으로 위쪽, 前髮際 (anterior hairline)에서 머리 안쪽으로 4촌.
GB19	뇌공(腦空)	머리, 風池(GB20)에서 수직으로 위쪽, 바깥뒤통수뼈 융기(external occipital protuberance) 위모서리와 같은 높이.
GB20	풍지(風池)	목 앞부위, 뒤통수뼈(occipital bone)의 아래쪽, 목빗근이 이는곳(origins of sternocleidomastiod muscle)과 등세모근(trapezius muscle) 사이의 오목한 곳.

담경(膽經) 머리 20혈의 취혈 방법

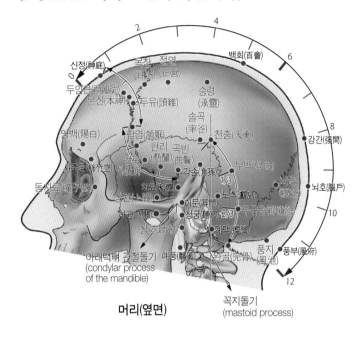

머리(옆면)

동자료(瞳子髎)는 사죽공(絲竹空) 아래, 가쪽눈구석(outer canthus)의 바깥쪽 (눈확(orbit) 가쪽모서리(lateral margin))에 취한다.
청회(聽會)는 입을 벌리고 귀구슬(tragus) 앞의 청궁(聽宮) 아래 움푹한 곳에 취한다.
상관(上關)은 객주인(客主人)이라고도 한다. 하관(下關) 직상, 광대활(zygomatic arch) 위모서리에 취한다.

혈명의 유래

동자료(瞳子髎) "료(髎)"는 뼈의 틈새로, 눈확(orbit) 가쪽모서리(lateral margin)의 움푹한 곳에 있음을 나타냈다.

청회(聽會) 청력을 강하게 한다는 의미이다.

상관(上關) 하관(下關)에 대해서 광대활(zygomatic arch)의 위에 있음을 나타냈다.

함염(頷厭) "함(頷)"은 아래턱뼈(mandible)를 가리킨다. "염(厭)"은 맞 춘다는 의미이다. 아래턱뼈(mandible)의 운동으로 이곳의 근육도 그에 맞춰 같이 움직이는 것이 그 유래이다.

곡빈(曲鬢) 귀 앞의 털을 "빈(鬢)"이라고 한다.

솔곡(率谷) "솔(率)"은 따른다는 의미이고, "곡(谷)"은 관자부위(temporal region)의 봉합(suture)을 가리킨다. 귀 근처의 발제(髮際)를 따라서 있는 세 개의 봉합부에 위치하고 있음을 나타낸다.

완골(完骨) 관자뼈(temporal bone)의 꼭지돌기(mastoid process)를 옛날에는 "완골(完骨)"이라고 했다.

본신(本神) 뇌(腦)는 원신(元神)의 부(府)라고 하는 데서 유래되었다.

뇌공(腦空) 독맥(督脈)의 뇌호(腦戶)와 나란히 뒷머리에 위치하고 있다.

풍지(風池) 지(池)는 연못으로, 뒷머리의 약간 움푹한 곳에 있는 것을 연 못에 비유한 것이다. 풍사(風邪)가 여기에서 뇌로 침입하기 쉬움을 나타냈다.

8— 담경(膽經) 몸통 10혈(2)

경혈의 위치

③ 몸통 (10혈)

GB21 견정(肩井)　목 뒤부위, 일곱째 목뼈 가시돌기(spinous process of the 7th cervical vertebra)와 어깨뼈봉우리(acromion) 가쪽끝을 연결하는 선의 중점.

GB22 연액(淵腋)　가쪽가슴부위, 넷째 갈비사이공간(the 4th intercostal space), 중간겨드랑선(midaxillary line) 위.

GB23 첩근(輒筋)　가쪽가슴부위, 넷째 갈비사이공간(the 4th intercostal space), 중간겨드랑선(midaxillary line)에서 앞쪽으로 1촌.

GB24 일월(日月)　앞가슴부위, 일곱째 갈비사이공간(the 7th intercostal space), 앞정중선(anterior median line)에서 가쪽으로 4촌.

GB25 경문(京門)　옆배, 열두째 갈비뼈끝(free extremity of the 12th rib)의 아래쪽.

GB26 대맥(帶脈)　옆배, 열한째 갈비뼈끝(free extremity of the 11th rib)의 아래쪽, 배꼽(umbilicus) 중심과 같은 높이.

GB27 오추(五樞)　아랫배, 배꼽(umbilicus) 중심에서 아래쪽으로 3촌, 위앞엉덩뼈가시(anterior superior iliac spine)의 안쪽.

GB28 유도(維道)　아랫배, 위앞엉덩뼈가시(anterior superior iliac spine)에서 아래안쪽으로 0.5촌.

GB29 거료(居髎)　엉덩이부위, 위앞엉덩뼈가시(anterior superior iliac spine)와 큰돌기 융기(prominence of the greater trochanter)를 연결하는 선의 중점.

GB30 환도(環跳)　엉덩이부위, 큰돌기 융기(prominence of the greater trochanter)와 엉치뼈틈새(sacral hiatus)를 연결하는 선에서 가쪽으로부터 1/3과 안쪽으로부터 2/3가 되는 지점.

※역자주: 環跳(GB30)의 부위가 엉덩이부위, 위앞엉덩뼈가시(anterior superior iliac spine)와 큰돌기 융기를 연결하는 선에서 가쪽으로부터 1/3과 안쪽으로부터 2/3가 되는 지점이라는 의견도 있다.

혈명의 유래 → p.87

담경(膽經) 몸통 10혈의 취혈 방법

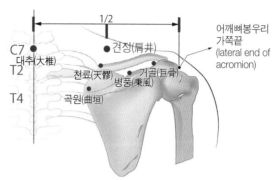

어깨(뒷면)

① 겨드랑(axilla) 중앙과 엉덩뼈능선(iliac crest) 최고점을 연결하는 선을 중간겨드랑선(midaxillary line)이라고 한다. 이 선상에서 넷째 갈비사이공간(the 4th intercostal space)에 연액(淵腋)을 취한다.

② 측와위(側臥位)에서 넙다리(thigh)를 크게 굽혀 큰돌기 융기(greater trochanter) 최고점과 엉치뼈틈새(sacral hiatus)를 잇는 선을 삼등분해서 바깥쪽 1/3 움푹한 곳에 환도(環跳)를 취한다.

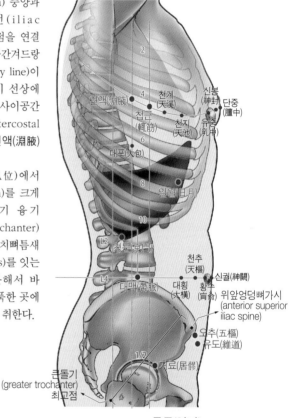

몸통(옆면)

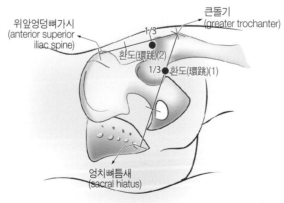

측와위(側臥位)의 엉덩관절과 환도(環跳)의 취혈법

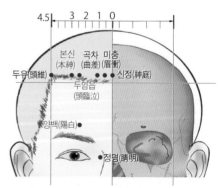

전발제(前髮際)의 경혈들

4. 수족궐음소양경(手足厥陰少陽經)의 경혈

8─ 담경(膽經) 다리와 발부위 14혈(3)

경혈의 위치

③ 다리부위 (9혈)

GB31	풍시(風市)	넓적다리 가쪽면, 양팔을 넓적다리에 나란히 늘어뜨리고 똑바로 섰을 때, 가운데손가락 끝이 닿는 엉덩정강근막띠(iliotibial band) 뒤쪽의 오목한 곳.
GB32	중독(中瀆)	넓적다리 가쪽면, 엉덩정강근막띠(iliotibial band)의 뒤쪽, 오금주름(popliteal crease)에서 위쪽으로 7촌.
GB33	슬양관(膝陽關)	무릎 가쪽면, 넙다리두갈래근힘줄(biceps femoris tendon)과 엉덩정강근막띠(iliotibial band)의 사이, 넙다리뼈 가쪽위관절융기(lateral epicondyle of the femur) 위뒤쪽 오목한 곳.
GB34	양릉천(陽陵泉)	종아리 종아리뼈쪽면, 종아리뼈 머리(head of the fibula)에서 앞면쪽(anterior and distal) 오목한 곳.
GB35	양교(陽交)	종아리 종아리뼈쪽면, 종아리뼈(fibula) 뒤쪽, 가쪽복사 융기(prominence of the lataral malleolus)에서 몸쪽으로 7촌.
GB36	외구(外丘)	종아리 종아리뼈쪽면, 종아리뼈(fibula) 앞쪽, 가쪽복사 융기(prominence of the lateral malleolus)에서 몸쪽으로 7촌.
GB37	광명(光明)	종아리 종아리뼈쪽면, 종아리뼈(fibula) 앞쪽, 가쪽복사 융기(prominence of the lateral malleolus)에서 몸쪽으로 5촌.
GB38	양보(陽輔)	종아리 종아리뼈쪽면, 종아리뼈(fibula) 앞쪽, 가쪽복사 융기(prominence of the lateral malleolus)에서 몸쪽으로 4촌.
GB39	현종(懸鐘)	종아리 종아리뼈쪽면, 종아리뼈(fibula) 앞쪽, 가쪽복사 융기(prominence of the lateral malleolus)에서 몸쪽으로 3촌.

④ 발부위 (5혈)

GB40	구허(丘墟)	발목 앞가쪽면, 긴발가락폄근힘줄(extensor digitorum longus tendon)의 가쪽, 가쪽복사(lateral malleolus)의 앞면쪽(anterior and distal) 오목한 곳.
GB41	족임읍(足臨泣)	발등, 넷째와 다섯째 발허리뼈바닥(the 4th and 5th metatarsal bones)의 연접부에서 먼쪽, 다섯째 긴발가락폄근힘줄(the 5th extensor digitorum longus tendon)의 가쪽 오목한 곳.
GB42	지오회(地五會)	발등, 넷째와 다섯째 발허리뼈(the 4th and 5th metatarsal bones) 사이, 넷째 발허리발가락관절(the 4th metatarsophalangeal joint) 몸쪽 오목한 곳.
GB43	협계(俠谿)	발등, 넷째와 다섯째 발가락(the 4th and 5th toes) 사이, 발살 가장자리(web margin) 몸쪽, 적백육제.
GB44	족규음(足竅陰)	넷째발가락, 끝마디뼈(distal phalanx)의 가쪽, 넷째발톱 가쪽 뿌리각(lateral corner of the toenail)에서 몸쪽으로 0.1촌.

담경(膽經) 다리와 발부위 14혈의 취혈 방법

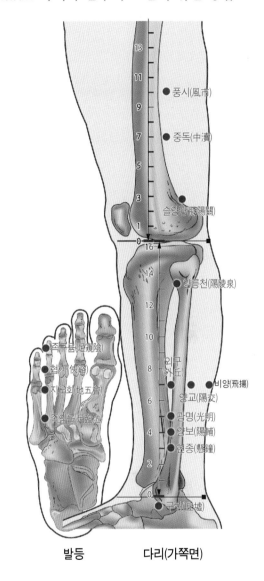

발등　　　　다리(가쪽면)

혈명의 유래

풍시(風市) 풍사(風邪)가 침입하기 쉬운 곳으로, 다리마비, 반신불수 등의 중풍(中風) 증상에 효과가 있기 때문에 이런 이름이 붙여졌다.

중독(中瀆) 엉덩정강근막띠(iliotibial band)와 넙다리두갈래근(biceps femoris m.) 사이의 틈새에 생기는 고랑을 좁은 배수로인 "독(瀆)"에 비유했다.

양릉천(陽陵泉) "양(陽)"은 바깥쪽이고 "릉(陵)"은 종아리뼈머리(head of the fibula)를 가리키며, "천(泉)"은 샘이다. 종아리뼈머리(head of the fibula) 아래앞쪽 움푹한 곳을 샘에 비유하였다.

양교(陽交) 족소양경(足少陽經)과 양유맥(陽維脈)의 교회혈(交會穴)이기 때문에 유래된 이름이다.

외구(外丘) "구(丘)"는 언덕으로, 이 부위의 근육이 언덕처럼 융기되어 있는 것을 의미한다.

광명(光明) 족소양(足少陽)의 낙혈(絡穴)로, 간경(肝經)에 낙(絡)한다. 간(肝)의 규(竅)는 눈으로, 간담(肝膽)의 화(火)에 의한 눈의 질환에 효과가 있기 때문에 이런 이름이 붙여졌다.

양보(陽輔) 옛날에 종아리뼈(fibula)를 "외보골(外輔骨)"이라고 한 데서 유래했다.

현종(懸鐘) 옛날에는 아이들이 이곳에 종(鍾) 모양의 방울을 달고 다녔다고 하는 것에서 이런 이름이 붙여졌다.

구허(丘墟) "구(丘)"는 언덕이다. 커다란 언덕을 "허(墟)"라고 한다. 가쪽복사(lateral malleolus)를 여기에 비유했다.

족규음(足竅陰) 두규음(頭竅陰)과 족규음(足竅陰), 두임읍(頭臨泣)과 족임읍(足臨泣)은 상하에 호응하고 있다.

9—족소양담경(足少陽膽經) 경혈의 주치(主治)(1)

족소양담경(足少陽膽經)은 체내에서는 담(膽)에 속(屬)하고 간(肝)에 낙(絡)한다. 체표에서는 얼굴, 옆머리, 몸통의 옆면, 다리 바깥쪽을 달리고, 넷째 발가락 바깥쪽에 이른다. 그 유주에 따라 옆머리, 귀, 눈의 질환, 흉협부(胸脇部), 다리 바깥쪽의 감각과 운동장애의 치료에 쓰인다.

족소양경(足少陽經)은 고전에는 "반표반리(半表半裏)를 주관한다"고 하여, 옆머리와 몸통 옆부분의 증상에 많이 쓰인다.

경혈명칭	부위	주치(主治)	특수한 주치	자법(刺法)	비고
동자료(瞳子髎)	얼굴	눈의 여러 질환, 두통		횡자 0.3-0.5촌	
청회(聽會)		귀의 질환, 치통, 얼굴신경마비		직자 0.5-1촌	입을 벌리고 자입(刺入)
상관(上關)		얼굴신경마비, 삼차신경통, 얼굴근육경련, 비염, 치통, 두통	삼차신경통의 상용혈	직자 0.3-0.6촌	
함염(頷厭)	옆머리	편두통, 어지럼증, 이명		횡자 0.3-0.5촌	
현로(懸顱)		편두통, 어지럼증, 이명, 목적과 눈의 종창		횡지 0.5-0.8촌	
현리(懸釐)		편두통, 어지럼증, 이명, 목적과 눈의 종창		횡자 0.5-0.8촌	
곡빈(曲鬢)		두통, 치통, 턱관절장애, 구음장애		횡자 0.5-1촌	
솔곡(率谷)		편두통, 어지럼증, 이명, 목적과 눈의 종창	편두통의 상용혈	횡자 0.5-0.8촌	
천충(天衝)		두통, 치통, 정신병		횡자 0.5-0.8촌	
부백(浮白)		두통, 이명, 어지럼증		횡자 0.5-0.8촌	
두규음(頭竅陰)		두통, 이명, 어지럼증		횡자 0.5-0.8촌	
완골(完骨)	옆머리	두통, 경부근육통, 얼굴신경마비, 견비통	얼굴신경마비의 상용혈	사자 0.5-0.8촌	
본신(本神)		두통, 어지럼증, 불면, 정신병	진정안신작용	횡자 0.5-0.8촌	
양백(陽白)		두통, 눈병, 삼차신경통, 얼굴신경마비		횡자 0.3-0.5촌	
두임읍(頭臨泣)		두통, 눈병, 콧병		횡자 0.3-0.5촌	
목창(目窓)		두통, 눈병, 콧병		횡자 0.3-0.5촌	
정영(正營)		두통, 어지럼증, 콧병		횡자 0.3-0.5촌	
승령(承靈)		두통, 어지럼증, 치통		횡자 0.3-0.5촌	
뇌공(腦空)		두통, 어지럼증, 목근육통, 정신병		횡자 0.3-0.5촌	
풍지(風池)		두통, 어지럼증, 눈코의 질환, 이명, 경부근육통, 감기, 발열, 편마비, 견비통, 배부통(背部痛)	체표방어작용	코끝을 향하여 직자 0.5-1촌	숨뇌를 찌르지 않도록 주의
견정(肩井)	몸통	후두부통증, 견비통, 배부통(背部痛)	견비통의 상용혈	직자 0.5-0.8촌	기흉(氣胸)이 되지 않도록 주의
연액(淵腋)		흉협고만, 늑간신경통		사자 0.3-0.5촌	기흉(氣胸)이 되지 않도록 주의
첩근(輒筋)		흉협고만, 늑간신경통		사자 0.3-0.5촌	기흉(氣胸)이 되지 않도록 주의
일월(日月)		흉협고만, 늑간신경통, 구토, 트림, 황달		사자 0.3-0.5촌	
경문(京門)		소변불리, 수종, 늑간통, 복창, 장명 하리		직자 0.3-0.5촌	신장(腎臟)의 모혈(募穴) 신장(腎臟)을 찌르지 않도록 주의
대맥(帶脈)		부인병, 대상포진, 복통, 요늑통, 탈장		직자 0.5-1촌	
오추(五樞)		부인병, 대상포진, 복통, 요늑통, 탈장		직자 0.5-1촌	
유도(維道)		부인병, 대상포진, 복통, 요늑통, 탈장		직자 0.5-1촌	
거료(居髎)		요퇴통, 편마비		직자 0.5-1촌	
환도(環跳)		궁둥신경통, 둔부통, 편마비, 다리의 감각과 운동장애		직자 2-3촌	
풍시(風市)	넙다리	편마비, 다리의 감각과 운동장애	알레르기 체질개선	직자 1-2촌	
중독(中瀆)		편마비, 다리의 감각과 운동장애		직자 1-1.5촌	
슬양관(膝陽關)		무릎관절장애, 종아리의 감각과 운동장애		직자 0.5-1촌	
양릉천(陽陵泉)	종아리	편마비, 무릎관절장애, 종아리의 감각과 운동장애		직자 1-1.5촌	합토혈(合土穴) 팔회혈(八會穴)중 근회(筋會)

4. 수족궐음소양경(手足厥陰少陽經)의 경혈

9─족소양담경(足少陽膽經) 경혈의 주치(主治)(2)

경혈명칭	부위	주치(主治)	특수한 주치	자법(刺法)	비고
양교(陽交)	종아리	편마비, 슬통, 종아리의 연약무력, 흉협고만		직자 1-1.5촌	
외구(外丘)		목근육통, 흉협고만, 종아리 바깥쪽의 통증			극혈(郄穴)
광명(光明)		슬통, 종아리의 감각과 운동장애, 눈병			낙혈(絡穴)
양보(陽輔)		편두통, 눈병, 편마비, 종아리 바깥쪽의 통증			경화혈(經火穴)
현종(懸鐘)		편마비, 종아리 바깥쪽의 통증, 흉협고만			팔회혈(八會穴)중 골회(骨會)
구허(丘墟)	발	경항통, 종아리의 연약무력, 가쪽복사종창과 통증			원혈(原穴)
족임읍(足臨泣)		족배통, 눈병, 어지럼증			수목혈(兪木穴)
지오회(地五會)		족배통, 두통, 목적(目赤), 이명, 어지럼증			
협계(俠谿)		족배통, 두통, 목적(目赤), 이명, 어지럼증			형수혈(滎水穴)
족규음(足竅陰)		편두통, 목적(目赤), 이명, 어지럼증, 불면, 발열			정금혈(井金穴)

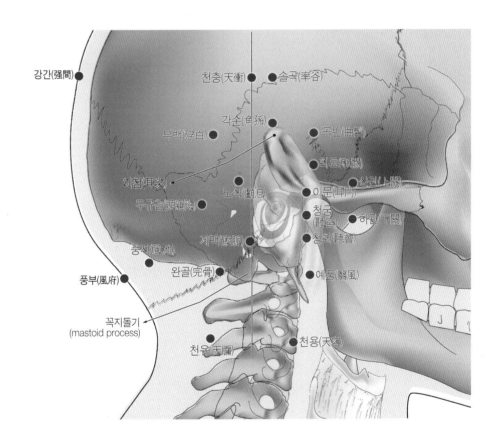

혈명의 유래

연액(淵腋) 겨드랑(axilla) 아래 깊이 숨어있는 것을 나타냈다.

첩근(輒筋) "첩(輒)"은 마차 등의 양쪽 난간을 가리킨다. 옆가슴의 갈비활(costal arch)을 여기에 비유했다.

일월(日月) 일(日)과 월(月)을 합치면 "명(明)"이 된다. 이 혈은 담(膽)의 모혈(募穴)로, 그 특징을 나타냈다. 담(膽)은 중정지관(中正之官)으로, 결단(決斷)이 나온다고 하였다.

경문(京門) 신장(腎臟)의 모혈(募穴)이다. "경(京)"은 서울의 의미로, 그 중요성을 나타내고 있다.

대맥(帶脈) 족소양담경(足少陽膽經)과 대맥(帶脈)이 여기에서 합류하는 것에서 유래했다. 여자들의 대하(帶下)를 치료한다.

오추(五樞) 담경(膽經)의 경문(京門), 대맥(帶脈), 오추(五樞), 유도(維道), 거료(居髎)의 5경혈 가운데 중앙에 있기 때문에 오추(五樞)라는 이름이 붙여졌다.

거료(居髎) "거(居)"는 웅크린다는 뜻으로, 이 혈은 웅크린 상태에서 취혈하기가 쉽다.

환도(環跳) "도(跳)"는 뛰다, 도약하다의 의미이다. 엉덩관절(hip joint)은 이러한 운동에 관여하는 "축(軸)"이라는 것을 나타내고 있다.

경혈부위(經穴部位) → p.84

10 — 족궐음간경(足厥陰肝經)의 경혈(14혈)(1)

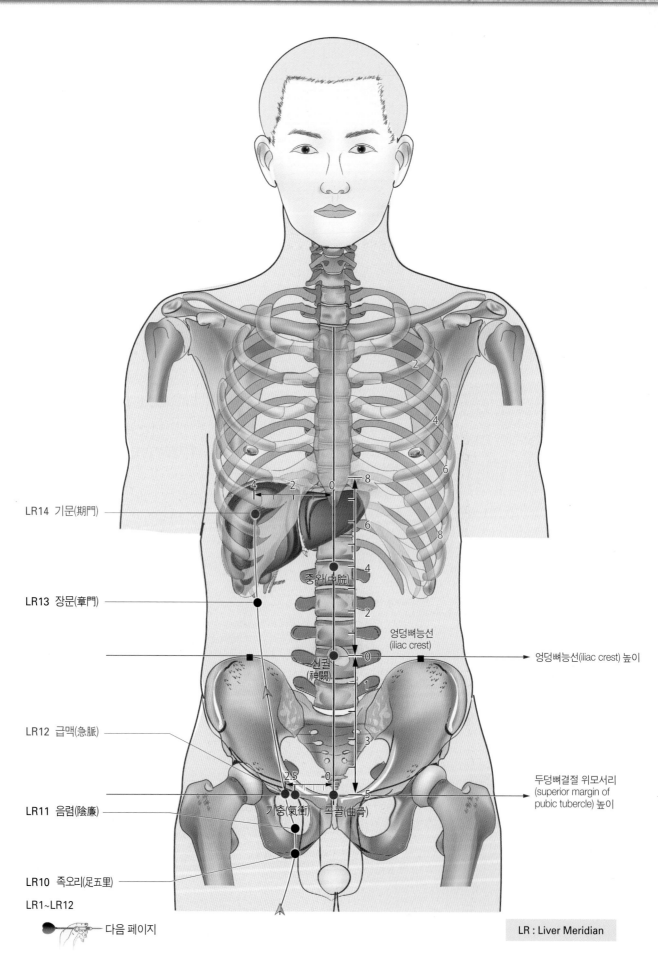

LR14 기문(期門)

LR13 장문(章門)

중완(中脘)

엉덩뼈능선
(iliac crest)

신궐
(神闕)

엉덩뼈능선(iliac crest) 높이

LR12 급맥(急脈)

두덩뼈결절 위모서리
(superior margin of
pubic tubercle) 높이

LR11 음렴(陰廉)

기충(氣衝)   곡골(曲骨)

LR10 족오리(足五里)

LR1~LR12

 다음 페이지

LR : Liver Meridian

10─ 족궐음간경(足厥陰肝經)의 경혈(14혈)(2)

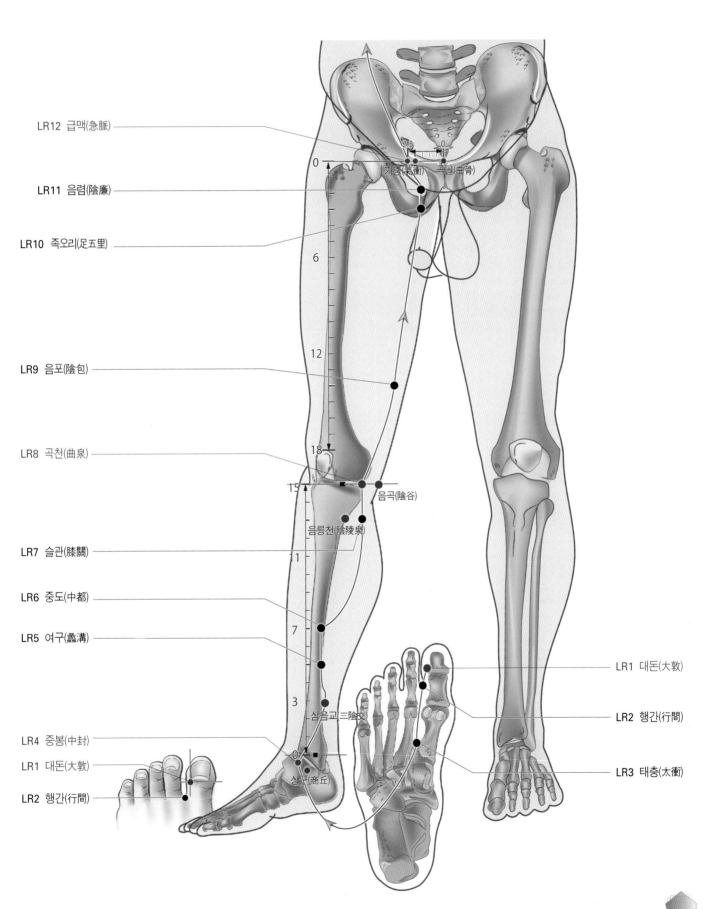

LR12 급맥(急脈)

LR11 음렴(陰廉)

LR10 족오리(足五里)

LR9 음포(陰包)

LR8 곡천(曲泉)

LR7 슬관(膝關)

LR6 중도(中都)

LR5 여구(蠡溝)

LR4 중봉(中封)

LR1 대돈(大敦)

LR2 행간(行間)

기충(氣衝)　곡골(曲骨)

음곡(陰谷)

음릉천(陰陵泉)

삼음교(三陰交)

상구(商丘)

LR1 대돈(大敦)

LR2 행간(行間)

LR3 태충(太衝)

11 – 간경(肝經) 발, 다리, 배 14혈

경혈의 위치

① 발부위 (4혈)

LR1	대돈(大敦)	엄지발가락, 끝마디뼈(distal phalanx)의 가쪽, 엄지발톱 가쪽 뿌리각(lateral corner of the toenail) 에서 몸쪽으로 0.1촌.
LR2	행간(行間)	발등, 첫째와 둘째 발가락(the 1st and 2nd toes) 사이, 발샅 가장자리(web margin)에서 몸쪽, 적백육제.
LR3	태충(太衝)	발등, 첫째와 둘째 발허리뼈(the 1st and 2nd metatarsal bones) 사이, 두 발허리뼈의 바닥 연접부에서 먼쪽 오목한 곳, 발등동맥(dorsalis pedis artery)이 뛰는 곳.
LR4	중봉(中封)	발목 앞안쪽면, 앞정강근힘줄(tibialis anterior tendon) 안쪽, 안쪽복사(medial malleolus) 앞쪽의 오목한 곳.

② 다리부위 (8혈)

LR5	여구(蠡溝)	종아리 앞안쪽면, 정강뼈 안쪽모서리(medial border of the tibia)의 중앙, 안쪽복사 융기(prominence of the medial malleolus)에서 몸쪽으로 5촌.
LR6	중도(中都)	종아리 앞안쪽면, 정강뼈 안쪽모서리(medial border of the tibia)의 중앙, 안쪽복사 융기(prominence of the medial malleolus)에서 몸쪽으로 7촌.
LR7	슬관(膝關)	종아리 정강뼈쪽면, 정강뼈 안쪽관절융기(medial condyle of the tibia) 아래쪽, 陰陵泉(SP9)에서 뒤쪽으로 1촌.
LR8	곡천(曲泉)	무릎 안쪽면, 오금주름(popliteal crease)의 안쪽끝, 반힘줄근의 힘줄(semitendinosus tendon)과 반막근의 힘줄(semimembranosus tendon)의 안쪽 오목한 곳.
LR9	음포(陰包)	넓적다리 안쪽면, 두덩정강근(gracilis muscle)과 넙다리빗근(sartorius muscle)의 사이, 무릎뼈 바닥 (base of the patella)에서 몸쪽으로 4촌.
LR10	족오리(足五里)	넓적다리 안쪽면, 氣衝(ST30)에서 먼쪽으로 3촌, 넙다리동맥(femoral artery)이 뛰는 곳.
LR11	음렴(陰廉)	넓적다리 안쪽면, 氣衝(ST30)에서 먼쪽으로 2촌.
LR12	급맥(急脈)	샅부위(groin region), 두덩결합(pubic symphysis) 위모서리와 같은 높이, 앞정중선(anterior median line)에서 가쪽으로 2.5촌.

③ 배 (2혈)

LR13	장문(章門)	옆배, 열한째 갈비뼈끝(free extremity of the 11th rib)의 아래쪽.
LR14	기문(期門)	앞가슴부위, 여섯째 갈비사이공간(the 6th intercostal space), 앞정중선(anterior median line)에서 가쪽으로 4촌.

간경(肝經) 발, 다리, 배 14혈의 취혈 방법

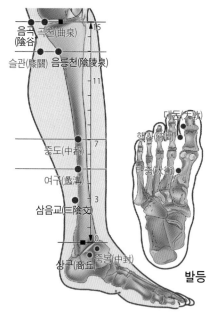

종아리(안쪽면)

① 발을 발등쪽으로 굽히면 앞정강근(anterior tibial m.) 힘줄이 확인된다. 그 바깥쪽 움푹한 곳에 해계 (解谿)를, 안쪽 움푹한 곳에 중봉(中封)을 취한다. 안쪽복사(medial malleo- lus) 아래앞쪽이 상구(商 丘)이고, 위앞쪽에 있는 것이 중봉(中封)이다(해계 (解谿)와 상구(商丘) 사이 에 중봉(中封)이 있다).

② 무릎을 굽혀 오금주름 (popliteal crease) 안쪽에 반힘줄근(semitendinosus m.) 힘줄과 반막근(semi- membranosus m.) 힘줄 사이에 음곡(陰谷)을 확인 하고, 그 안쪽에 곡천(曲 泉)을 취한다.

③ 슬관(膝關)은 곡천(曲泉) 아래, 음릉천(陰陵泉) 뒤 1 촌, 장딴지근(gastrocne- mius m.) 안쪽갈래(medi- al head) 위에 취한다.

④ 급맥(急脈)은 기충(氣衝) 의 뒤아래쪽 앞정중선 옆 2.5촌 샅고랑 동맥 박동 부에 취한다.

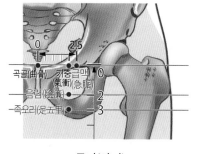

골반(앞면)

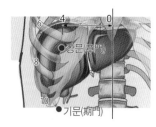

우측 갈비뼈 · 간장의 위치와 기문(期門) · 장문(章門)

혈명의 유래

대돈(大敦)	"돈(敦)"은 큰 것, 두터운 것을 가리킨다. 엄지발가락의 형태를 비유한 것이다.
행간(行間)	엄지와 둘째 발가락 사이에 있기 때문에 이런 이름이 붙여졌다.
태충(太衝)	옛날에 발등동맥(dorsal plantar a.)을 태충맥(太衝脈)이라고 하였다. "태(太)"는 크다, "충(衝)"은 충동한다는 의미이다. 위경(胃經)의 충양(衝陽)과 같이 동맥의 박동부가 만져지고, 기혈(氣血)이 왕성한 것을 강조했다.

여구(蠡溝)	"여구(蠡溝)"는 벌레가 나무를 갉아먹어 생긴 가늘고 긴 도랑을 말한다. 정강뼈(tibia)를 만져보면 그와 같은 느낌을 얻을 수 있다.
슬관(膝關)	무릎의 관절부에 있기 때문에 이런 이름이 붙여졌다.
곡천(曲泉)	족궐음(足厥陰)의 합수혈(合水穴)로, 혈기(血氣)가 이곳에 샘처럼 모인다.
기문(期門)	"기(期)"는 주기(週期)를 의미한다. 1년 12개월 365일을 1주기로 하듯이, 십이경맥(十二經脈) 361 경혈의 혈기(血氣) 유주 주기도 여기에서 끝나고 새로 시작한다.

4. 수족궐음소양경(手足厥陰少陽經)의 경혈

12 ─ 족궐음간경(足厥陰肝經) 경혈의 주치(主治)

족궐음간경(足厥陰肝經)은 체내에서는 간(肝)에 속(屬)하고 담(膽)에 낙(絡)한다. 체표에서는 발등의 안쪽, 다리 안쪽의 한가운데, 배의 옆면을 달리고, 갈비활(costal arch) 근처에 이른다. 그 유주에 따라 **발등과 다리 안쪽의 감각과 운동장애 및 생식기계, 부인과 질환의 치료에 쓰인다.**

경혈명칭	부위	주치(主治)	특수한 주치	자법(刺法)	비고
대돈(大敦)	발	탈장, 유뇨, 부인병(생리불순, 생리통, 자궁출혈 등)	구급혈, 진정안신작용	사자 0.1촌	정목혈(井木穴)
행간(行間)		두통, 어지럼증, 목적, 흉협고만, 소변불리, 요로통증, 부인병, 편마비	진정지통작용	직자 0.5-0.8촌	형화혈(榮火穴)
태충(太衝)		두통, 기상역(氣上逆), 어지럼증, 불면증, 흉협고만, 생리불순, 생리통, 족배통, 편마비	진정지통강압작용	직자 0.5-0.8촌	원혈(原穴) 수토혈(兪土穴)
중봉(中封)		안쪽복사통, 발목관절장애, 비뇨생식기계장애, 부인병, 신경쇠약, 복통		직자 0.5-0.8촌	경금혈(經金穴)
여구(蠡溝)	종아리	부인병, 비뇨생식기계장애, 종아리 안쪽의 감각운동장애		횡자 0.5-0.8촌	낙혈(絡穴)
중도(中都)		부인병, 비뇨생식기계장애, 종아리 안쪽의 감각운동장애		횡자 0.5-0.8촌	극혈(郄穴)
슬관(膝關)		무릎관절 안쪽의 감각운동장애, 종아리 연약무력		직자 1-1.5촌	
곡천(曲泉)		부인병, 비뇨생식기계장애, 도한(盜汗), 복통, 무릎관절 안쪽과 종아리 안쪽의 감각운동장애		직자 1-1.5촌	합수혈(合水穴)
음포(陰包)	넙다리	부인병, 비뇨생식기계장애		직자 1-1.5촌	
족오리(足五里)		부인병, 비뇨생식기계장애, 하복통		직자 1-1.5촌	
음렴(陰廉)		부인병, 비뇨생식기계장애, 하복통		직자 1-1.5촌	
급맥(急脈)		하복통, 탈장, 부인병, 비뇨생식기계장애		직자 0.5-0.8촌	
장문(章門)	배	복통, 복창, 장명, 하리, 흉협고만		사자 0.5-0.8촌	비경의 모혈 팔회혈(八會穴)중 장회(臟會)
기문(期門)		흉협고만, 복통, 복창, 장명, 하리		횡자 0.5-0.8촌	기흉(氣胸)이 되지 않도록 주의 간경의 모혈(募穴)

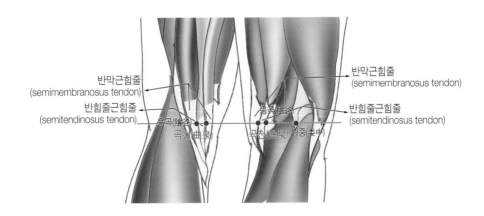

반막근힘줄 (semimembranosus tendon)
반힘줄근힘줄 (semitendinosus tendon)
음곡(陰谷)
곡천(曲泉)
반막근힘줄 (semimembranosus tendon)
반힘줄근힘줄 (semitendinosus tendon)
음곡(陰谷)
곡천(曲泉) 위중(委中)

제 **3** 장

경혈(經穴)의 국소 해부

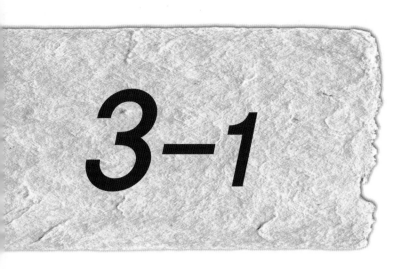

머리의 경혈과 국소 해부

1—얼굴의 경혈과 체표 해부

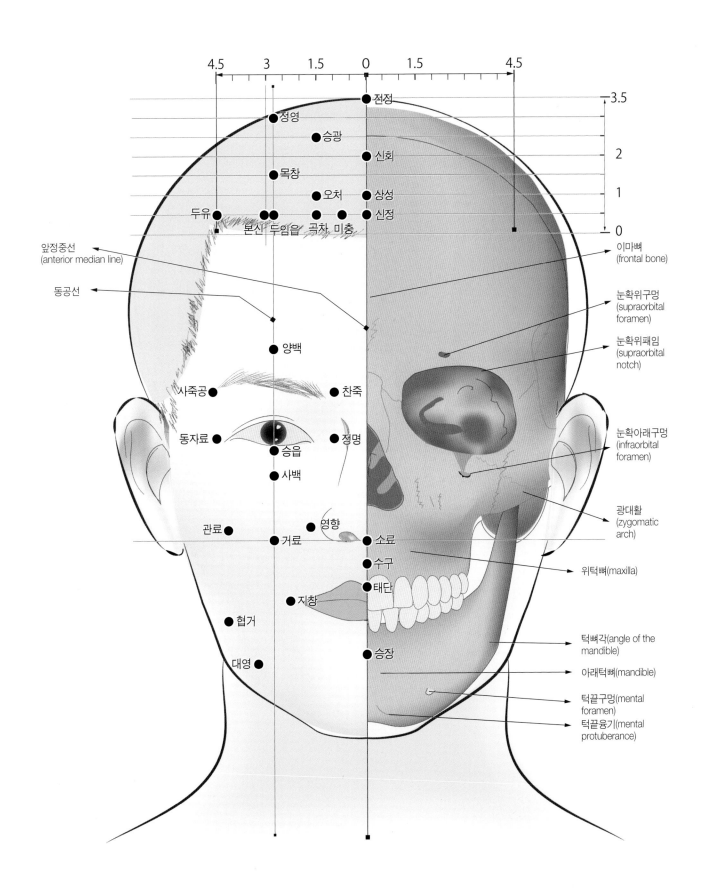

얼굴

2 — 얼굴의 경혈과 근육

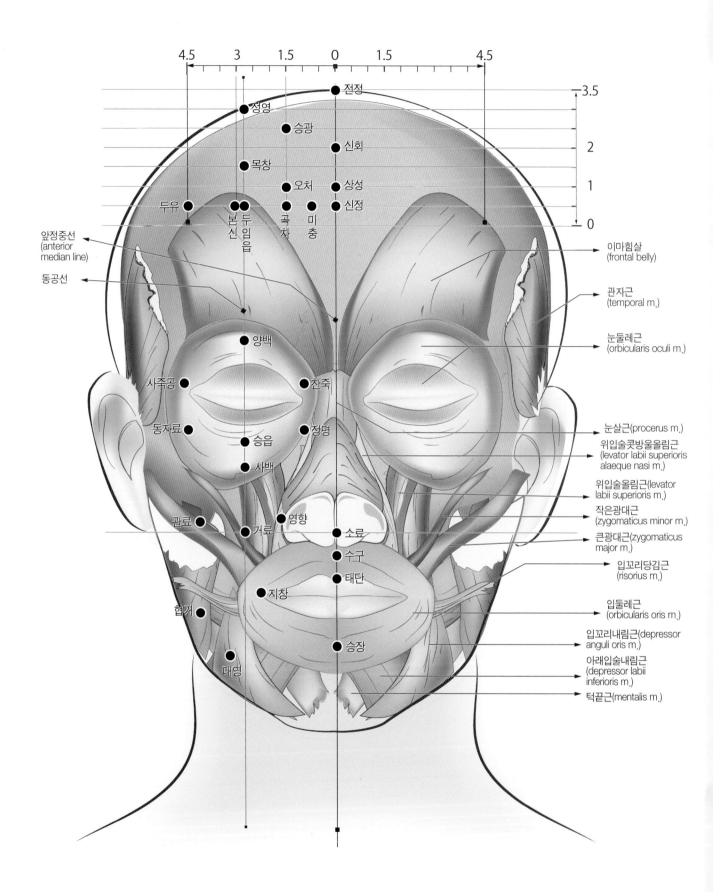

얼굴

1. 머리(head)

3─얼굴의 경혈과 동맥·정맥

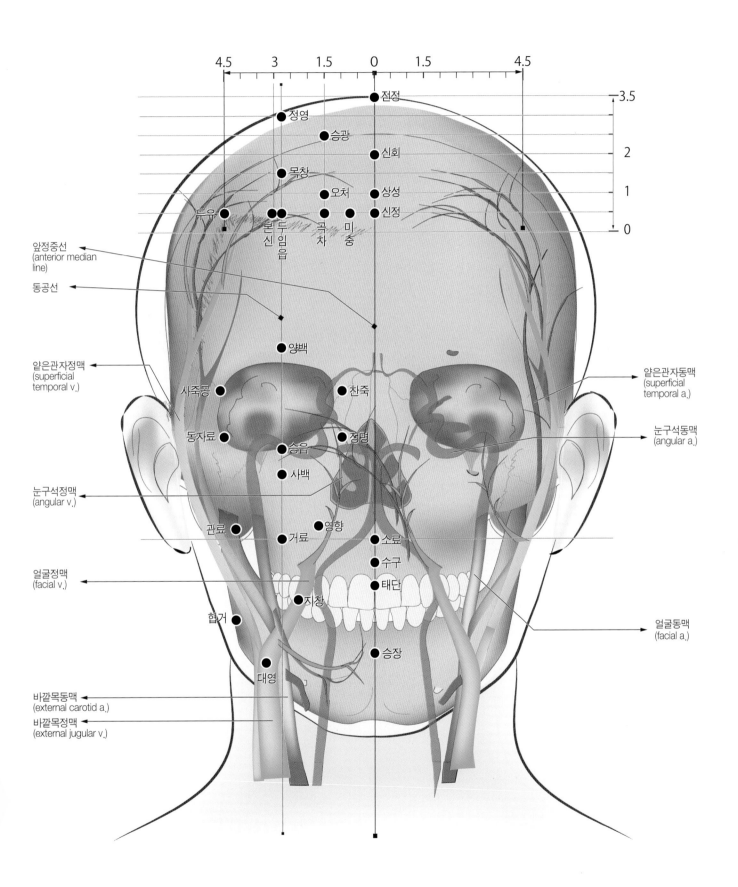

얼굴

4—뒷머리의 경혈과 체표 해부

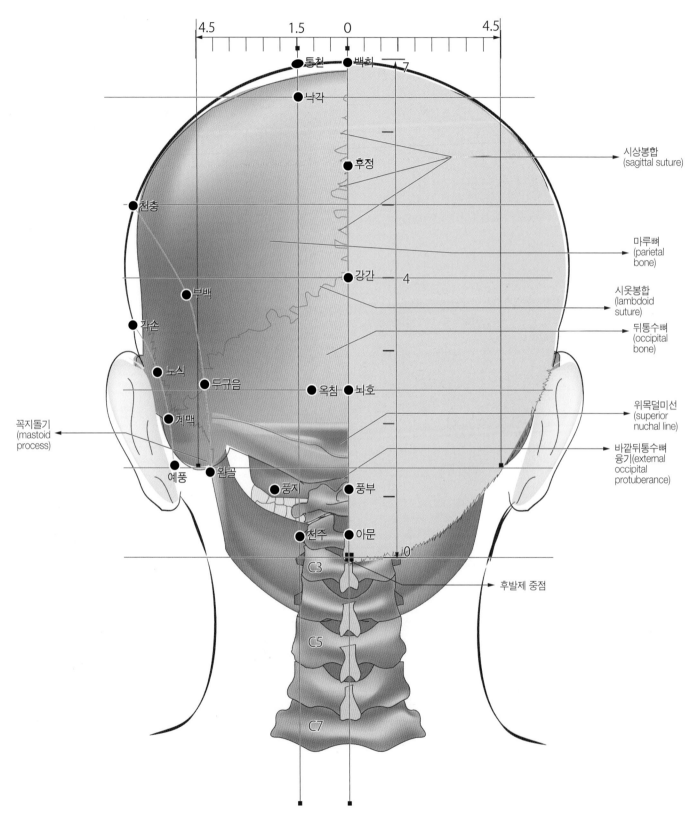

뒷머리

1. 머리(head)

5─뒷머리의 경혈과 근육

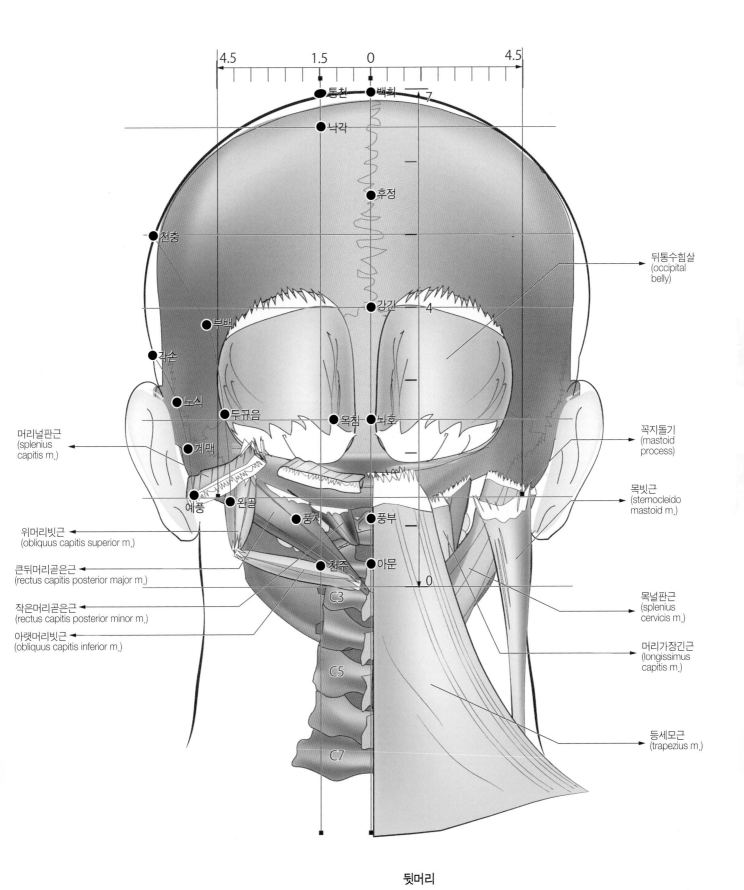

뒷머리

6—옆머리의 경혈과 체표 해부(1)

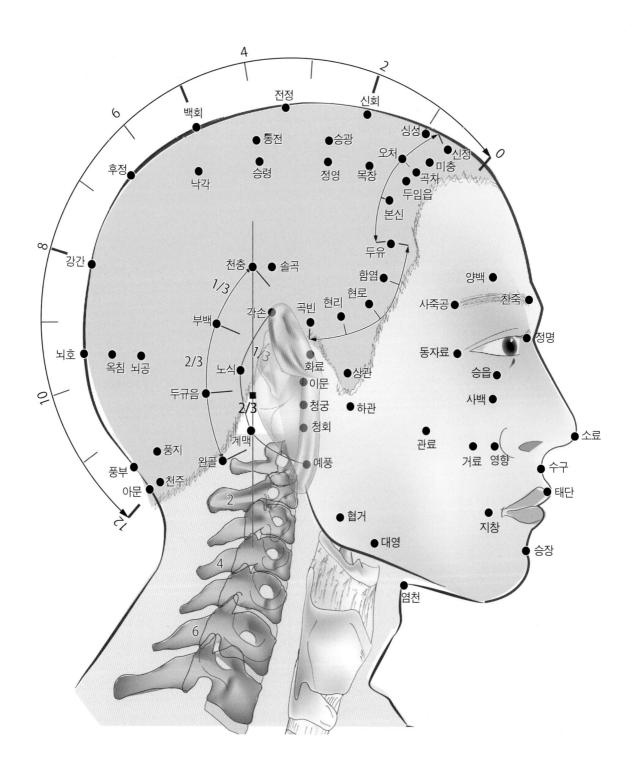

옆머리

6─옆머리의 경혈과 체표 해부(2)

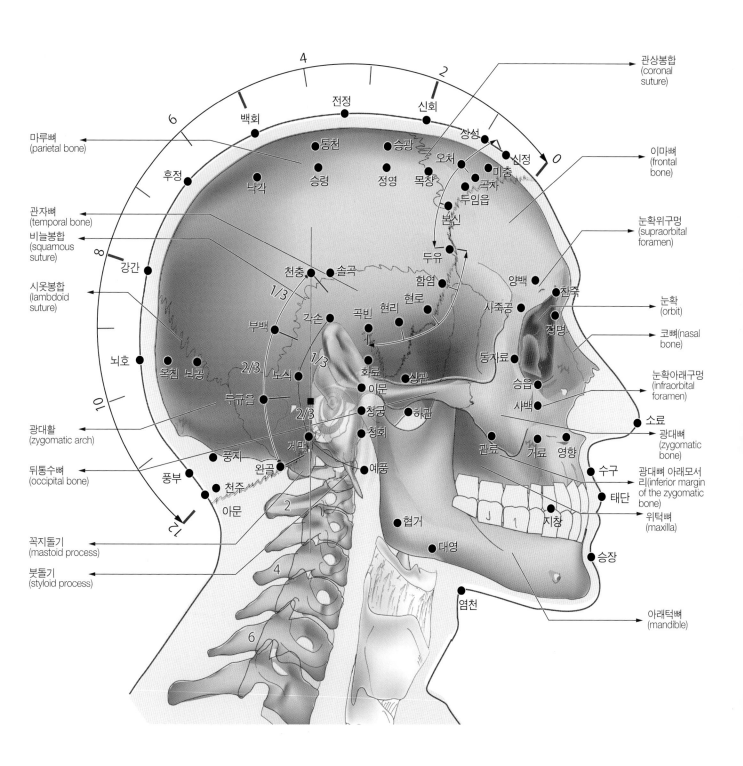

관상봉합 (coronal suture)

이마뼈 (frontal bone)

눈확위구멍 (supraorbital foramen)

눈확 (orbit)

코뼈(nasal bone)

눈확아래구멍 (infraorbital foramen)

소료

광대뼈 (zygomatic bone)

광대뼈 아래모서리(inferior margin of the zygomatic bone)

위턱뼈 (maxilla)

아래턱뼈 (mandible)

마루뼈 (parietal bone)

관자뼈 (temporal bone)

비늘봉합 (squamous suture)

시옷봉합 (lambdoid suture)

광대활 (zygomatic arch)

뒤통수뼈 (occipital bone)

꼭지돌기 (mastoid process)

붓돌기 (styloid process)

백회 전정 신회 상성 신정

통천 승광 오처 곡차 미충

승령 정영 목창 두임읍

낙각 본신

후정

강간

천충 솔곡 두유

함염 양백 찬죽

부백 곡빈 현리 현로 정명

각손 두규음 시죽공 동자료

뇌호 노식 화료 상관 승읍

옥침 뇌공 이문 사백

청궁 하관

풍지 청회

완골 계맥 예풍

풍부 천주 아문

협거

대영

염천

관료 거료 영향

수구

태단

지창

승장

옆머리

7 — 옆머리의 경혈과 근육

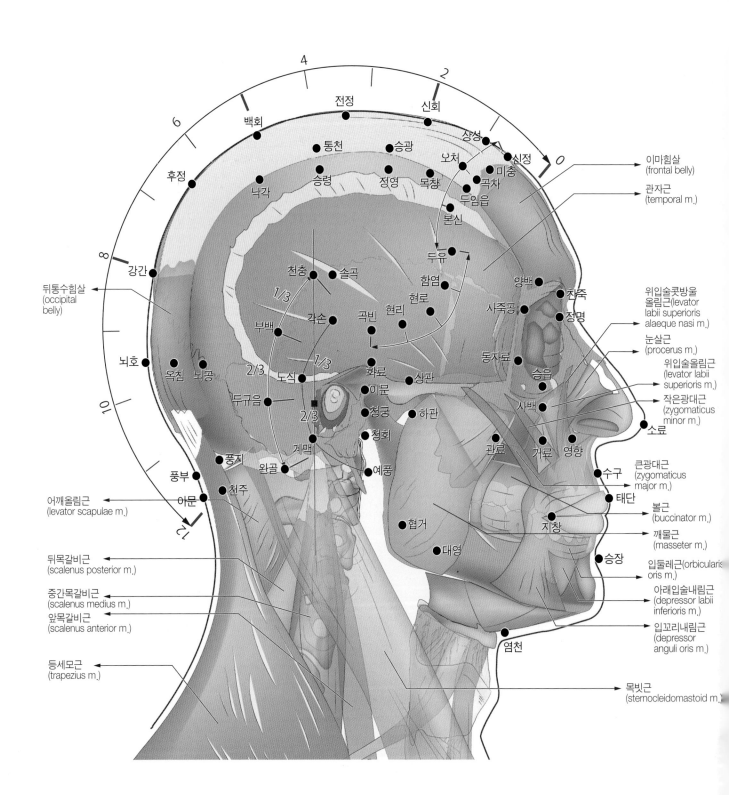

옆머리

1. 머리(head)

8─옆머리의 경혈과 동맥

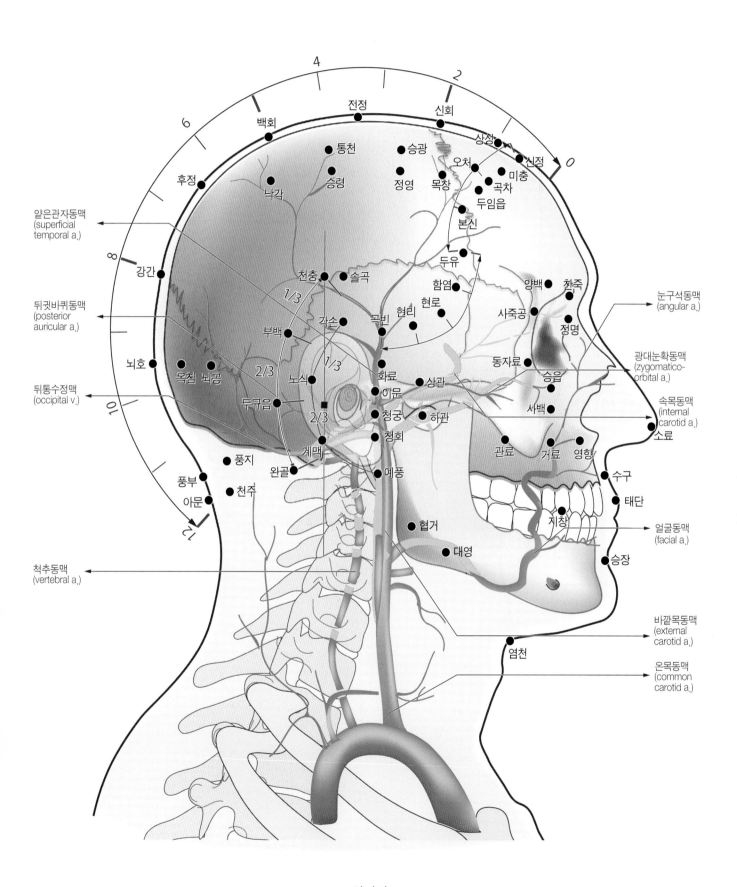

옆머리

9—머리의 경혈과 정맥

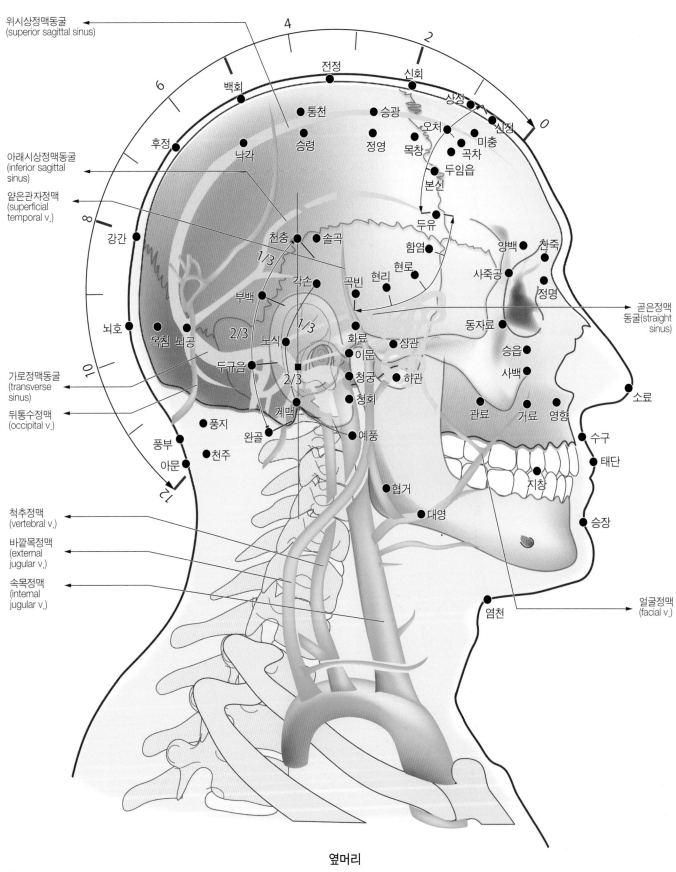

위시상정맥동굴
(superior sagittal sinus)

아래시상정맥동굴
(inferior sagittal sinus)

얕은관자정맥
(superficial temporal v.)

가로정맥동굴
(transverse sinus)

뒤통수정맥
(occipital v.)

척추정맥
(vertebral v.)

바깥목정맥
(external jugular v.)

속목정맥
(internal jugular v.)

곧은정맥동굴(straight sinus)

얼굴정맥
(facial v.)

전정   신회
백회   통천   승광   상성
        승령   정영   오처   신정
후정   낙각   목창   미충
                곡차
                두임읍
                본신
천충   솔곡   두유
        각손   함염   양백   찬죽
부백   곡빈   현리   현로   사죽공
옥침 뇌공   화료   상관   동자료
노식   이문   승읍
두규음 청궁   하관   사백
계맥   청회
        예풍   관료 거료 영향
풍지
완골   천주   협거   소료
풍부   대영   수구
아문   태단
                    지창
                            승장
            염천

옆머리

1. 머리(head)

10— 머리의 경혈과 삼차신경

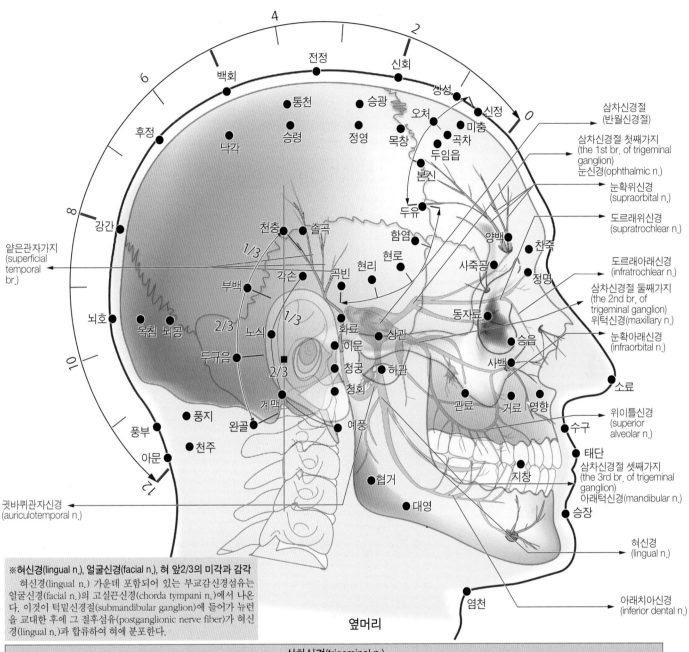

삼차신경절
(반월신경절)

삼차신경절 첫째가지
(the 1st br. of trigeminal ganglion)
눈신경(ophthalmic n.)

눈확위신경
(supraorbital n.)

도르래위신경
(supratrochlear n.)

얕은관자가지
(superficial temporal br.)

도르래아래신경
(infratrochlear n.)

삼차신경절 둘째가지
(the 2nd br. of trigeminal ganglion)
위턱신경(maxillary n.)

눈확아래신경
(infraorbital n.)

소료

위이틀신경
(superior alveolar n.)

태단
삼차신경절 셋째가지
(the 3rd br. of trigeminal ganglion)
아래턱신경(mandibular n.)

승장

혀신경
(lingual n.)

아래치아신경
(inferior dental n.)

귓바퀴관자신경
(auriculotemporal n.)

옆머리

※혀신경(lingual n.), 얼굴신경(facial n.), 혀 앞2/3의 미각과 감각

혀신경(lingual n.) 가운데 포함되어 있는 부교감신경섬유는 얼굴신경(facial n.)의 고실끈신경(chorda tympani n.)에서 나온다. 이것이 턱밑신경절(submandibular ganglion)에 들어가 뉴런을 교대한 후에 그 절후섬유(postganglionic nerve fiber)가 혀신경(lingual n.)과 합류하여 혀에 분포한다.

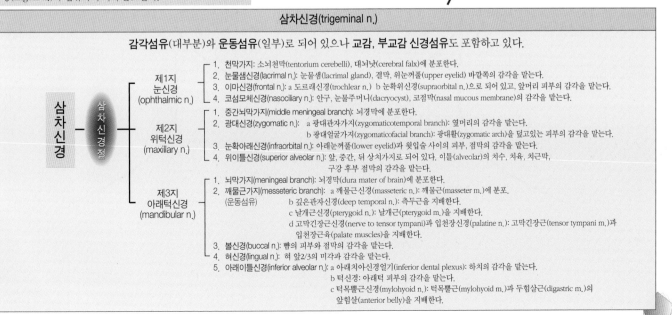

삼차신경(trigeminal n.)

감각섬유(대부분)**와 운동섬유**(일부)**로 되어 있으나 교감, 부교감 신경섬유도 포함하고 있다.**

- 제1지 눈신경 (ophthalmic n.)
  1. 천막가지: 소뇌천막(tentorium cerebelli), 대뇌낫(cerebral falx)에 분포한다.
  2. 눈물샘신경(lacrimal n.): 눈물샘(lacrimal gland), 결막, 위눈꺼풀(upper eyelid) 바깥쪽의 감각을 맡는다.
  3. 이마신경(frontal n.): a 도르래신경(trochlear n.) b 눈확위신경(supraorbital n.)으로 되어 있고, 앞머리 피부의 감각을 맡는다.
  4. 코섬모체신경(nasociliary n.): 안구, 눈물주머니(dacryocyst), 코점막(nasal mucous membrane)의 감각을 맡는다.

- 제2지 위턱신경 (maxillary n.)
  1. 중간뇌막가지(middle meningeal branch): 뇌경막에 분포한다.
  2. 광대신경(zygomatic n.): a 광대관자가지(zygomaticotemporal branch): 옆머리의 감각을 맡는다. b 광대얼굴가지(zygomaticofacial branch): 광대활(zygomatic arch)을 덮고있는 피부의 감각을 맡는다.
  3. 눈확아래신경(infraorbital n.): 아래눈꺼풀(lower eyelid)과 윗입술 사이의 피부, 점막의 감각을 맡는다.
  4. 위이틀신경(superior alveolar n.): 앞, 중간, 뒤 상치가지로 되어 있다. 이틀(alveolar)의 치수, 치육, 치근막, 구강 후부 점막의 감각을 맡는다.

- 제3지 아래턱신경 (mandibular n.)
  1. 뇌막가지(meningeal branch): 뇌경막(dura mater of brain)에 분포한다.
  2. 깨물근가지(messeteric branch): a 깨물근신경(masseteric n.): 깨물근(masseter m.)에 분포. (운동섬유) b 깊은관자신경(deep temporal n.): 측두근을 지배한다. c 날개근신경(pterygoid n.): 날개근(pterygoid m.)을 지배한다. d 고막긴장신경(nerve to tensor tympani)과 입천장신경(palatine n.): 고막긴장근(tensor tympani m.)과 입천장근육(palate muscles)을 지배한다.
  3. 볼신경(buccal n.): 뺨의 피부와 점막의 감각을 맡는다.
  4. 혀신경(lingual n.): 혀 앞2/3의 미각과 감각을 맡는다.
  5. 아래이틀신경(inferior alveolar n.): a 아래치아신경얼기(inferior dental plexus): 하치의 감각을 맡는다. b 턱신경: 아래턱 피부의 감각을 맡는다. c 턱목뿔근신경(mylohyoid n.): 턱목뿔근(mylohyoid m.)과 두힘살근(digastric m.)의 앞힘살(anterior belly)을 지배한다.

삼차신경 → 삼차신경절

105

11 ─ 머리의 경혈과 삼차신경의 분포 영역(1)

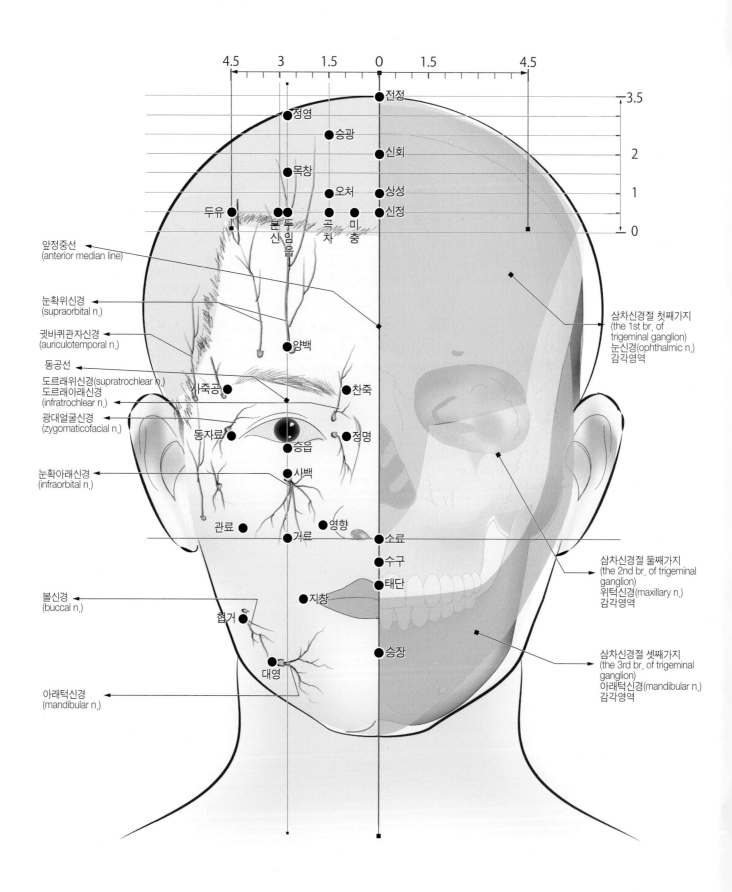

11—머리의 경혈과 삼차신경의 분포 영역(2)

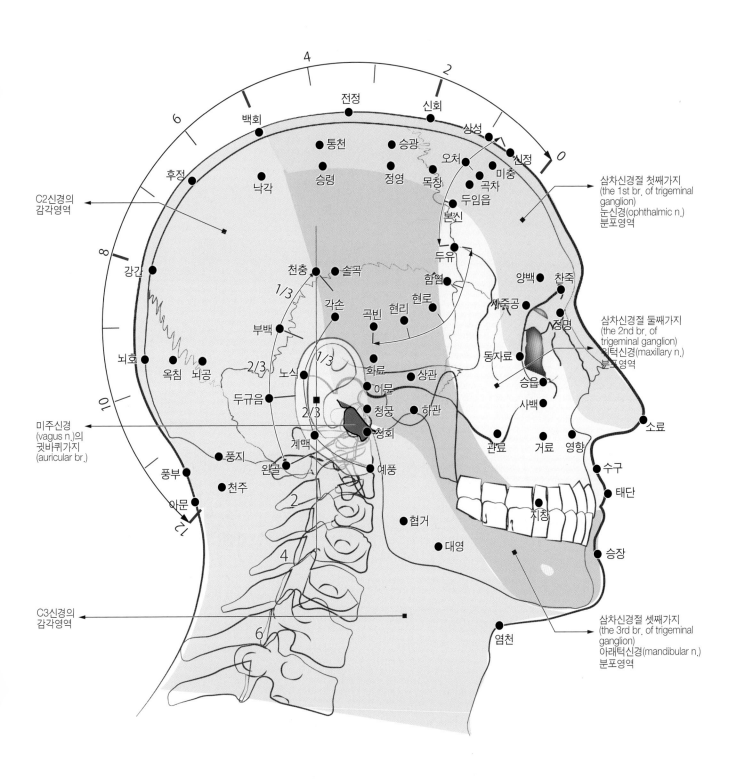

옆머리

12－머리의 경혈과 얼굴신경

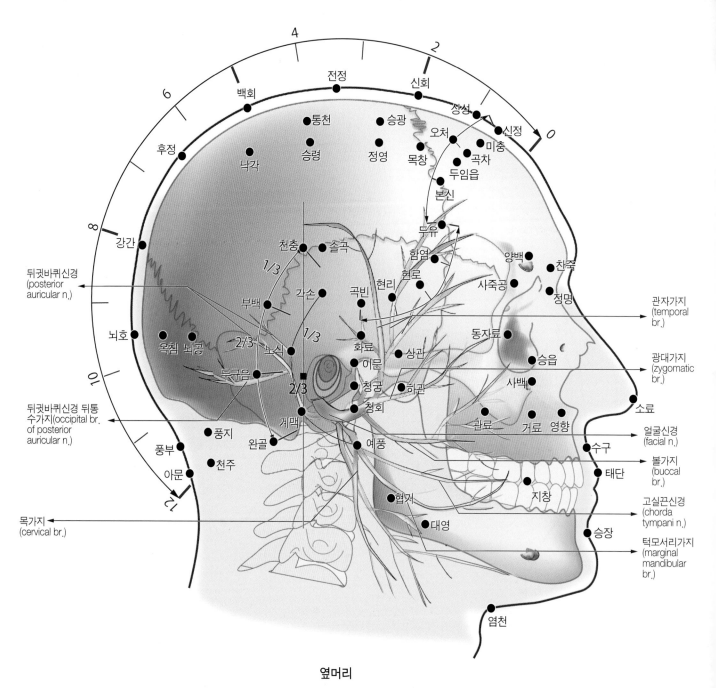

옆머리

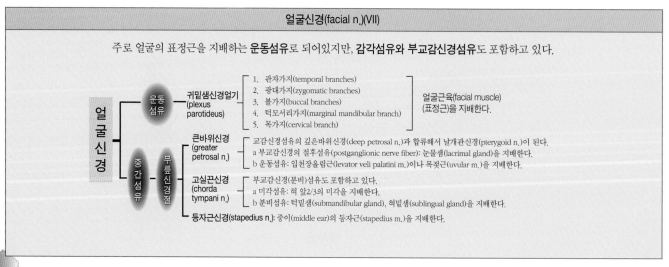

얼굴신경(facial n.)(Ⅶ)		
주로 얼굴의 표정근을 지배하는 **운동섬유**로 되어있지만, **감각섬유와 부교감신경섬유**도 포함하고 있다.		

얼굴신경 ┬ **운동섬유** ─ 귀밑샘신경얼기 (plexus parotideus)
- 1. 관자가지(temporal branches)
- 2. 광대가지(zygomatic branches)
- 3. 볼가지(buccal branches)
- 4. 턱모서리가지(marginal mandibular branch)
- 5. 목가지(cervical branch)

얼굴근육(facial muscle) (표정근)을 지배한다.

└ **중간섬유** ─ **무릎신경절** ─ 큰바위신경 (greater petrosal n.) ─ 교감신경섬유의 깊은바위신경(deep petrosal n.)과 합류해서 날개관신경(pterygoid n.)이 된다.
- a 부교감신경의 절후섬유(postganglionic nerve fiber): 눈물샘(lacrimal gland)을 지배한다.
- b 운동섬유: 입천장올림근(levator veli palatini m.)이나 목젖근(uvular m.)을 지배한다.

고실끈신경 (chorda tympani n.) ─ 부교감신경(분비)섬유도 포함하고 있다.
- a 미각섬유: 혀 앞2/3의 미각을 지배한다.
- b 분비섬유: 턱밑샘(submandibular gland), 혀밑샘(sublingual gland)을 지배한다.

등자근신경(stapedius n.): 중이(middle ear)의 등자근(stapedius m.)을 지배한다.

1. 머리(head)

13─머리의 경혈과 목신경의 분포 영역

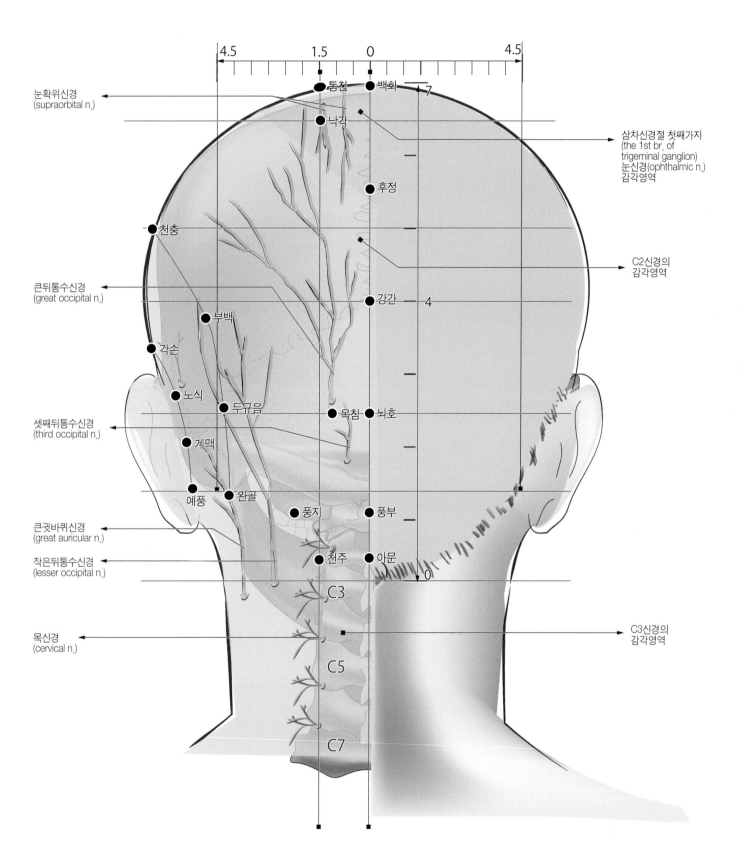

눈확위신경
(supraorbital n.)

통첨

백회

낙각

후정

삼차신경절 첫째가지
(the 1st br. of
trigeminal ganglion)
눈신경(ophthalmic n.)
감각영역

천충

C2신경의
감각영역

큰뒤통수신경
(great occipital n.)

강간

4

부백

각손

노식

두규음

옥침

뇌호

셋째뒤통수신경
(third occipital n.)

계맥

예풍

완골

큰귓바퀴신경
(great auricular n.)

풍지

풍부

작은뒤통수신경
(lesser occipital n.)

천주

아문

C3

목신경
(cervical n.)

C3신경의
감각영역

C5

C7

뒷머리

109

3-2

목의 경혈과 국소 해부

2. 목(neck)

1―목의 경혈과 근육(1)

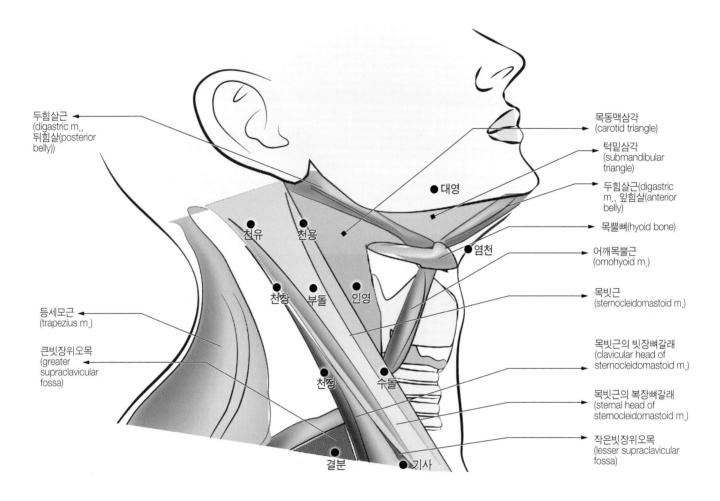

목빗근
(digastric m.,
뒤힘살(posterior
belly))

● 대영

천유   천용

천창   부돌   인영

등세모근
(trapezius m.)

큰빗장위오목
(greater
supraclavicular
fossa)

천정   수돌

결분   ● 기사

목동맥삼각
(carotid triangle)

턱밑삼각
(submandibular
triangle)

두힘살근(digastric
m., 앞힘살(anterior
belly)

목뿔뼈(hyoid bone)

어깨목뿔근
(omohyoid m.)

목빗근
(sternocleidomastoid m.)

목빗근의 빗장뼈갈래
(clavicular head of
sternocleidomastoid m.)

목빗근의 복장뼈갈래
(sternal head of
sternocleidomastoid m.)

작은빗장위오목
(lesser supraclavicular
fossa)

● 염천

목의 옆면

목빗근(sternocleidomastoid m.)
이는곳(origin): a 복장뼈갈래(sternal head): 복장뼈자루(manubrium) 위모서리.
　b 빗장뼈갈래(clavicular head): 빗장뼈(clavicle)의 안쪽 1/3.
닿는곳(insertion): 꼭지돌기(mastoid process)와 위목덜미선(superior nuchal line)
　의 바깥쪽.
지배 신경: 구심성: 목신경(cervical n.)(C2, C3). 원심성: 더부신경(accessory n.).
　※ 목빗근(sternocleidomastoid m.)의 복장뼈갈래(sternal head)와 빗장뼈갈래
　　(clavicular head) 사이에 **작은빗장위오목(lesser supraclavicular fossa)**이 보
　　인다.
　※ 쇄골 바깥쪽에는 **큰빗장위오목(greater supraclavicular fossa)**이 보인다.
　※ 목빗근(sternocleidomastoid m.)을 경계로 해서 앞은 **앞목삼각(anterior triangle**
　　of neck), 뒤는 **뒷목삼각(posterior triangle of neck)**을 이룬다.

두힘살근(digastric m.)
이는곳(origin): 앞힘살(anterior belly): 꼭지돌기(mastoid process) 안쪽면.
　뒤힘살(posterior belly): 턱뼈몸통(body of mandible)의 안쪽면.
닿는곳(insertion): 목뿔뼈(hyoid bone)의 바깥쪽면.
지배 신경: 앞힘살(anterior belly): 삼차신경(trigeminal n.)의 아래턱신경
　(mandibular n.). 뒤힘살(posterior belly): 얼굴신경(facial n.).
　※ 두힘살근(digastric m.)의 앞힘살(anterior belly), 뒤힘살(posterior belly)과 턱
　　뼈바닥(base of mandible)이 **턱밑삼각(submandibular triangle)**을 이룬다.

아래턱뒤오목(retromandibular fossa)
구성: ① 턱뼈가지(ramus of mandible), ② 두힘살근(digastric m.), ③ 목근막
(cervical fascia)의 아래턱인대(mandibular ligament)로 구성.
　　　　이 근처에는 **얼굴신경(facial n.)**과 그 가지, **목신경고리(ansa cervicalis)**,
　바깥목동맥(external carotid a.)과 그 가지가 있다.

턱밑삼각(submandibular triangle)
구성: ① 두힘살근(digastric m.)의 앞힘살(anterior belly) ② 두힘살근(digastric
m.)의 뒤힘살(posterior belly), ③ 아래턱뼈(mandible)의 아래모서리(inferior
margin).
　　　　여기에는 턱밑샘(submandibular gland)이 있고, **얼굴동맥(facial a.)**과
정맥, **혀밑신경(hypoglossal n.)**, **혀신경(lingual n.)**이 지나간다.

목동맥삼각(carotid triangle)
구성: ① 목빗근(sternocleidomastoid m.) 앞모서리, ② 두힘살근(digastric m.)의
뒤힘살(posterior belly), ③ 어깨목뿔근(omohyoid m.)의 위힘살(superior
belly)로 구성.
　　　　목동맥삼각(carotid triangle)에는 온목동맥(common carotid a.), 속목동
맥(internal carotid a.), **미주신경(vagus n.)**이 있다. 온목동맥(common
carotid a.)은 이 삼각에서 속목동맥(internal carotid a.)과 바깥목동맥
(external carotid a.)으로 나뉘고 바깥목동맥(external carotid a.)은 다시 많
은 가지로 나뉜다.

1—목의 경혈과 근육(2)

뒤통수이마근(occipitofrontal m.)
이는곳(origin): 뒤통수힘살(occipital belly): 좌우의 바깥뒤통수뼈융기(external occipital protuberance)(위목덜미선(superior nuchal line)과 맨위목덜미선(highest nuchal line)), 이마힘살(frontal belly): 눈썹과 미간의 피부.
닿는곳(insertion): 머리덮개널힘줄(galea aponeurotica).
지배 신경: 얼굴신경(facial n.).

머리널판근(splenius capitis m.)
이는곳(origin): C4-C7 목덜미인대(nuchal lig.)와 T1-T3가시돌기(spinous process).
닿는곳(insertion): 꼭지돌기(mastoid process)와 위목덜미선(superior nuchal line)의 가쪽 1/3.
지배 신경: 큰뒤통수신경(great occipital n.)과 C3-C5의 목척수신경(cervical spinal n.) 뒤가지.

목널판근(splenius cervicis m.)
이는 곳(origin): T3-T6가시돌기(spinous process).
닿는곳(insertion): C1-C4가로돌기(transverse process).
지배 신경: C3-C5의 목척수신경(cervical spinal n.) 뒤가지.

머리반가시근(semispinalis capitis m.)
이는 곳(origin): C4-C7가시돌기(spinous process)와 T1-T6가로돌기(transverse process).
닿는곳(insertion): 위목덜미선(superior nuchal line)과 아래목덜미선(inferior nuchal line) 사이.
지배 신경: C1-C4와 T4-T6 목척수신경(cervical spinal n.) 뒤가지.

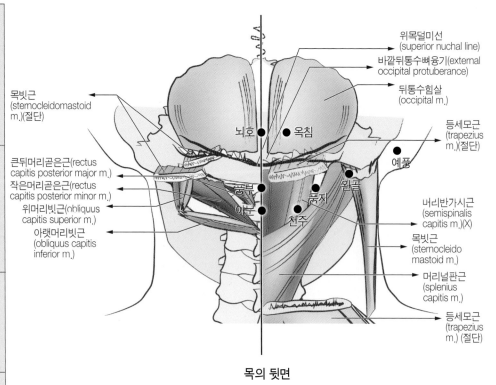

목빗근(sternocleidomastoid m.)(절단)
큰뒤머리곧은근(rectus capitis posterior major m.)
작은머리곧은근(rectus capitis posterior minor m.)
위머리빗근(ohliquus capitis superior m.)
아랫머리빗근(obliquus capitis inferior m.)

위목덜미선(superior nuchal line)
바깥뒤통수뼈융기(external occipital protuberance)
뒤통수힘살(occipital m.)
등세모근(trapezius m.)(절단)
예풍
머리반가시근(semispinalis capitis m.)(X)
목빗근(sternocleido mastoid m.)
머리널판근(splenius capitis m.)
등세모근(trapezius m.) (절단)

뇌호 · 옥침
풍부 · 완골
아문 · 풍지
천주

목의 뒷면

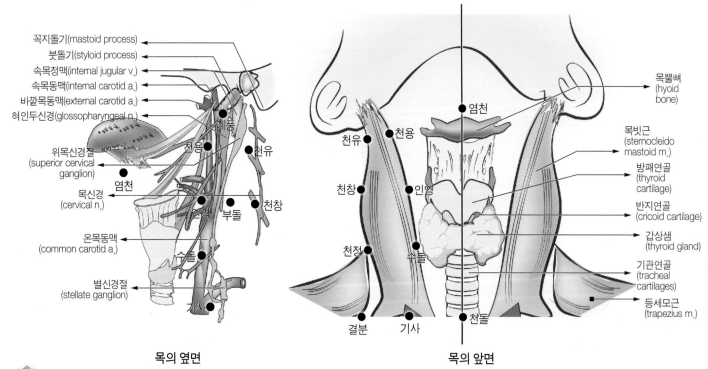

꼭지돌기(mastoid process)
붓돌기(styloid process)
속목정맥(internal jugular v.)
속목동맥(internal carotid a.)
바깥목동맥(external carotid a.)
혀인두신경(glossopharyngeal n.)
위목신경절(superior cervical ganglion)
목신경(cervical n.)
온목동맥(common carotid a.)
별신경절(stellate ganglion)

예풍
전용
천유
염천
인영 · 부돌 · 천창
수돌
기사

목의 옆면

목뿔뼈(hyoid bone)
목빗근(sternocleido mastoid m.)
방패연골(thyroid cartilage)
반지연골(cricoid cartilage)
갑상샘(thyroid gland)
기관연골(tracheal cartilages)
등세모근(trapezius m.)

염천
천유 · 천용
천창 · 인영
천정 · 속돌
결분 · 기사 · 천돌

목의 앞면

2. 목(neck)

2─목의 경혈과 온목동맥

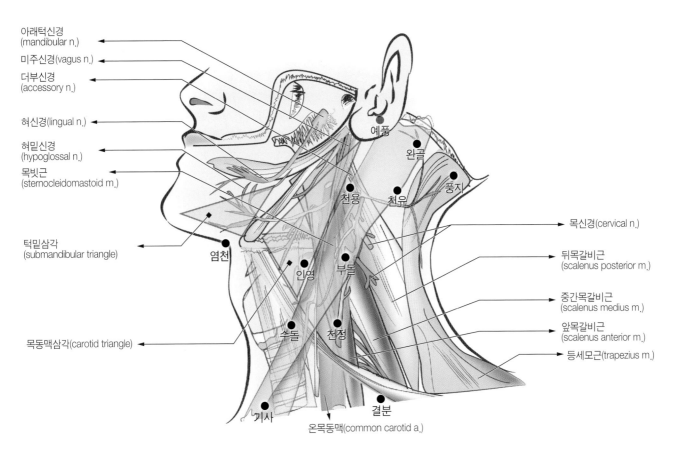

아래턱신경 (mandibular n.)

미주신경(vagus n.)

더부신경 (accessory n.)

혀신경(lingual n.)

혀밑신경 (hypoglossal n.)

목빗근 (sternocleidomastoid m.)

턱밑삼각 (submandibular triangle)

목동맥삼각(carotid triangle)

예풍

완골

천용 천유 풍지

목신경(cervical n.)

뒤목갈비근 (scalenus posterior m.)

중간목갈비근 (scalenus medius m.)

앞목갈비근 (scalenus anterior m.)

등세모근(trapezius m.)

염천 인영 부돌

수돌 천정

기사 결분

온목동맥(common carotid a.)

목의 옆면

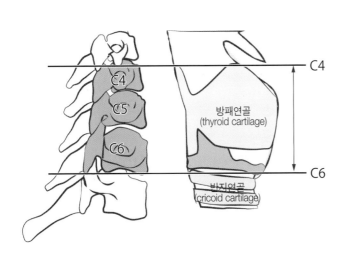

C4

C4
C5
C6

방패연골 (thyroid cartilage)

C6

반지연골 (cricoid cartilage)

후두(喉頭)의 높이와 목뼈의 관계

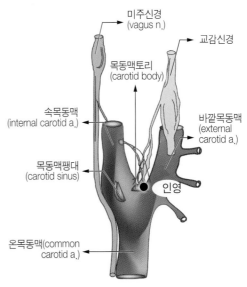

미주신경 (vagus n.)

교감신경

목동맥토리 (carotid body)

속목동맥 (internal carotid a.)

바깥목동맥 (external carotid a.)

목동맥팽대 (carotid sinus)

인영

온목동맥(common carotid a.)

인영(人迎)과 목동맥팽대

3 — 목의 경혈과 목동맥삼각

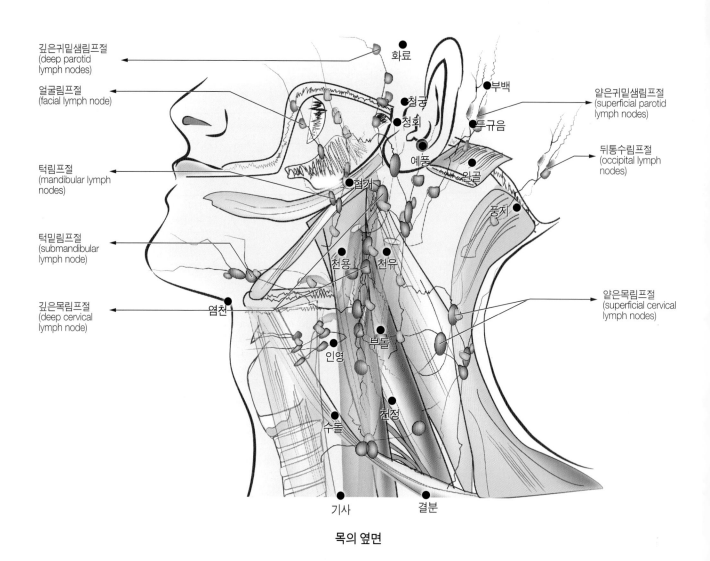

깊은귀밑샘림프절
(deep parotid
lymph nodes)

얼굴림프절
(facial lymph node)

턱림프절
(mandibular lymph
nodes)

턱밑림프절
(submandibular
lymph node)

깊은목림프절
(deep cervical
lymph node)

화료

청궁

청회

예풍

협거

염천

인영

부돌

수돌

천용

천유

천정

기사

결분

부백

두규음

완골

풍지

얕은귀밑샘림프절
(superficial parotid
lymph nodes)

뒤통수림프절
(occipital lymph
nodes)

얕은목림프절
(superficial cervical
lymph nodes)

목의 옆면

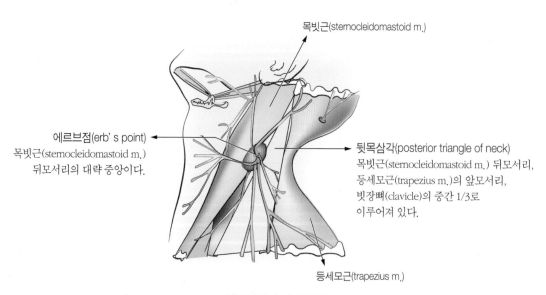

목빗근(sternocleidomastoid m.)

에르브점(erb's point)
목빗근(sternocleidomastoid m.)
뒤모서리의 대략 중앙이다.

뒷목삼각(posterior triangle of neck)
목빗근(sternocleidomastoid m.) 뒤모서리,
등세모근(trapezius m.)의 앞모서리,
빗장뼈(clavicle)의 중간 1/3로
이루어져 있다.

등세모근(trapezius m.)

뒷목삼각과 에르브점

2. 목(neck)

4—목의 경혈과 목신경얼기

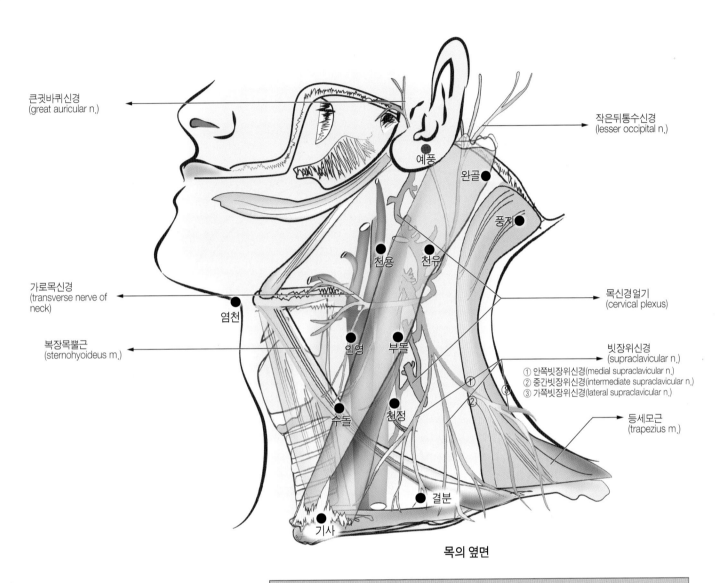

큰귓바퀴신경
(great auricular n.)

작은뒤통수신경
(lesser occipital n.)

여풍

완골

풍지

천용 천유

가로목신경
(transverse nerve of neck)

염천

목신경얼기
(cervical plexus)

복장목뿔근
(sternohyoideus m.)

인영 부돌

빗장위신경
(supraclavicular n.)
① 안쪽빗장위신경(medial supraclavicular n.)
② 중간빗장위신경(intermediate supraclavicular n.)
③ 가쪽빗장위신경(lateral supraclavicular n.)

수돌 천정

①
②

등세모근
(trapezius m.)

결분

기사

목의 옆면

목신경얼기(cervical plexus)

C1-C4 목신경(cervical n.) 앞가지가 문합되어 이루어진 목신경얼기(cervical plexus)는 **피부가지**와 **근육가지**로 대별된다.

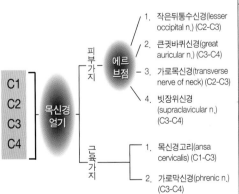

- **작은뒤통수신경(lesser occipital n.) (C2-C3):** 목빗근(sternocleidomastoid m.)의 뒤모서리를 따라 위로 올라가 귓바퀴 뒤쪽과 뒤통수부위(occipital region)에 분포한다.
- **큰귓바퀴신경(great auricular n.) (C3-C4):** 목빗근(sternocleidomastoid m.)의 뒤모서리 중앙에서 나와 위로 올라가 귓바퀴 뒤쪽, 바깥쪽부, 앞쪽의 피부에 분포한다.
- **가로목신경(transverse nerve of neck) (C2-C3):** 목빗근(sternocleidomastoid m.)의 뒤모서리를 돌아서 나와 목의 앞과 옆 피부에 분포한다.
- **빗장위신경(supraclavicular n.) (C3-C4):** 목빗근(sternocleidomastoid m.) 뒤모서리에서 나와 뒷목삼각(posterior triangle of neck)의 아래쪽을 달려 목의 위쪽에서 가슴위쪽에 걸쳐 분포한다.
- **목신경고리(ansa cervicalis) (C1-C3):** 목뿔아래근육(infrahyoid muscle)(어깨목뿔근(omohyoid m.), 복장방패근(sternothyroideus m.))과 복장목뿔근(sternohyoideus m.)을 지배한다.
- **가로막신경(phrenic n.) (C3-C4):** 주로 C4에서 나온다. 목신경얼기(cervical plexus)로 갈라져 앞목갈비근(scalenus anterior m.) 앞을 아래안쪽으로 비스듬히 가로질러 빗장밑동맥과 정맥(subclavian a. & v.) 사이를 통과해서 가슴안(thoracic cavity)으로 들어간다.

가로막신경(phrenic n.)은 근육가지 외에도 감각섬유와 교감신경섬유도 포함하고 있다.
① 근육가지: 가슴안(thoracic cavity)을 내려가 가로막(diaphragm)을 지배한다.
② 감각섬유: 가로막(diaphragm)과 거기에 접한 가슴막(pleura)과 심장바깥막(epicardium)의 감각을 맡는다.
※ 큰뒤통수신경(great occipital n.): 둘째 목뼈(the 2nd cervical vertebra)의 뒤가지로 되어 있다. 뒤통수부위(occipital region)와 마루부위(parietal region)의 피부에 분포한다.
※ 뒤통수신경(occipital n.): 첫째 목신경(the 1st cervical n.)의 뒤가지이다. 셋째뒤통수신경(third occipital n.): 셋째 목신경(the 3rd cervical n.)의 뒤가지이다. 두 신경이 목 깊은 곳의 근육을 지배한다.

5—목의 경혈과 자율신경(1)

목 · 머리의 옆면

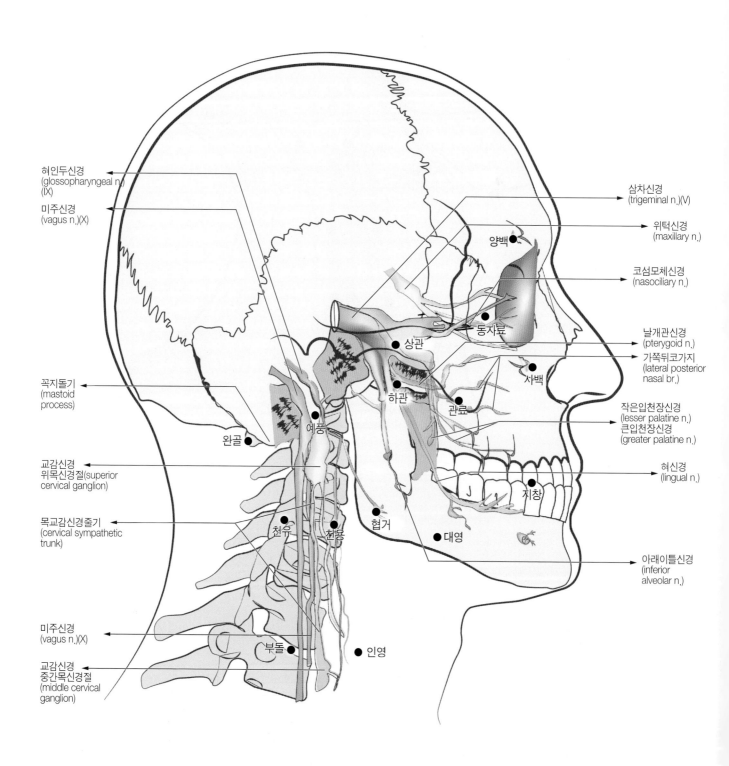

혀인두신경
(glossopharyngeal n.)
(IX)

미주신경
(vagus n.)(X)

꼭지돌기
(mastoid
process)

교감신경
위목신경절(superior
cervical ganglion)

목교감신경줄기
(cervical sympathetic
trunk)

미주신경
(vagus n.)(X)

교감신경
중간목신경절
(middle cervical
ganglion)

삼차신경
(trigeminal n.)(V)

위턱신경
(maxillary n.)

코섬모체신경
(nasociliary n.)

날개관신경
(pterygoid n.)

가쪽뒤코가지
(lateral posterior
nasal br.)

작은입천장신경
(lesser palatine n.)
큰입천장신경
(greater palatine n.)

혀신경
(lingual n.)

아래이틀신경
(inferior
alveolar n.)

양백

동자료

상관

하관

관료

사백

예풍

완골

지창

천유

천용

협거

대영

부돌

인영

목 · 머리의 옆면

5─목의 경혈과 자율신경(2)

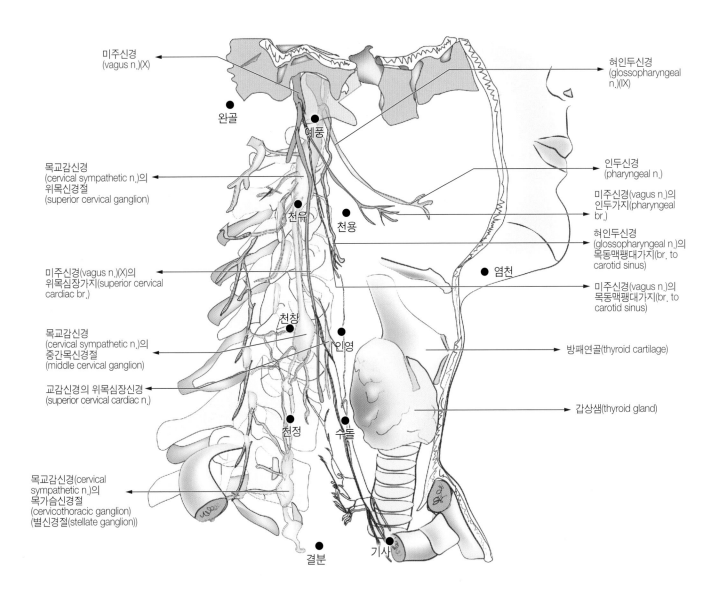

미주신경
(vagus n.)(X)

완골

예풍

목교감신경
(cervical sympathetic n.)의
위목신경절
(superior cervical ganglion)

천유

천용

미주신경(vagus n.)(X)의
위목심장가지(superior cervical
cardiac br.)

목교감신경
(cervical sympathetic n.)의
중간목신경절
(middle cervical ganglion)

교감신경의 위목심장신경
(superior cervical cardiac n.)

천창

인영

목교감신경(cervical
sympathetic n.)의
목가슴신경절
(cervicothoracic ganglion)
(별신경절(stellate ganglion))

천정

수돌

결분

기사

혀인두신경
(glossopharyngeal
n.)(IX)

인두신경
(pharyngeal n.)

미주신경(vagus n.)의
인두가지(pharyngeal
br.)

혀인두신경
(glossopharyngeal n.)의
목동맥팽대가지(br. to
carotid sinus)

염천

미주신경(vagus n.)의
목동맥팽대가지(br. to
carotid sinus)

방패연골(thyroid cartilage)

갑상샘(thyroid gland)

목의 옆면

117

6—목의 경혈과 더부신경

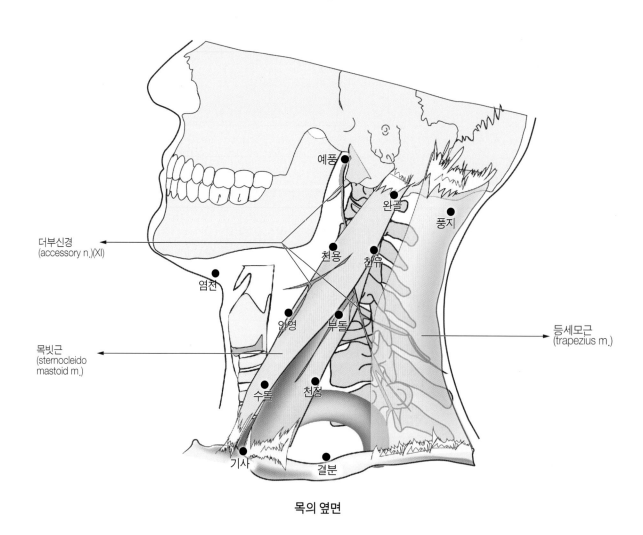

목의 옆면

더부신경(accessory n.)(XI)

약간의 뇌뿌리(cranial root)와 대부분의 척수뿌리(spinal root)로 되어 있고 운동신경이다.
더부신경(accessory n.)은 속가지와 바깥가지로 나뉜다.

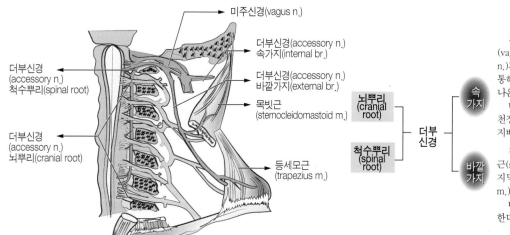

더부신경의 구성

뇌뿌리(cranial root)에서 일어나 미주신경(vagus n.)과 허인두신경(glossopharyngeal n.)과 같이 목정맥구멍(jugular foramen)을 통해서 머리뼈바닥(base of skull)의 밖으로 나온다.

미주신경(vagus n.)과 합류하여 물렁입천장(soft palate)과 후두(larynx)의 근육을 지배한다.

척수뿌리(spinal root)에서 일어나 목빗근(sternocleidomastoid m.)을 관통해서 마지막 분지로 나뉘어 등세모근(trapezius m.)에 분포한다.

바깥가지는 주로 위의 두 근육을 지배한다.

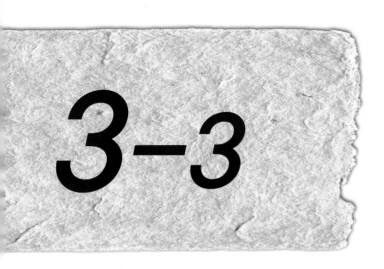

몸통의 경혈과 국소 해부

1─몸통 (앞)의 경혈과 국소 해부

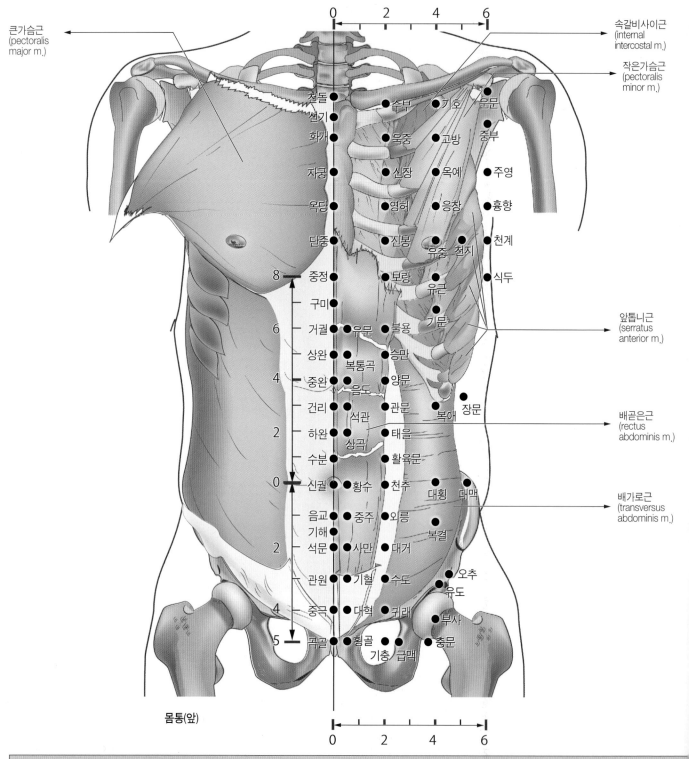

큰가슴근
(pectoralis
major m.)

속갈비사이근
(internal
intercostal m.)

작은가슴근
(pectoralis
minor m.)

앞톱니근
(serratus
anterior m.)

배곧은근
(rectus
abdominis m.)

배가로근
(transversus
abdominis m.)

천돌　수부　기호　운문
선기
화개　욱중　고방　중부
자궁　신장　옥예　주영
옥당　영허　응창　흉향
단중　진봉　유중　천지　천계
중정　보랑　유근　식두
구미
거궐　유문　불용　기문
상완　승만
중완　복통곡　양문
건리　음도　관문
하완　석관　태을　복애　장문
상곡
수분　활육문
신궐　황수　천추　대횡　대맥
음교　중주　외릉
기해
석문　사만　대거
관원　기혈　수도　오추　유도
중극　대혁　귀래　부사
곡골　횡골　충문
기충　급맥

몸통(앞)

가슴과 배의 근육　1. 가슴(thoracic)과 팔이음부위(shoulder girdle) 2. 가슴벽(thoracic wall) (호흡근) 3. 앞배

I
1. 큰가슴근(pectoralis major m.)과
2. 작은가슴근(pectoralis minor m.)
　상세한 것은 p143에 설명한다.
3. 앞톱니근(serratus anterior m.)
　이는곳(origin): 첫째-아홉째 갈비뼈(1-9th rib) 바깥쪽면. 닿는곳(insertion): 어깨뼈(scapula)의 안쪽모서리와 아래각. 지배신경: 긴가슴신경(long thoracic n.)(C5-C8).
4. 빗장밑근(subclavius m.)
　이는곳(origin): 첫째 갈비뼈와 갈비연골(costal cartilage) 윗면. 닿는곳(insertion): 빗장뼈(clavicle) 아래면. 지배신경: 빗장밑근신경(subclavius n.)(C5).

II
호기근(呼氣筋): 1. 속갈비사이근(internal intercostal m.). 2. 맨속갈비사이근(innermost intercostal m.). 3. 갈비밑근(subcostal m.). 4. 가슴가로근(transversus thoracic m.).
흡기근(吸氣筋): 1. 바깥갈비사이근(external intercostal m.). 2. 가로막(diaphragm). 3. 갈비올림근(levarores costarum m.).

III
1. 배곧은근(rectus abdominis m.)
　이는곳(origin): 두덩결합(pubic symphysis)과 두덩뼈(pubis) 위모서리. 닿는곳(insertion): 다섯째-일곱째 갈비연골(5-7th costal cartilage)과 칼돌기(xiphoid process). 지배신경: T7-T12.
2. 배세모근(pyramidalis m.)
　이는곳(origin): 두덩뼈(pubis). 닿는곳(insertion): 백색선(linea alba). 지배신경: T12-L1.

3. 몸통(trunk)

2—몸통 (앞)의 경혈과 가슴신경

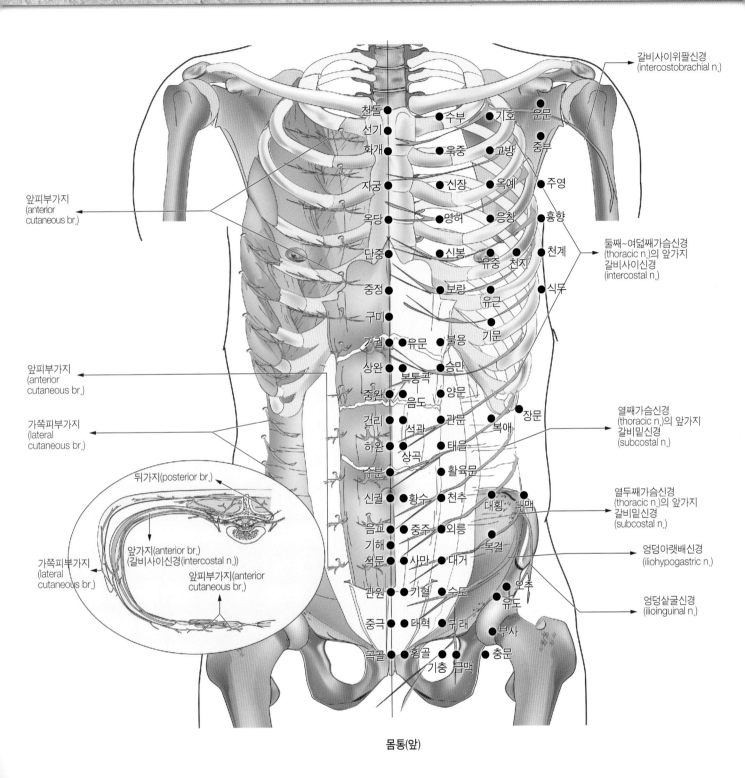

몸통(앞)

---

4. 가쪽배벽근육(lateral abdominal m.) 5. 뒤배벽근육(posterior abdominal m.): 허리네모근(quadratus lumborum m.)

IV	1. 배바깥빗근(external abdominal oblique m.) 　이는곳(origin): 다섯째-열두째 갈비(5-12th rib) 바깥면. **닿는곳**(insertion): 배곧은근집(rectus sheath), 엉덩뼈능선(iliac crest) 바깥능선, 샅고랑 인대(inguinal ligament). 2. 배속빗근(internal abdominal oblique m.) 　이는곳(origin): 등허리근막(thoracolumbar fascia), 엉덩뼈능선(iliac crest) 앞쪽끝과 샅고랑 인대(inguinal ligament) 바깥쪽. **닿는곳**(insertion): 열째-열두째 갈비(10-12th rib) 아래모서리, 배곧은근집(rectus sheath). 3. 배가로근(transversus abdominis m.) 　이는곳(origin): 일곱째-열두째 갈비(7-12th rib) 안쪽면, 등허리근막(thoracolumbar fascia)과 엉덩뼈능선(iliac crest) 앞, 샅고랑 인대(inguinal ligament) 바깥쪽. **닿는곳**(insertion): 배곧은근집(rectus sheath). 　이 세 개의 근육은 아래쪽의 갈비사이신경(intercostal n.)과 엉덩아랫배신경(iliohypogastric n.) (L1)의 지배를 받는다.
V	→ 허리네모근(quadratus lumborum m.)　이는곳(origin): 엉덩뼈능선(iliac crest). 닿는곳(insertion): 열두째 갈비뼈(the 12th rib) (p211)

가슴신경(thoracic n.)(갈비사이신경(intercostal n.))

척수신경
- 앞가지
  - 피부가지
    - 1. 앞피부가지(anterior cutaneous branch): 가슴배부위의 피부감각을 맡는다.
    - 2. 가쪽피부가지(lateral cutaneous branch): 가슴배부위 옆면의 피부감각을 맡는다.
  - 근육가지
    - 1. T1: 팔신경얼기(brachial plexus)에 관여한다.
    - 2. T1-T6: 갈비사이근(intercostal m.), 위뒤톱니근(serratus posterior inferior m.) 아래뒤톱니근(serratus posterior inferior m.), 가슴가로근(transversus thoracic m.)을 지배한다.
    - 3. T7-T12: 배가로근(transversus abdominis m.), 배속빗근(internal abdominal oblique m.), 배바깥빗근(external abdominal oblique m.), 배곧은근(rectus abdominis m.)을 지배한다.
    - ※ T12의 앞가지는 갈비밑신경(subcostal n.)이라 부른다.
- 뒤가지　p123에 설명하기로 한다.

121

3– 몸통 (앞)의 경혈과 피부신경 더마톰

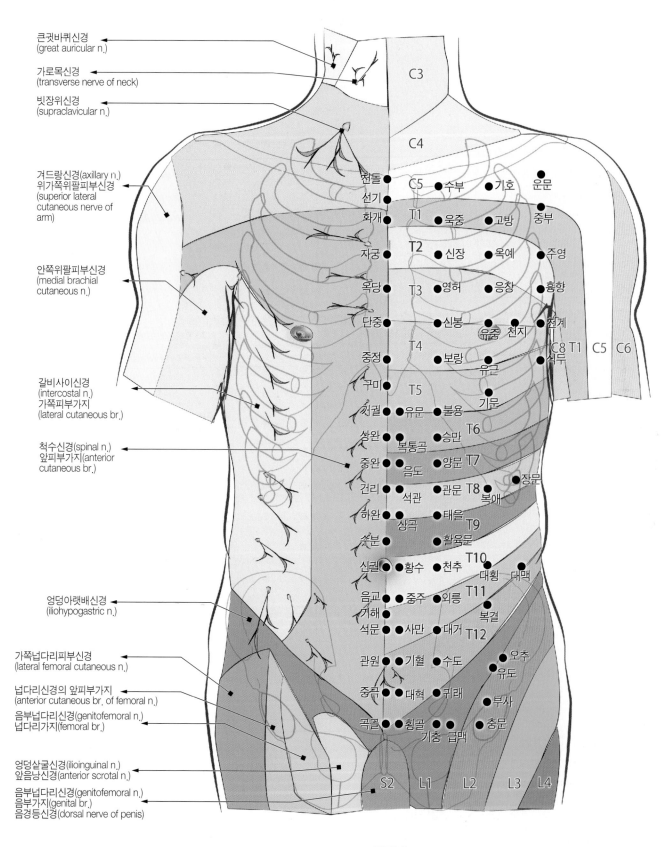

큰귓바퀴신경
(great auricular n.)

가로목신경
(transverse nerve of neck)

빗장위신경
(supraclavicular n.)

겨드랑신경(axillary n.)
위가쪽위팔피부신경
(superior lateral
cutaneous nerve of
arm)

안쪽위팔피부신경
(medial brachial
cutaneous n.)

갈비사이신경
(intercostal n.)
가쪽피부가지
(lateral cutaneous br.)

척수신경(spinal n.)
앞피부가지(anterior
cutaneous br.)

엉덩아랫배신경
(iliohypogastric n.)

가쪽넙다리피부신경
(lateral femoral cutaneous n.)

넙다리신경의 앞피부가지
(anterior cutaneous br. of femoral n.)

음부넙다리신경(genitofemoral n.)
넙다리가지(femoral br.)

엉덩샅굴신경(ilioinguinal n.)
앞음낭신경(anterior scrotal n.)

음부넙다리신경(genitofemoral n.)
음부가지(genital br.)
음경등신경(dorsal nerve of penis)

C3
C4
C5
T1
T2
T3
T4
T5
T6
T7
T8
T9
T10
T11
T12
C8 T1 C5 C6
S2 L1 L2 L3 L4

천돌
선기
화개
자궁
옥당
단중
중정
구미
거궐
상완
중완
건리
하완
수분
신궐
음교
기해
석문
관원
중극
곡골

수부 기호 운문
욱중 고방 중부
신장 옥예 주영
영허 응창 흉향
신봉 유중 천지 천계
보랑 유근 식두
유문 불용 기문
복통곡 승만
음도 양문
석관 관문 복애 장문
상곡 태을
활육문
황수 천추 대횡 대맥
중주 외릉 복결
사만 대거
기혈 수도 오추 유도
대혁 귀래 부사
횡골 급맥 충문
기충

몸통(앞)

3. 몸통(trunk)

4— 몸통 (뒤)의 경혈과 근육

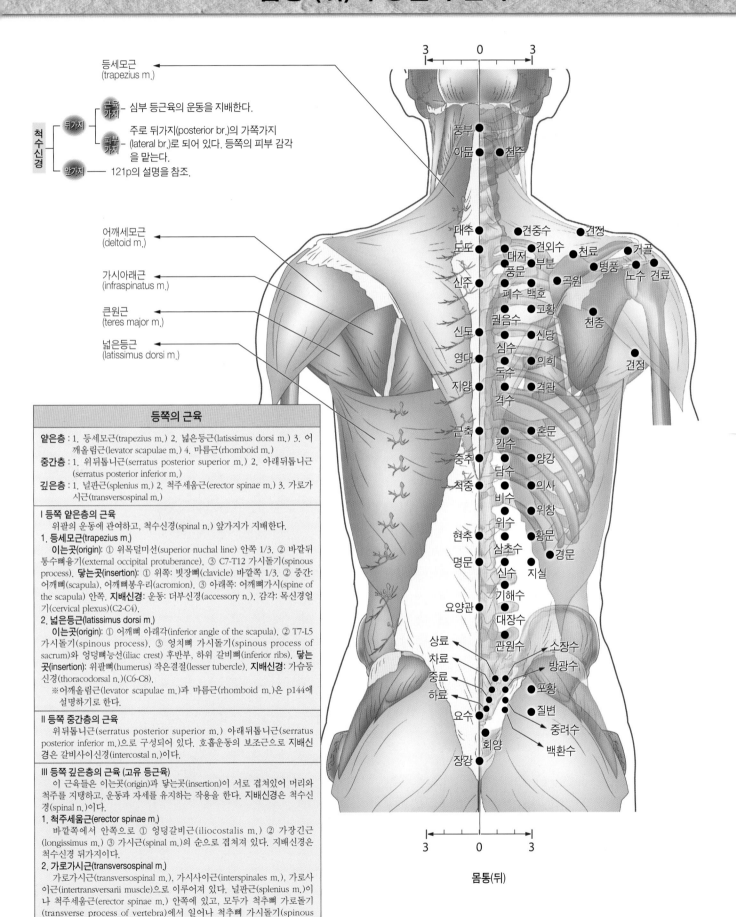

등세모근
(trapezius m.)

척수신경 — 뒤가지
- 근육가지 – 심부 등근육의 운동을 지배한다.
- 피부가지 – 주로 뒤가지(posterior br.)의 가쪽가지(lateral br.)로 되어 있다. 등쪽의 피부 감각을 맡는다.
- 앞가지 — 121p의 설명을 참조.

어깨세모근
(deltoid m.)

가시아래근
(infraspinatus m.)

큰원근
(teres major m.)

넓은등근
(latissimus dorsi m.)

등쪽의 근육

얕은층 : 1. 등세모근(trapezius m.) 2. 넓은등근(latissimus dorsi m.) 3. 어깨올림근(levator scapulae m.) 4. 마름근(rhomboid m.)

중간층 : 1. 위뒤톱니근(serratus posterior superior m.) 2. 아래뒤톱니근(serratus posterior inferior m.)

깊은층 : 1. 널판근(splenius m.) 2. 척주세움근(erector spinae m.) 3. 가로가시근(transversospinal m.)

I 등쪽 얕은층의 근육
위팔의 운동에 관여하고, 척수신경(spinal n.) 앞가지가 지배한다.

1. 등세모근(trapezius m.)
이는곳(origin): ① 위목덜미선(superior nuchal line) 안쪽 1/3. ② 바깥뒤통수뼈융기(external occipital protuberance). ③ C7-T12 가시돌기(spinous process). 닫는곳(insertion): ① 위쪽: 빗장뼈(clavicle) 바깥쪽 1/3. ② 중간: 어깨뼈(scapula), 어깨뼈봉우리(acromion). ③ 아래쪽: 어깨뼈가시(spine of the scapula) 안쪽. 지배신경: 운동: 더부신경(accessory n.). 감각: 목신경얼기(cervical plexus)(C2-C4).

2. 넓은등근(latissimus dorsi m.)
이는곳(origin): ① 어깨뼈 아래각(inferior angle of the scapula). ② T7-L5 가시돌기(spinous process). ③ 엉치뼈 가시돌기(spinous process of sacrum)와 엉덩뼈능선(iliac crest) 후반부, 하위 갈비뼈(inferior ribs). 닫는곳(insertion): 위팔뼈(humerus) 작은결절(lesser tubercle). 지배신경: 가슴등신경(thoracodorsal n.)(C6-C8).
※어깨올림근(levator scapulae m.)과 마름근(rhomboid m.)은 p144에 설명하기로 한다.

II 등쪽 중간층의 근육
위뒤톱니근(serratus posterior superior m.) 아래뒤톱니근(serratus posterior inferior m.)으로 구성되어 있다. 호흡운동의 보조근으로 지배신경은 갈비사이신경(intercostal n.)이다.

III 등쪽 깊은층의 근육 (고유 등근육)
이 근육들은 이는곳(origin)과 닫는곳(insertion)이 서로 겹쳐있어 머리와 척주를 지탱하고, 운동과 자세를 유지하는 작용을 한다. 지배신경은 척수신경(spinal n.)이다.

1. 척주세움근(erector spinae m.)
바깥쪽에서 안쪽으로 ① 엉덩갈비근(iliocostalis m.) ② 가장긴근(longissimus m.) ③ 가시근(spinal m.)의 순으로 겹쳐져 있다. 지배신경은 척수신경 뒤가지이다.

2. 가로가시근(transversospinal m.)
가로가시근(transversospinal m.), 가시사이근(interspinales m.), 가로사이근(intertransversarii muscle)으로 이루어져 있다. 널판근(splenius m.)이나 척주세움근(erector spinae m.) 안쪽에 있고, 모두가 척추뼈 가로돌기(transverse process of vertebra)에서 일어나 척추뼈 가시돌기(spinous process of vertebra)에 붙는다. 지배신경은 척수신경 뒤가지이다.

3. 널판근(splenius m.)
머리의 운동에 관여한다. (p112)

풍부
아문 천주
대추 견중수 견정
도도 견외수 천료 거골
대저 부분 병풍 노수 견료
신주 풍문 곡원
폐수 백호
궐음수 고황 천종
신도 신당
영대 심수 의희 견정
독수 격관
지양
격수
근축 혼문
간수 양강
중추 담수 의사
척중 비수 위창
위수
현추 황문
삼초수 경문
명문 신수 지실
기해수
요양관 대장수
상료 관원수 소장수
차료 방광수
중료 포황
하료
요수 질변
회양 중려수
장강 백환수

몸통(뒤)

5—몸통 (뒤)의 경혈과 척수신경

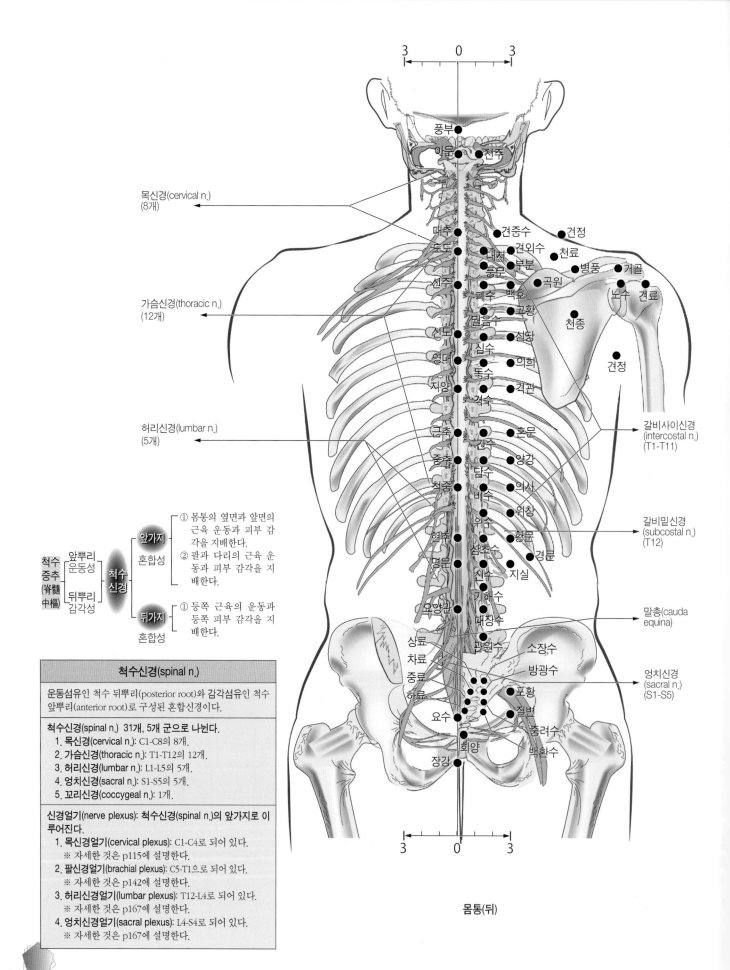

① 몸통의 옆면과 앞면의 근육 운동과 피부 감각을 지배한다.
② 팔과 다리의 근육 운동과 피부 감각을 지배한다.

① 등쪽 근육의 운동과 등쪽 피부 감각을 지배한다.

척수신경(spinal n.)

운동섬유인 척수 뒤뿌리(posterior root)와 감각섬유인 척수 앞뿌리(anterior root)로 구성된 혼합신경이다.

척수신경(spinal n.) 31개, 5개 군으로 나뉜다.
 1. 목신경(cervical n.): C1-C8의 8개.
 2. 가슴신경(thoracic n.): T1-T12의 12개.
 3. 허리신경(lumbar n.): L1-L5의 5개.
 4. 엉치신경(sacral n.): S1-S5의 5개.
 5. 꼬리신경(coccygeal n.): 1개.

신경얼기(nerve plexus): 척수신경(spinal n.)의 앞가지로 이루어진다.
 1. 목신경얼기(cervical plexus): C1-C4로 되어 있다.
  ※ 자세한 것은 p115에 설명한다.
 2. 팔신경얼기(brachial plexus): C5-T1으로 되어 있다.
  ※ 자세한 것은 p142에 설명한다.
 3. 허리신경얼기(lumbar plexus): T12-L4로 되어 있다.
  ※ 자세한 것은 p167에 설명한다.
 4. 엉치신경얼기(sacral plexus): L4-S4로 되어 있다.
  ※ 자세한 것은 p167에 설명한다.

몸통(뒤)

6—몸통 (뒤)의 경혈과 피부신경 더마톰

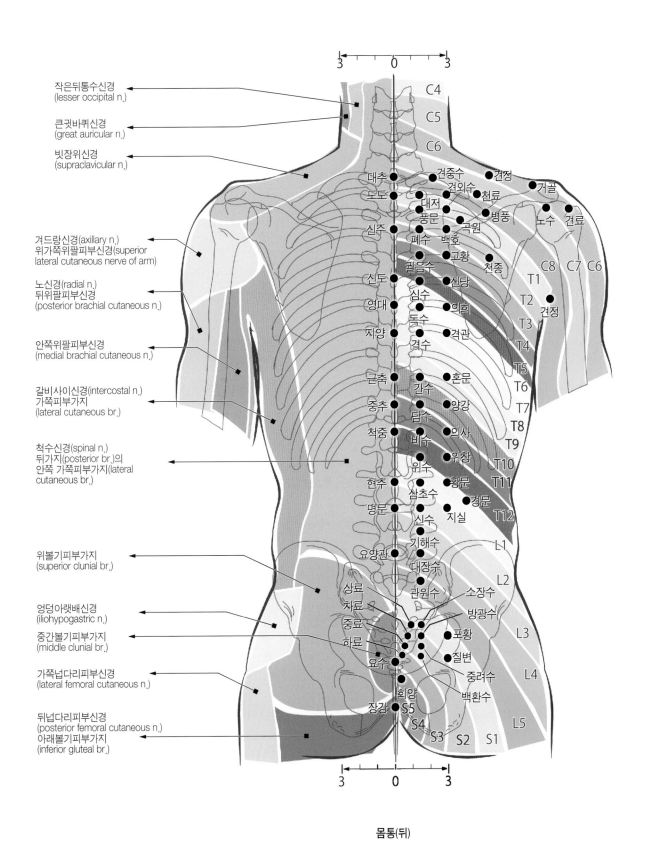

작은뒤통수신경
(lesser occipital n.)

큰귓바퀴신경
(great auricular n.)

빗장위신경
(supraclavicular n.)

겨드랑신경(axillary n.)
위가쪽위팔피부신경(superior
lateral cutaneous nerve of arm)

노신경(radial n.)
뒤위팔피부신경
(posterior brachial cutaneous n.)

안쪽위팔피부신경
(medial brachial cutaneous n.)

갈비사이신경(intercostal n.)
가쪽피부가지
(lateral cutaneous br.)

척수신경(spinal n.)
뒤가지(posterior br.)의
안쪽 가쪽피부가지(lateral
cutaneous br.)

위볼기피부가지
(superior clunial br.)

엉덩아랫배신경
(iliohypogastric n.)

중간볼기피부가지
(middle clunial br.)

가쪽넙다리피부신경
(lateral femoral cutaneous n.)

뒤넙다리피부신경
(posterior femoral cutaneous n.)
아래볼기피부가지
(inferior gluteal br.)

C4
C5
C6
C8 C7 C6
T1
T2
T3
T4
T5
T6
T7
T8
T9
T10
T11
T12
L1
L2
L3
L4
L5
S1 S2 S3 S4 S5

대추 · 견중수 · 견정
도도 · 견외수 · 천료 · 거골
대저 · 천료
풍문 · 병풍 · 노수 견료
곡원
신주 · 백호
폐수
궐음수 · 고황 · 천종
신도 · 신당
심수 · 견정
영대 · 의희
독수
지양 · 격관
격수
근축 · 혼문
간수
중추 · 양강
담수 · 의사
척중 · 비수
위수 · 위창
위수
현추 · 황문
삼초수 · 경문
명문 · 지실
신수
기해수
요양관 · 대장수
상료 · 관원수 · 소장수
차료 · 방광수
중료 · 포황
하료 · 질변
요수 · 중려수
백환수
회양
장강

몸통(뒤)

125

7─몸통의 경혈과 자율신경(1)

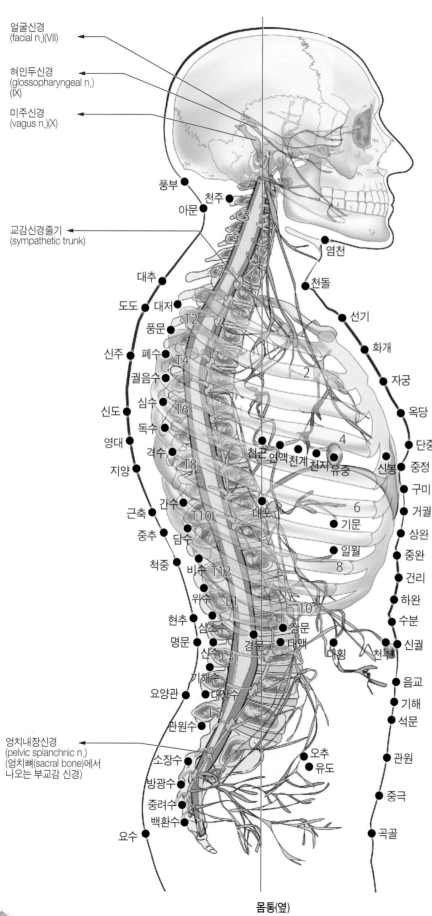

얼굴신경
(facial n.)(VII)

혀인두신경
(glossopharyngeal n.)
(IX)

미주신경
(vagus n.)(X)

교감신경줄기
(sympathetic trunk)

풍부
천주
아문
C3
C5
염천

대추
도도   대저
풍문   T2
신주   폐수
궐음수   T4
신도   심수
영대   독수
지양   격수   T6
    T8
근축   간수
중추   담수   T10
척중   비수   T12
현추   위수   L1
명문   심줄수
    신수   L3
기해수
요양관   대장수
    L5
관원수

엉치내장신경
(pelvic splanchnic n.)
(엉치뼈(sacral bone)에서
나오는 부교감 신경)

소장수
방광수
중려수
백환수
요수

천돌
선기
화개
자궁
옥당
단중   중정
신봉   구미
    거궐
    상완
기문   중완
일월   건리
    하완
    수분
장문   신궐
대맥   음교
대횡   천추   기해
    석문
    관원
오추   중극
유도   곡골

협근 연액천계 천지 유중
대포

염천
2
4
6
8
10

교감신경계

T1-L3: 교감신경줄기
(sympathetic trunk). 불수의
근이나 분비선에 분포한다.

자율신경계

1. 뇌신경에 포함된 부교감신경
① 눈돌림신경(oculomotor
n.)(III)
② 얼굴신경(facial n.)(VII)
③ 혀인두신경
(glossopharyngeal n.)(IX)
④ 미주신경(vagus n.)(X)
2. 엉치신경(sacral n.)과 엉치
내장신경(pelvic splanchnic
n.)에 포함된 부교감신경으
로 골반내의 장기에 분포
한다.

부교감 신경계

자율신경계

교감신경과 **부교감신경**으로 되어 있다.

자율신경계의 원심성섬유는 중추에서 나와 평활
근, 심근이나 분비선에 이르기까지 신경절에서 한 번
뉴론을 교대한다.
자율신경계는 순환, 호흡, 소화, 분비, 생식 등의 개
체의 무의식과 불수의적 기능을 조절하고 지배한다.
자율신경계는 원심성섬유 외에도 지배하는 장기
나 혈관에 구심성섬유도 있다. 구심성섬유는 장기의
감각(예: 장기의 통각)을 담당한다.

몸통(옆)

3. 몸통(trunk)

7─몸통의 경혈과 자율신경(2)

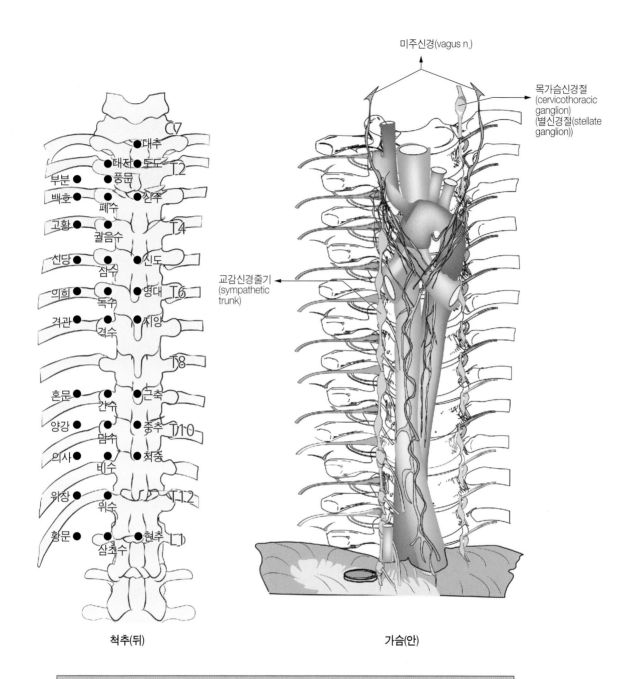

척추(뒤)   가슴(안)

가슴우리(thorax)의 자율신경	
교감신경	T1-T12의 가슴교감신경절(thoracic sympathetic nerve ganglion)로 되어 있다.
부교감신경	미주신경(vagus n.)(X)이다.

미주신경(X)

1. 되돌이신경(recurrent n.): 아래후두신경(inferior laryngeal n.)에서 나오고 뒤통수힘살(occipital m.)이나 후두 하반부의 점막에 분포한다.
2. 가슴심장가지(thoracic cardiac branches): 교감신경의 심장신경과 함께 심장신경얼기(cardiac plexus)를 이룬다.
3. 기관지가지(bronchial branches): 교감신경가지(sympathetic branch)와 함께 허파문(pulmonary hilum)의 전후나 기관 주위에서 허파신경얼기 (pulmonary plexus)를 이룬다.
4. 식도가지(esophageal branches): 교감신경과 함께 식도신경얼기(esophageal plexus)를 이룬다.

※ 미주신경(vagus n.)에는 부교감신경뿐만 아니라 운동섬유와 감각섬유도 있다.

교감신경계

1. 큰내장신경(greater splanchnic n.): T5-T9 가슴신경절(thoracic ganglia)에서 나와 가로막(diaphragm)을 지나 복강으로 들어가 복강신경얼기 (celiac plexus)에 합류한다.
2. 작은내장신경(lesser splanchnic n.): T10-T11 가슴신경절(thoracic ganglia)에서 나와 가로막(diaphragm)을 지나 복강으로 들어가 복강신경얼기(celiac plexus)와 콩팥신경얼기(renal plexus)에 합류한다.
3. 대동맥가지(aortic branches): T1-T5 가슴신경절(thoracic ganglia)에서 나와 대동맥을 에워싸고 가슴대동맥신경얼기(thoracic aortic branches)를 이룬다.
4. 가슴심장신경(thoracic cardiac n.): T1-T4 가슴신경절(thoracic ganglia)에서 나와 심장신경얼기(cardiac plexus)를 이룬다.
5. 기타: 허파신경얼기(pulmonary plexus)과 식도신경얼기(esophageal plexus)를 이룬다.

8 — 허리와 배의 경혈과 자율신경

배의 자율신경

교감신경
　가슴교감신경줄기(thoracic sympathetic trunk)에서의 일부 신경과 복강교감신경줄기에서 나온다.
배대동맥신경얼기(abdominal aortic plexus)
　① 복강신경얼기(celiac plexus) ② 위창자간막신경얼기(superior mesenteric plexus) ③ 아래창자간막신경얼기(inferior mesenteric plexus) ④ 위아랫배신경얼기(superior hypogastric plexus) 등으로 나뉜다.
부교감신경
　위쪽에서는 미주신경(vagus n.), 아래쪽에서는 엉치신경(sacral n.)으로 되어 있다.

1. 미주신경(vagus n.)

2. 엉치의 부교감신경

엉치신경 — 아래창자간막신경얼기 — 소화관의 하부로

부교감신경은 복강의 장기와 혈관에도 분포한다.

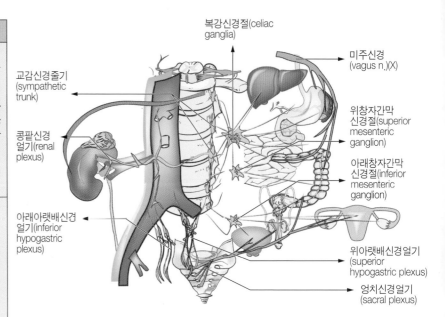

복강신경절(celiac ganglia)
미주신경(vagus n.)(X)
교감신경줄기(sympathetic trunk)
위창자간막신경절(superior mesenteric ganglion)
콩팥신경얼기(renal plexus)
아래창자간막신경절(inferior mesenteric ganglion)
아래아랫배신경얼기(inferior hypogastric plexus)
위아랫배신경얼기(superior hypogastric plexus)
엉치신경얼기(sacral plexus)

복강의 자율신경절과 자율신경

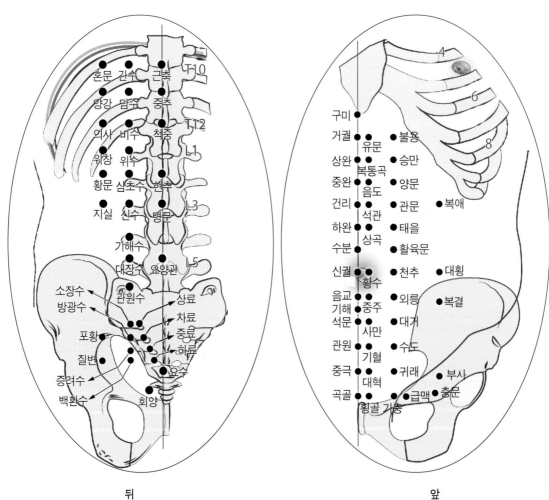

뒤　　　　　　　　앞

9─가슴의 경혈과 허파, 가슴막의 체표 투영(1)

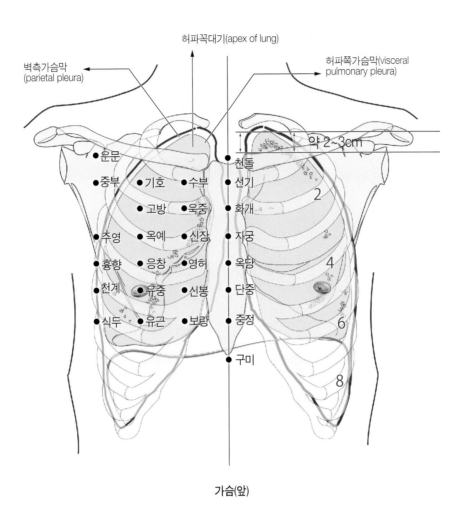

허파꼭대기(apex of lung)

벽측가슴막
(parietal pleura)

허파쪽가슴막(visceral
pulmonary pleura)

약 2~3cm

● 운문
● 중부　● 기호　● 수부
　　　　● 고방　● 욱중
● 주영　● 옥예　● 신장
● 흉향　● 응창　● 영허
● 천계　● 유중　● 신봉
● 식두　● 유근　● 보랑

● 천돌
● 선기
● 화개
● 자궁
● 옥당
● 단중
● 중정
● 구미

2

4

6

8

가슴(앞)

허파(lung)의 체표 투영

1. 허파꼭대기(apex of lung)
　빗장뼈(clavicle) 안쪽 1/3의 위쪽 약 2횡지(2-3cm) 높이에 있다.

2. 허파(lung) 앞모서리
　복장뼈(sternum) 뒤, 복장빗장관절(sternoclavicular joint)에서 복장뼈각(sternal angle)의 중앙으로, 여기에서 일단 앞정중선에 가까이 가서 비스듬하게 하행한다.
　※ 왼쪽허파(left lung) 앞모서리의 넷째 갈비연골(the 4th costal cartilage) 높이에 심장패임(cardiac notch)이 위치한다.

3. 허파(lung) 아래모서리
　복장뼈(sternum) 가쪽모서리에서 여섯째 갈비뼈(the 6th rib) 높이, 빗장뼈(clavicle) 중앙선에서 일곱째 갈비뼈(the 7th rib) 높이, 중간겨드랑선(midaxillary line)에서 여덟째 갈비뼈(the 8th rib) 높이에 해당한다.
　등쪽 어깨뼈선(scapular line)에서 열째 갈비뼈(the 10th rib) 높이, 등쪽 정중선에서 열한째 등뼈(the 11th thoracic vertebra) 높이에 해당한다.

가슴막(pleura)
　허파(lung) 표면을 둘러싼 허파쪽가슴막(visceral pulmonary pleura)과 가슴벽(thoracic wall)의 안쪽면(internal surface)을 싸고 있는 벽측가슴막(parietal pleura)의 이중 구조이다.
　※ 허파(lung) 아래모서리는 평상 호흡으로 약 1cm, 심호흡으로 3-5cm 위아래로 이동한다.

가슴막(pleura)의 체표 투영
　허파(lung) 가장자리와 대략 일치한다. 가슴막(pleura)의 아래모서리는 허파(lung)의 아래모서리보다 약간 아래이다.

9—가슴의 경혈과 허파, 가슴막의 체표 투영(2)

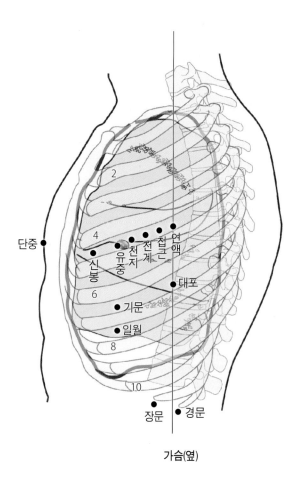

가슴(옆)

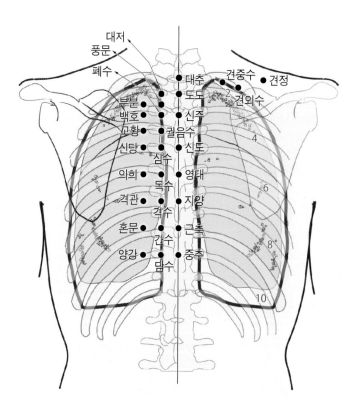

가슴(뒤)

3. 몸통(trunk)

10─가슴의 경혈과 호흡기계의 신경지배

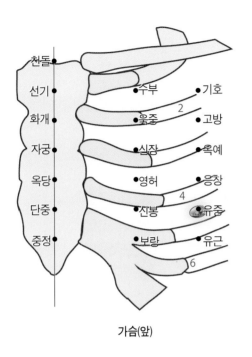

가슴(앞)

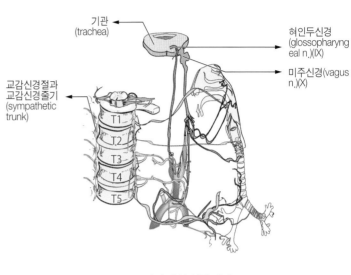

기관지의 신경지배

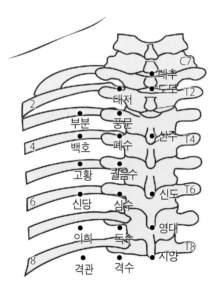

가슴(뒤)

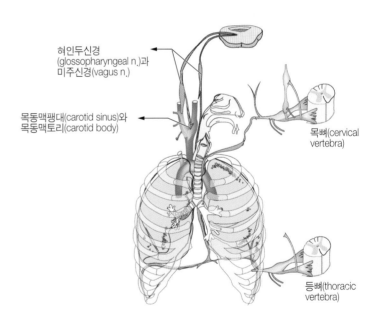

가로막과 기관지의 신경지배

기관지, 허파동맥(pulmonary trunk)과 함께 지나며 그 민무늬근육 (smooth m.)과 샘(gland)에 분포한다.

허파신경얼기(pulmonary plexus)

※ 폐의 감각신경섬유는 미주신경(vagus n.)과 같이 주행한다.
※ 통각섬유는 벽쪽가슴막(parietal plueura)에만 분포하고, 허파(lung)와 허파쪽가슴막(visceral pulmonary pleura)에는 없다.
벽쪽가슴막(parietal plueura)에는 감각신경섬유가 분포한다.
갈비가슴막(costal pleura)과 가로막가슴막(diaphragmatic pleura)의 주변부는 갈비사이신경(intercostal n.)이 지배한다.
세로칸가슴막(mediastinal pleura)과 가로막가슴막(diaphragmatic pleura)의 중앙부는 가로막신경(phrenic n.)이 지배한다.

11 - 가슴의 경혈과 가로막신경

T3 ┐ 가로막신경 ┌ 근육가지 ── 가로막(diaphragm)의 근육을 지배한다.
T4 ┘   └ 감각가지 ┬ 1. 심장바깥막(epicardium).
                        │ 2. 가로막(diaphragm) 윗면의 가슴막(pleura).
                        │ 3. 가로막(diaphragm) 아래면의 배막
                        └   (peritoneum).

가로막신경(phrenic n.)

주로 C4의 섬유로 되어 있고, C3과 C5의 섬유도 포함하고 있다.
이 신경은 앞목갈비근(scalenus anterior m.) 위를 비스듬히 하행해
서 빗장밑동맥(subclavian a.) 앞을 달리고, 가슴우리(thorax) 위구멍
의 가운데로 들어가서 가로막(diaphragm)에 이른다.
※ 감각가지는 가로막(diaphragm)의 상하에 있는 가슴막(pleura)과
배막(peritoneum)의 통각을 전달한다. 이 신경이 자극을 받으면
C4 피부영역(목 하부에서 어깨까지)에 연관통이 생긴다.

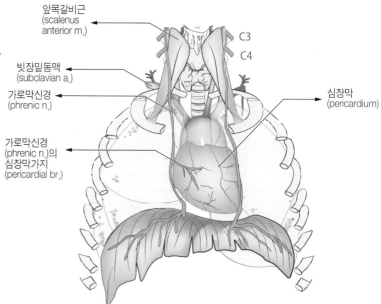

앞목갈비근
(scalenus
anterior m.)

C3
C4

빗장밑동맥
(subclavian a.)

가로막신경
(phrenic n.)

심장막
(pericardium)

가로막신경
(phrenic n.)의
심장막가지
(pericardial br.)

가로막신경의 구성과 지배 장기

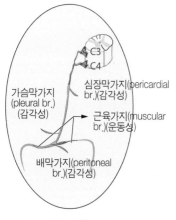

C3
C4

심장막가지(pericardial
br.)(감각성)

가슴막가지
(pleural br.)
(감각성)

근육가지(muscular
br.)(운동성)

배막가지(peritoneal
br.)(감각성)

가로막신경의 약도

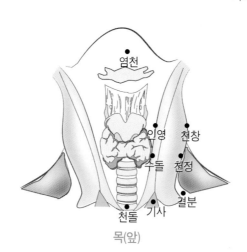

염천

인영 천창

수돌 천정

결분

천돌 기사

목(앞)

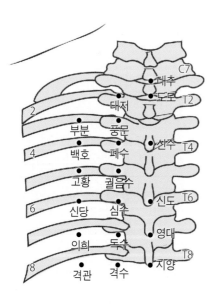

C7
대추
도도 T2
대저
부분 풍문
백호 폐수
고황 궐음수
신당 심수
의희 독수
격관 격수

2

4

6

8

선주 T4

신도 T6

영대

지양 T8

가슴(뒤)

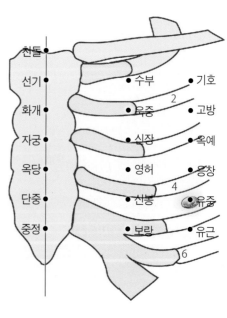

천돌

선기
화개
자궁
옥당
단중
중정

수부 기호
유중 고방
심장 옥예
영허 응창
신봉 유중
보랑 유근

2

4

6

가슴(앞)

3. 몸통(trunk)

12 — 가슴의 경혈과 심장

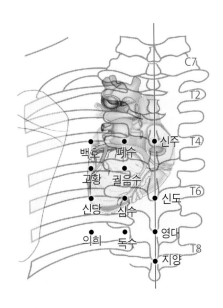

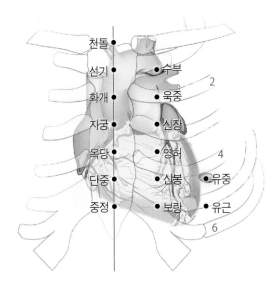

가슴(뒤) 가슴(앞)

심장의 체표 투영

　건강한 성인에 있어서도 상당한 차이가 보이지만, 일반적인 위치는 아래와 같다.
1. 오른쪽: 셋째 갈비뼈(the 3rd rib)와 여섯째 갈비뼈(the 6th rib)의 사이로, 복장뼈(sternum) 오른쪽모서리에서 밖으로 약 2cm에 이른다.
2. 왼쪽: 셋째 갈비뼈(the 3rd rib) 높이의 복장뼈(sternum) 왼쪽모서리 바깥쪽 약 2cm에서 다섯째 갈비사이공간(the 5th intercostal space)의 빗장중간선(midclavicular line) 안쪽 약 2cm에 이른다.
※ 성인에서는 다섯째 갈비사이공간(the 5th intercostal space)에 심장끝(apex of heart)이 위치한다.
※ 심장의 연관통: 심장의 통증은 복장뼈(sternum) 뒤로 느껴지고, 왼쪽 어깨(소장경(小腸經))나 왼쪽 팔(심경(心經))로 방사된다. 이것은 심장의 통각섬유와 가로막신경(phrenic n.)(C4) 감각섬유가 같은 척추 높이의 감각섬유가 분포하는 피부 영역으로 방사되기 때문이라고 생각된다.

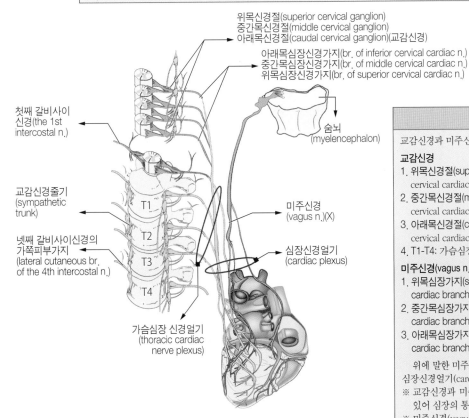

위목신경절(superior cervical ganglion)
중간목신경절(middle cervical ganglion)
아래목신경절(caudal cervical ganglion)(교감신경)

아래목심장신경가지(br. of inferior cervical cardiac n.)
중간목심장신경가지(br. of middle cervical cardiac n.)
위목심장신경가지(br. of superior cervical cardiac n.)

첫째 갈비사이
신경(the 1st
intercostal n.)

숨뇌
(myelencephalon)

교감신경줄기
(sympathetic
trunk)

미주신경
(vagus n.)(X)

넷째 갈비사이신경의
가쪽피부가지
(lateral cutaneous br.
of the 4th intercostal n.)

심장신경얼기
(cardiac plexus)

가슴심장 신경얼기
(thoracic cardiac
nerve plexus)

심장의 신경지배

심장의 신경지배

교감신경과 미주신경(vagus n.)이 지배한다.

교감신경
1. 위목신경절(superior cervical ganglion): 위목심장신경(superior cervical cardiac n.)
2. 중간목신경절(middle cervical ganglion): 중간목심장신경(middle cervical cardiac n.)
3. 아래목신경절(caudal cervical ganglion): 아래목심장신경(inferior cervical cardiac n.)
4. T1-T4: 가슴심장신경(thoracic cardiac n.)

미주신경(vagus n.)
1. 위목심장가지(superior cervical cardiac branches)
2. 중간목심장가지(middle cervical cardiac branches) ——심장으로 주행한다.
3. 아래목심장가지(inferior cervical cardiac branches)

　위에 말한 미주신경(vagus n.)과 교감신경 가지들은 심장 바닥에서 심장신경얼기(cardiac plexus)를 이룬다.
※ 교감신경과 미주신경(vagus n.)에는 구심성 감각섬유가 포함되어 있어 심장의 통각도 담당한다.
※ 미주신경(vagus n.)의 감각섬유는 주로 심장반사에 관여한다.

13—배의 경혈과 복강의 장기

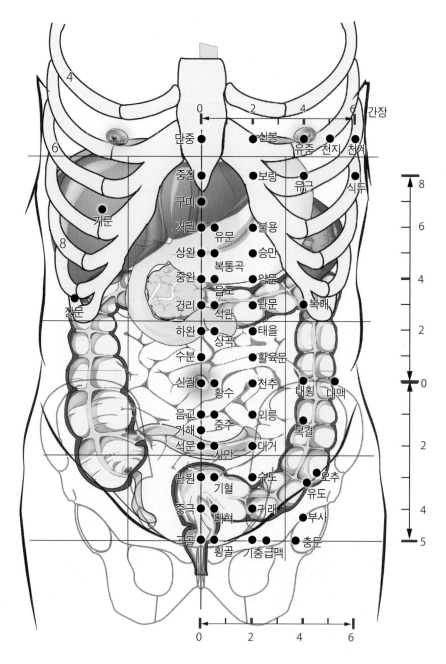

복강 장기의 체표 투영(앞)

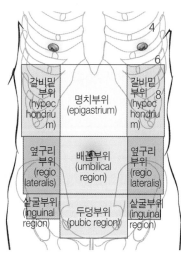

복부의 9 구분법

3. 몸통(trunk)

14—등과 배의 경혈과 위

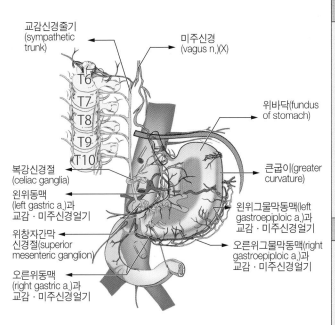

교감신경줄기
(sympathetic trunk)

미주신경
(vagus n.)(X)

위바닥(fundus of stomach)

T6
T7
T8
T9
T10

복강신경절
(celiac ganglia)

왼위동맥
(left gastric a.)과
교감 · 미주신경얼기

위창자간막
신경절(superior
mesenteric ganglion)

오른위동맥
(right gastric a.)과
교감 · 미주신경얼기

큰굽이(greater curvature)

왼위그물막동맥(left gastroepiploic a.)과
교감 · 미주신경얼기

오른위그물막동맥(right gastroepiploic a.)과
교감 · 미주신경얼기

위의 신경지배

위의 체표 투영

위는 대부분이 왼쪽의 갈비밑부위(hypochondrium)에 있고, 일부가 명치부위(epigastrium)에 있다.

1. 들문(cardiac orifice)
뒤에서는 열한째 등뼈(the 11th thoracic vertebra) 높이이고, 앞에서는 정중선의 약간 왼쪽으로 일곱째 갈비연골(the 7th costal cartilage)의 복장뼈 부착부보다 약 2cm 왼쪽에 있다.

2. 위바닥(fundus of stomach)
왼쪽 다섯째 갈비뼈(the 5th rib) 높이로, 가로막(diaphragm) 왼쪽 아래면에 있다.

3. 날문(pylorus)
뒤에서는 첫째 허리뼈(the 1st lumbar vertebra) 높이이고 앞에서는 정중선에서 1-2cm 오른쪽에 있다.

4. 큰굽이(greater curvature)
공복시에 누워있으면 배꼽보다 위에 있으나, 배가 부를 때 반듯이 서 있으면 배꼽 높이까지 이른다.

위의 동맥

복강
동맥
(腹腔
動脈)

1. 왼위동맥(left gastric a.): 식도 하부와 작은굽이(lesser curvature)쪽의 위의 위오른쪽.
2. 오른위동맥(right gastric a.): 위의 아래오른쪽.
3. 짧은위동맥(short gastric a.): 위바닥(fundus of stomach).
4. 왼위그물막동맥(left gastroepiploic a.): 큰굽이(greater curvature).
5. 오른위그물막동맥(right gastroepiploic a.): 큰굽이(greater curvature).

위의 신경

교감신경과 미주신경(vagus n.)이 지배한다.
교감신경
T6-T10에서 나와 복강신경절(celiac ganglia)을 지나서 동맥과 함께 위에 분포한다.
미주신경(vagus n.)
식도의 앞을 지나는 앞위가지(anterior gastric branches)와 식도 뒤를 지나는 뒤위가지(posterior gastric branches)로 나뉘어 위에 분포한다.

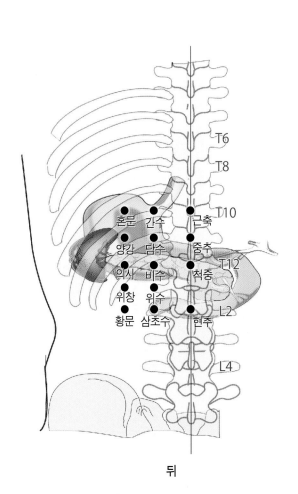

T6
T8
T10
T12
L2
L4

혼문 간수 근축
양강 담수 중추
의사 비수 척중
위창 위수
황문 삼초수 현추

뒤

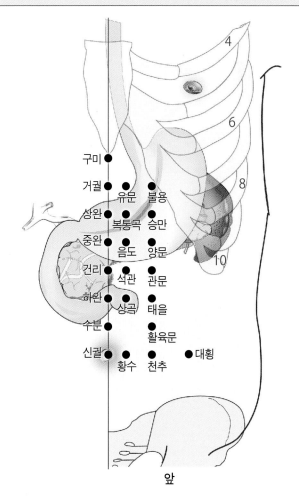

4
6
8
10

구미
거궐
유문 불용
상완
복통곡 승만
중완
음도 양문
건리
석관 관문
하완
상곡 태을
수분
활육문
신궐
대횡
황수 천추

앞

15 ─ 등과 배의 경혈과 장

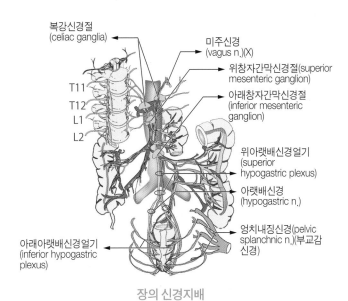

장의 신경지배

작은창자(small intestine)의 동맥과 신경

동맥

1. 샘창자(duodenum)
   상반부: 위샘창자동맥(gastroduodenal a.)이 분포.
   하반부: 위창자간막동맥(superior mesenteric a.)이 분포.
2. 빈창자(jejunum)와 돌창자(ileum)

위창자간막동맥 ─ 빈창자동맥 ─ 빈창자(jejunum)
위창자간막동맥 ─ 돌창자동맥 ─ 돌창자(ileum)

신경
● 교감신경과 미주신경(vagus n.)이 지배한다.

교감신경 ─ 복강신경얼기
미주신경 ─ 위장자간막신경얼기
혈관과 함께 장벽에 분포한다.

※ 미주신경(vagus n.)의 구심성섬유는 창자관(intestinal canal)의 반사운동과 분비에 관여한다.
※ 교감신경의 구심성섬유는 통각에 관여한다.

큰창자(large intestine)의 동맥과 신경

동맥
위창자간막동맥(superior mesenteric a.)의 가지와 아래창자간막동맥(inferior mesenteric a.)의 가지가 분포한다.

신경
교감신경과 부교감신경(미주신경(vagus n.), 골반신경(pelvic n.))이 지배한다.

위창자간막신경얼기(superior mesenteric plexus)
오름주름창자(ascending colon)와 가로주름창자(transverse colon)에 분포한다.

아래창자간막신경얼기(inferior mesenteric plexus)
내림주름창자(descending colon)와 구불주름창자(sigmoid colon)에 분포한다.

※ 교감신경의 구심성섬유는 큰창자(large intestine)의 통각에 관여한다.

항문의 신경지배

자율신경과 몸신경(somatic nerve)의 지배를 받는다.

1. 자율신경
교감신경
혈관에 분포하는 혈관운동신경이다.
부교감신경
속항문조임근(internal anal sphincter m.) 등의 평활근을 지배한다.
※ 부교감신경에 있는 구심성섬유는 배변반사에 관여한다.

2. 몸신경(somatic nerve)
바깥항문조임근(external anal sphincter m.)이나 항문 주위의 피부는 몸신경(somatic nerve)인 음부신경(pudendal n.)이 지배한다. 배변과 통각 등의 감각에 관여한다.

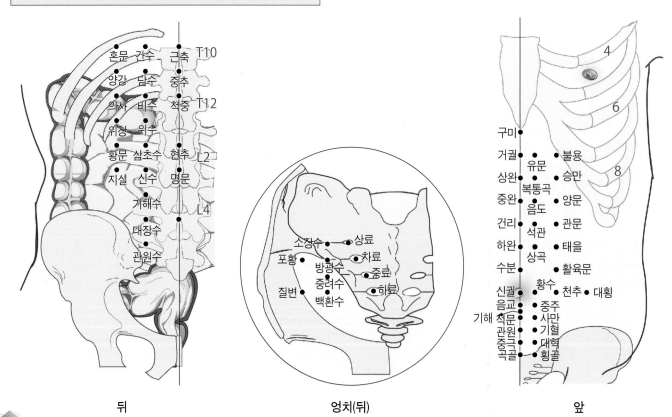

뒤　　　　　　　　엉치(뒤)　　　　　　　　앞

3. 몸통(trunk)

16─등과 배의 경혈과 간의 체표 투영

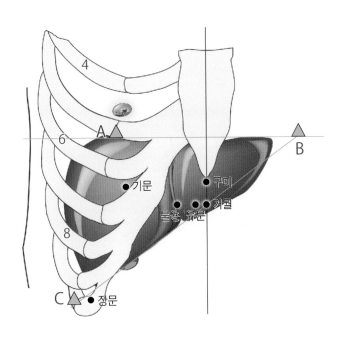

앞

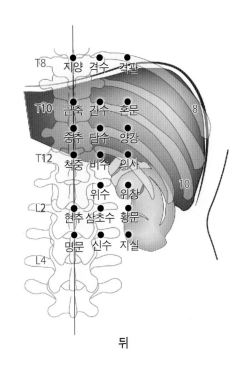

뒤

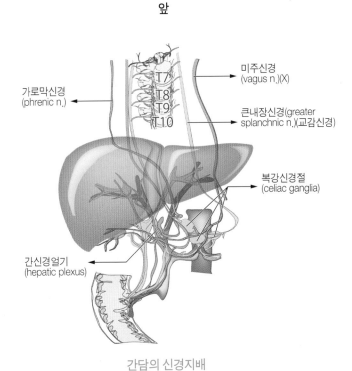

간담의 신경지배

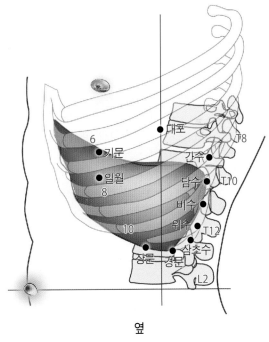

옆

간담의 체표 투영

간장의 위모서리와 아래모서리

　오른쪽의 빗장중간선(midclavicular line)과 다섯째 갈비뼈(the 5th rib)가 만나는 점을 A점으로 하고, 왼쪽 여섯째 갈비연골(the 6th costal cartilage)로 정중선왼쪽 5cm되는 점을 B점으로 하고, 오른쪽 중간겨드랑선(midaxillary line)과 열째 갈비뼈(the 10th rib)가 만나는 점을 C점으로 한다. A점과 B점을 연결하는 선이 간장의 위모서리에 해당하고, B점과 C점을 연결하는 선이 간장의 아래모서리에 해당한다.

담낭의 바닥(base)

　담낭의 아래모서리로 대략 오른쪽갈비활(right costal arch) 아래모서리와 오른쪽 배곧은근(right rectus abdominis m.)의 가쪽모서리가 만나는 곳에 있다.

간담의 신경지배

교감신경 ──	복강신경얼기	┐	┌ 1. 간문(肝門)에 들어가
	간신경얼기		간장에 분포한다.
부교감신경	앞미주신경줄기		2. 담낭과 오디조임근
	뒤미주신경줄기	┘	(oddi's sphincter m.)에
			분포한다.

　담낭의 질환은 오른쪽 갈비 아래와 명치부위(epigastrium)에 통증이 느껴지고, 등쪽, 특히 어깨뼈부위에 연관통을 일으킨다.

17 — 등과 배의 경혈과 신장, 요관

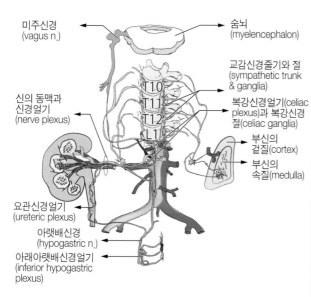

미주신경
(vagus n.)

숨뇌
(myelencephalon)

교감신경줄기와 절
(sympathetic trunk
& ganglia)

복강신경얼기(celiac
plexus)과 복강신경
절(celiac ganglia)

신의 동맥과
신경얼기
(nerve plexus)

부신의
겉질(cortex)

부신의
속질(medulla)

요관신경얼기
(ureteric plexus)

아랫배신경
(hypogastric n.)

아래아랫배신경얼기
(inferior hypogastric
plexus)

신장의 신경지배

신장(kidney)과 요관의 체표 투영

신장(kidney)
T12-L3 높이에 있다.
엎드리면 신문(腎門)은 L1-L2 가시돌기(spinous process) 높이로 정중선에서 약 4cm 바깥쪽에 있고 아래모서리(inferior margin)는 엉덩뼈능선(iliac crest) 위 4cm, 정중선에서 약 7cm 바깥쪽에 있다.
열두째 갈비뼈(the 12th rib)는 대략 신장의 상부 1/3과 하부 2/3를 비스듬히 달린다.
※ 오른쪽 신장은 왼쪽 신장보다 약 2cm 정도 아래에 있다.

요관
척주의 양쪽을 끼고, 콩팥깔때기(renal pelvis)에서 방광까지 약 25-30cm 길이이다.
체표 투영은 복부에서는 배곧은근(rectus abdominis m.) 바깥쪽의 반월선에 있고, 등쪽에서는 허리뼈(lumbar vertebra) 가로돌기(transverse process) 끝을 잇는 선상에 있다.
※ 요관에는 ① 콩팥깔때기(renal pelvis)의 이행부, ② 온엉덩동맥(common iliac a.)의 교차부, ③ 방광으로 들어가는 입구부에 3개의 협착부가 있다.

신장(kidney)과 요관의 신경지배

신장(kidney)
교감신경
복강신경얼기(celiac plexus)가 콩팥신경얼기(renal plexus)가 되어 동맥과 같이 신장으로 들어온다.
미주신경(vagus n.)
콩팥신경얼기(renal plexus)와 합해져서 신장에 분포한다.

요관
교감신경
콩팥신경얼기(renal plexus), 고환신경얼기(testicular plexus), 난소신경얼기(ovarian plexus), 요관신경얼기(ureteric plexus), 엉덩신경얼기(iliac plexus), 아랫배신경얼기(hypogastric plexus) 등의 가지로 되어 있다.
부교감신경
부교감신경은 위쪽의 미주신경과 아래쪽의 엉치신경얼기(sacral plexus)로 되어 있다.
신장과 요관을 지배하는 신경에는 구심성 신경섬유도 포함되어 있다.

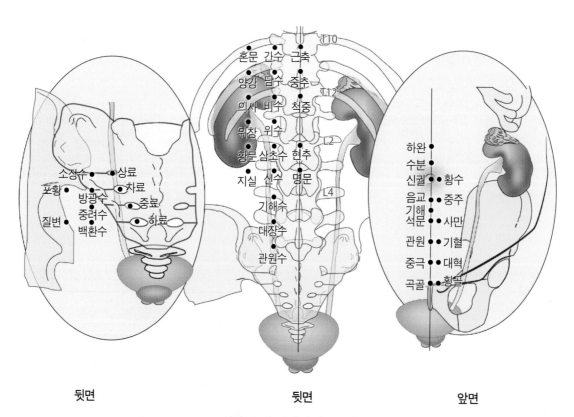

혼문 간수 근축
양강 담수 중추
의사 비수 척중
위창 위수
황문 삼초수 현추
지실 신수 명문
기해수
대장수
관원수

소장수 상료
포황 차료
방광수 중료
중려수 하료
질변 백환수

하완
수분
신궐 황수
음교 중주
기해
석문 사만
관원 기혈
중극 대혁
곡골 횡골

뒷면   뒷면   앞면

신장, 요관, 방광의 체표투영

3. 몸통(trunk)

18─등과 배의 경혈과 남성 생식기

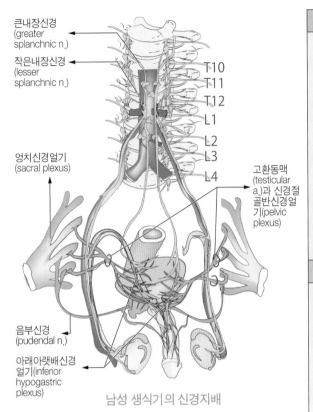

큰내장신경
(greater
splanchnic n.)

작은내장신경
(lesser
splanchnic n.)

T10
T11
T12
L1
L2
L3
L4

엉치신경얼기
(sacral plexus)

고환동맥
(testicular
a.)과 신경절
골반신경얼
기(pelvic
plexus)

음부신경
(pudendal n.)

**아래아랫배신경
얼기(inferior
hypogastric
plexus)**

남성 생식기의 신경지배

남성 생식기의 신경지배

교감신경
　T11-L2의 교감신경절에서 유래해서 3개의 군으로 나뉘어진다.
1. **상위군**
　콩팥신경얼기(renal plexus)와 창자간막신경얼기(mesenteric plexus) 및 엉덩신경얼기(iliac plexus)에서 나온 가지들이 합쳐져 고환동맥(testicular a.)을 따라 고환(testis)에 이른다.
2. **중위군**
　위아랫배신경얼기(superior hypogastric plexus)와 아랫배신경(hypogastric n.)의 가지들이 합쳐져 부고환(epididymis)이나 정관 팽대부(ampulla of deferent duct)에 분포한다.
3. **하위군**
　아래아랫배신경얼기(inferior hypogastric plexus)에서 나온 가지로 전립샘(prostate), 사정관, 음경의 혈관 등에 분포한다.

부교감신경
　S2-S4에서 나와서 엉치내장신경(pelvic splanchnic n.)을 거쳐 아래아랫배신경얼기(inferior hypogastric plexus)가 되고, 그 가지들이 남성 생식기를 지배한다.
　※ 구심성 신경섬유에는 **통각섬유**가 포함되어 있어서, 고환통이라는 극심한 통증을 일으킨다.

남성 외부 생식기의 신경지배

음낭(陰嚢)
　앞 부분: 엉덩샅굴신경(ilioinguinal n.)의 앞음낭신경(anterior scrotal n.)과 음부넙다리신경(genitofemoral n.)의 음부 가지(genital branch)이다.
　뒤 부분: 샅신경(perineal n.)의 뒤음낭신경(posterior scrotal n.)과 뒤넙다리피부신경(posterior femoral cutaneous n.)의 샅가지(perineal branch)이다.

음경(陰莖)
　샅신경(perineal n.)이 분포한다.
　※ 상기의 신경은 몸신경(somatic nerve)이지만, 음경해면체(corpus cavernosum penis)에는 음경해면체신경(cavernous nerves of penis)이라고 하는 자율신경섬유가 해면체의 혈관에 분포해서, 음경의 발기를 담당한다.

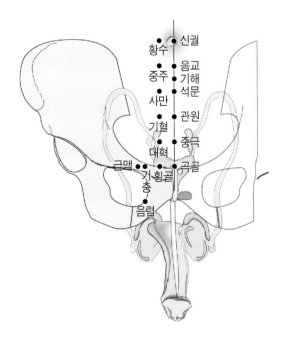

신궐
황수
　　음교
중주　기해
　　석문
사만
기혈　관원
　　중극
급맥　대혁
　　곡골
거　횡골
충
음렴

고환, 전립샘의 체표 투영(앞)

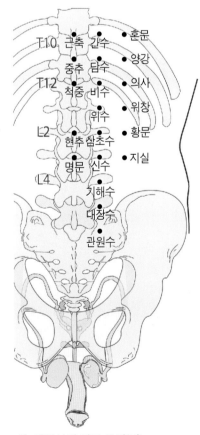

T10　근축　간수　　혼문
　　　중추　담수　　양강
T12　척중　비수　　의사
　　　　　위수　　위창
　　　　　　　　　황문
L2　현추　삼초수
　　　명문　신수　　지실
L4　　　기해수
　　　　大장수
　　　　관원수

고환, 전립선의 체표 투영(뒤)

복부와 남성 생식기관

19─등과 배의 경혈과 여성 생식기

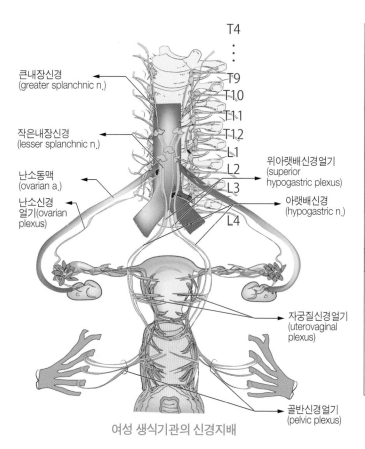

여성 생식기관의 신경지배

여성 생식기의 신경지배

남성 생식기를 지배하는 신경과 같다.

난소와 난관
　콩팥신경얼기(renal plexus)와 창자간막신경얼기(mesenteric plexus) 및 엉덩신경얼기(iliac plexus)에서 나온 가지들이 합쳐져 난소동맥(ovarian artery)을 따라 난소와 난관에 분포한다.

자궁
　아래아랫배신경얼기(inferior hypogastric plexus) 가지가 자궁질신경얼기(uterovaginal plexus)가 되어 자궁에 분포한다.
　※ 구심성 신경섬유에는 통각섬유가 포함되어 있고, 자궁바닥(uterine fundus)과 자궁체(uterine body)의 통각섬유는 T10-T12로 들어가지만, 자궁경부(cervix uteri)의 통각섬유는 S2-S3로 들어간다.
　※ 질(vagina)의 하단부는 몸신경(somatic nerve)인 음부신경(pudendal n.)이 지배한다.

여성 외부 생식기의 신경지배

대음순, 소음순, 음핵
　엉덩샅굴신경(ilioinguinal n.)에서 나온 앞음순가지(anterior labial branches), 음부신경(pudendal n.)에서 나온 뒤음순가지(posterior labial branches)가 음핵등신경(dorsal nerve of clitoris)이 되어 여성의 외부 생식기를 지배한다.
　※ 여성의 외부 생식기는 남성과 마찬가지로 몸신경(somatic nerve)이 지배하나 해면체와 질어귀망울(vestibular bulb)에는 자궁신경얼기(uteral plexus)에서 나온 음핵해면체신경(cavernous nerves of clitoris)이라는 자율신경섬유가 분포한다. 부교감신경은 해면체의 소동맥을 확장시킨다.

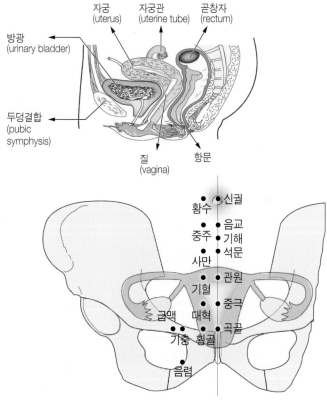

자궁의 체표 투영(앞)

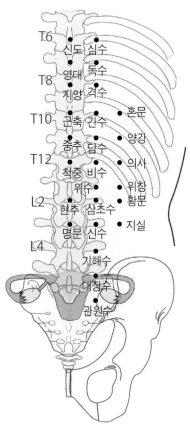

자궁의 체표 투영(뒤)

복부와 여성 생식기관

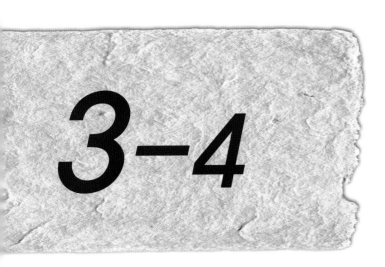

팔의 경혈과 국소 해부

1— 팔이음부위의 경혈과 팔신경얼기(1)

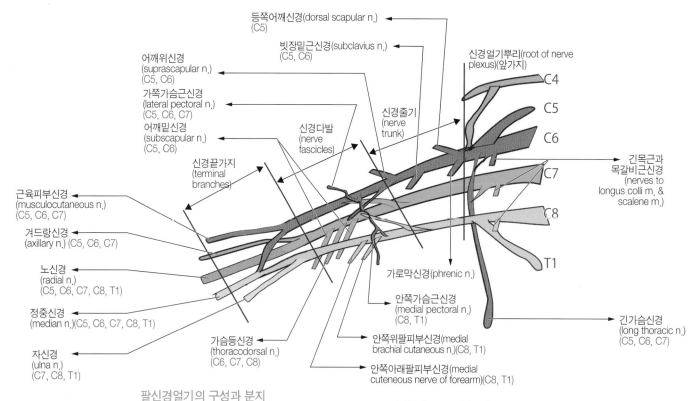

등쪽어깨신경(dorsal scapular n.) (C5)

빗장밑근신경(subclavius n.) (C5, C6)

신경얼기뿌리(root of nerve plexus)(앞가지)

어깨위신경 (suprascapular n.) (C5, C6)

가쪽가슴근신경 (lateral pectoral n.) (C5, C6, C7)

어깨밑신경 (subscapular n.) (C5, C6)

신경다발 (nerve fascicles)

신경줄기 (nerve trunk)

긴목근과 목갈비근신경 (nerves to longus colli m. & scalene m.)

신경끝가지 (terminal branches)

근육피부신경 (musculocutaneous n.) (C5, C6, C7)

겨드랑신경 (axillary n.) (C5, C6, C7)

노신경 (radial n.) (C5, C6, C7, C8, T1)

정중신경 (median n.)(C5, C6, C7, C8, T1)

자신경 (ulna n.) (C7, C8, T1)

가슴등신경 (thoracodorsal n.) (C6, C7, C8)

가로막신경(phrenic n.)

안쪽가슴근신경 (medial pectoral n.) (C8, T1)

안쪽위팔피부신경(medial brachial cutaneous n.)(C8, T1)

안쪽아래팔피부신경(medial cuteneous nerve of forearm)(C8, T1)

긴가슴신경 (long thoracic n.) (C5, C6, C7)

팔신경얼기의 구성과 분지

신경뿌리	신경줄기	신경다발	끝가지
C5 / C6	위신경줄기	C5-C7 가쪽신경다발	A
C7	중간신경줄기	C5-C8, T1 뒤쪽신경다발	B
C8 / T1	아래신경줄기	C8, T1 안쪽신경다발	C

A와 C 겨드랑(axilla) 앞벽(anterior wall), 위팔(upper arm)과 아래팔(forearm)의 앞쪽.
B 겨드랑(axilla) 뒤벽(posterior wall), 위팔(upper arm)과 아래팔(forearm)의 뒤쪽.

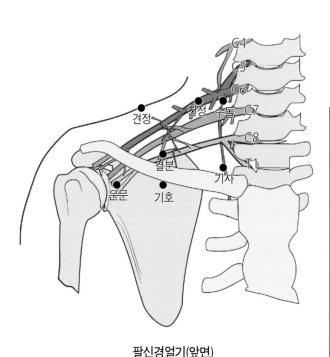

팔신경얼기(앞면)

팔신경얼기(brachial plexus)

I 신경뿌리(nerve root), 줄기(plexus)에서 나오는 가지
1. 등쪽어깨신경(dorsal scapular n.)(C4, C5): 마름근(rhomboid m.)
2. 긴가슴신경(long thoracic n.)(C5-C7): 앞톱니근(serratus anterior m.)
3. 어깨위신경(suprascapular n.)(C5,C6): 가시위근(supraspinatus m.), 가시아래근 (infraspinatus m.), 목갈비근(scalenus m.), 빗장밑근(subclavius m.). 어깨관절 (shoulder joint)에 감각가지를 보낸다.

II 신경다발(nerve fascicles)에서 나오는 가지
1. 가쪽신경다발(lateral cord)
① 가쪽가슴근신경(lateral pectoral n.): 큰가슴근(pectoralis major m.), 작은가슴근 (pectoralis minor m.)
2. 안쪽신경다발(medial cord)
① 안쪽가슴근신경(medial pectoral n.): 큰가슴근(pectoralis major m.), 작은가슴근 (pectoralis minor m.)
② 안쪽위팔피부신경(medial brachial cutaneous n.): 위팔 안쪽.
③ 안쪽아래팔피부신경(medial cuteneous nerve of forearm): 아래팔 안쪽.
3. 뒤쪽신경다발(posterior cord)
① 어깨밑신경(subscapular n.): 어깨밑근(subscapularis m.), 큰원근(teres major m.)
② 가슴등신경(thoracodorsal n.): 넓은등근(latissimus dorsi m.)

III 끝가지(팔의 중요한 신경)
1. 근육피부신경(musculocutaneous n.): 가쪽신경다발(lateral cord)(C5-C7)과 안쪽신 경다발(medial cord)(C5-C8, T1).
2. 정중신경(median n.): 안쪽신경다발(medial cord)과 가쪽신경다발(lateral cord)(C5-C8, T1).
3. 자신경(ulna n.): 안쪽신경다발(medial cord)(C7-C8, T1).
4. 노신경(radial n.): 뒤쪽신경다발(posterior cord)(C5-C8, T1).
5. 겨드랑신경(axillary n.): 뒤쪽신경다발(posterior cord)(C5-C7).

4. 팔(upper limb)

1 - 팔이음부위의 경혈과 팔신경얼기(2)

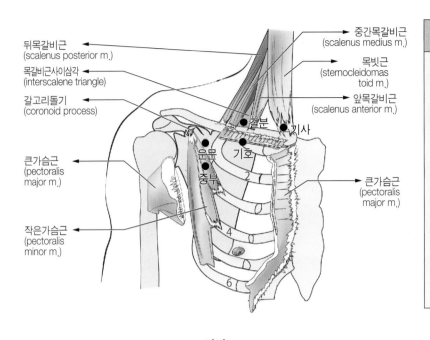

뒤목갈비근
(scalenus posterior m.)

목갈비근사이삼각
(interscalene triangle)

갈고리돌기
(coronoid process)

큰가슴근
(pectoralis
major m.)

작은가슴근
(pectoralis
minor m.)

중간목갈비근
(scalenus medius m.)

목빗근
(sternocleidomas
toid m.)

앞목갈비근
(scalenus anterior m.)

큰가슴근
(pectoralis
major m.)

결분 기사
운문 기호
중부

4
6

앞면

목갈비근사이삼각

목갈비근(scalenus m.)과 목갈비근사이삼각(interscalene triangle)

목갈비근(scalenus m.)
1. 앞목갈비근(scalenus anterior m.)
   이는곳(origin): C2-C7 목뼈(cervical vertebra) 가로돌기(transverse process). 닿는곳(insertion): 첫째 갈비뼈(the 1st rib). 신경지배: C2-C7의 앞가지.
2. 중간목갈비근(scalenus medius m.)
   이는곳(origin): C2-C7 목뼈(cervical vertebra) 가로돌기(transverse process). 닿는곳(insertion): 첫째 갈비뼈(the 1st rib). 신경지배: C2-C7의 앞가지.
3. 뒤목갈비근(scalenus posterior m.)
   이는곳(origin): C2-C7 목뼈(cervical vertebra) 가로돌기(transverse process). 닿는곳(insertion): 둘째 갈비뼈(the 2nd rib). 신경지배: C2-C7의 앞가지.

목갈비근사이삼각(interscalene triangle)
   앞목갈비근(scalenus anterior m.)과 중간목갈비근(scalenus medius m.) 사이의 간격을 목갈비근사이삼각(interscalene triangle)이라고 한다. 팔신경얼기(brachial plexus)와 빗장밑동맥(subclavian a.)이 이곳을 지난다.

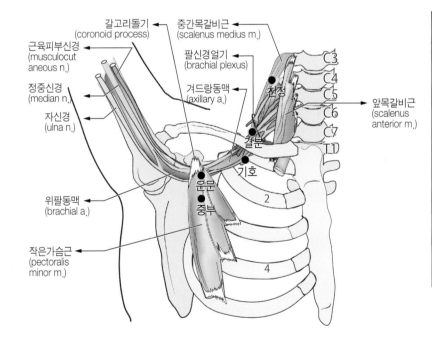

갈고리돌기
(coronoid process)

근육피부신경
(musculocut
aneous n.)

정중신경
(median n.)

자신경
(ulna n.)

위팔동맥
(brachial a.)

작은가슴근
(pectoralis
minor m.)

중간목갈비근
(scalenus medius m.)

팔신경얼기
(brachial plexus)

겨드랑동맥
(axillary a.)

앞목갈비근
(scalenus
anterior m.)

천정
C3
C4
C5
C6
C7
T1

결분
기호
운문
중부

2
4

앞면

팔신경얼기와 작은가슴근 (앞면)

큰가슴근(pectoralis major m.), 작은가슴근(pectoralis minor m.)과 팔신경얼기(brachial plexus)

1. 작은가슴근(pectoralis minor m.)
   이는곳(origin): 둘째-여섯째 갈비 앞쪽끝. 닿는곳(insertion): 어깨뼈(scapula) 갈고리돌기(coronoid process). 신경지배: 안쪽가슴근신경(medial pectoral n.).
2. 큰가슴근(pectoralis major m.)
   이는곳(origin): ① 빗장뼈(clavicle) 안쪽 1/3 ② 복장뼈(sternum)와 상위 갈비연골(costal cartilage) ③ 배곧은근집(rectus sheath)의 위쪽끝. 닿는곳(insertion): 위팔뼈(humerus) 큰결절능선(crest of greater tubercle). 신경지배: 안쪽, 가쪽가슴신경(medial & lateral thoracic n.).

큰가슴근(pectoralis major m.), 작은가슴근(pectoralis minor m.)과 팔의 신경 및 혈관
   작은가슴근(pectoralis minor m.)은 큰가슴근(pectoralis major m.)에 덮혀 있고, 편평한 삼각형을 이루고 있다.
   팔의 겨드랑동맥과 정맥(axillary a. & v.), 팔신경얼기(brachial plexus)가 작은가슴근(pectoralis minor m.) 아래를 지나 겨드랑(axilla)으로 달린다.

2-팔이음부위의 경혈과 근육

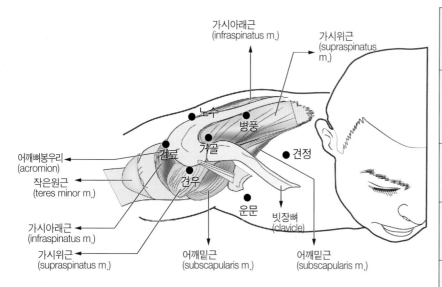

어깨관절과 돌림근띠

1. 어깨올림근(levator scapulae m.)
   이는곳(origin): C1-C6 가로돌기(transverse process). 닿는곳(insertion): 어깨뼈위각(superior angle of the scapula). 신경지배: 등쪽어깨신경(dorsal scapular n.)(C3, C4).

2. 마름근(rhomboid m.)
   이는곳(origin): C6-C7 가시돌기(spinous process)(작은마름근(rhomboid minor m.))와 T1-T6 가시돌기(spinous process). 닿는곳(insertion): 어깨뼈(scapula) 안쪽모서리. 신경지배: 등쪽어깨신경(dorsal scapular n.)(C4, C5).

3. 가시위근(supraspinatus m.)
   이는곳(origin): 어깨뼈 가시위오목(supraspinatus fossa). 닿는곳(insertion): 위팔뼈 큰결절(greater tubercle of humerus). 신경지배: 어깨위신경(suprascapular n.)(C5).

4. 가시아래근(infraspinatus m.)
   이는곳(origin): 어깨뼈(scapula) 가시아래오목(Infraspinatus fossa). 닿는곳(insertion): 위팔뼈 큰결절(greater tubercle of humerus). 신경지배: 겨드랑신경(axillary n.)(C5, C6).

5. 큰원근(teres major m.)
   이는곳(origin): 어깨뼈 아래각(inferior angle of the scapula). 닿는곳(insertion): 위팔뼈 작은결절(lesser tubercle of humerus). 신경지배: 어깨밑신경(subscapular n.)(C5, C6).

6. 작은원근(teres minor m.)
   이는곳(origin): 어깨뼈(scapula) 등쪽면 상반부 가쪽모서리. 닿는곳(insertion): 위팔뼈 큰결절(greater tubercle of humerus). 신경지배: 겨드랑신경(axillary n.)(C5).

7. 돌림근띠(rotator cuff)

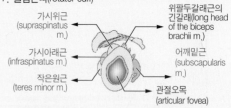

가시위근(supraspinatus m.), 가시아래근(infraspinatus m.), 작은원근(teres minor m.), 어깨밑근(subscapularis m.)의 네 근육을 돌림근띠(rotator cuff)(근육둘레띠)라고 한다. 이 근육의 힘줄들은 어깨관절(shoulder joint)의 위쪽, 중간, 뒤쪽에서 소매처럼 어깨관절(shoulder joint)을 둘러싸고 어깨의 관절주머니(articular capsule)에 붙는다. 돌림근띠(rotator cuff)는 어깨의 안정에 중요한 역할을 한다.

8. 겨드랑(axilla)

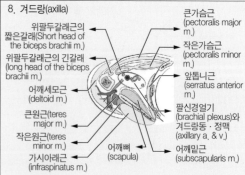

겨드랑(axilla)은 어깨관절(shoulder joint) 밑에 있는 추체 모양의 움푹한 곳이다.
앞벽(anterior wall): 큰가슴근(pectoralis major m.), 작은가슴근(pectoralis minor m.).
뒤벽(posterior wall): 넓은등근(latissimus dorsi m.), 큰원근(teres major m.), 어깨밑근(subscapularis m.).
안쪽벽: 갈비뼈(costal bone), 앞톱니근(serratus anterior m.).
바깥쪽벽: 위팔뼈(humerus)의 위쪽
겨드랑(axilla)의 정점과 바닥: 정점은 빗장뼈(clavicle), 어깨뼈(scapula), 첫째 갈비뼈(the 1st rib)이며 바닥은 겨드랑근막(axillary fascia)으로 되어 있다. 팔로 가는 신경과 혈관은 겨드랑(axilla)을 지나간다.

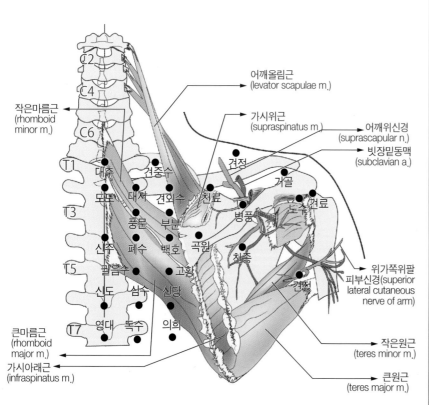

어깨뼈 뒷면의 근육과 신경지배

4. 팔(upper limb)

3─팔의 경혈과 체표 해부

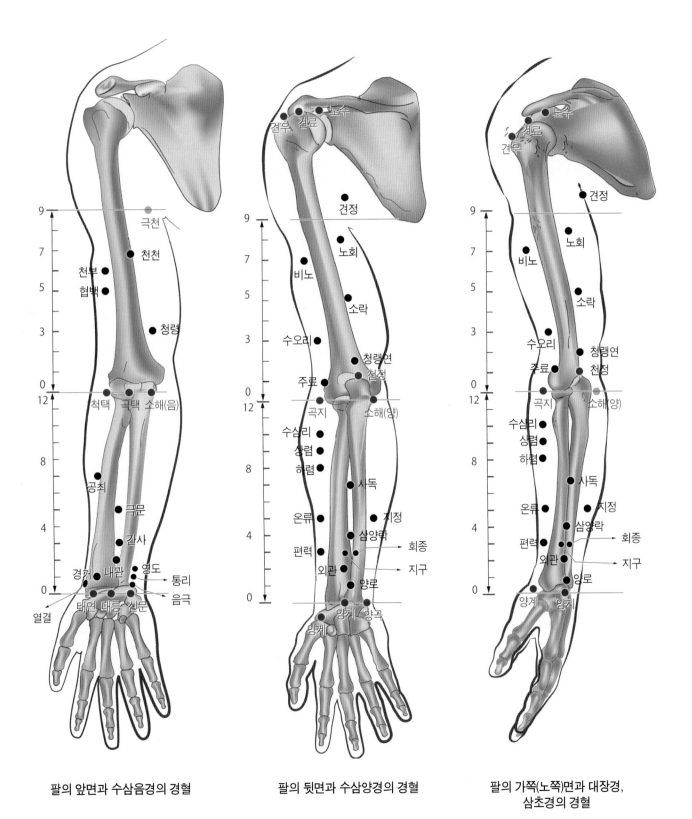

팔의 앞면과 수삼음경의 경혈

팔의 뒷면과 수삼양경의 경혈

팔의 가쪽(노쪽)면과 대장경, 삼초경의 경혈

팔의 골표지

4—팔의 경혈과 근육(굽힘근)

A. 위팔의 굽힘근(flexor m.)

1. 위팔두갈래근(biceps brachii m.)
이는곳(origin): 긴갈래(long head): 어깨뼈 관절위결절(supraglenoid tubercle) 짧은갈래(short head): 어깨뼈 갈고리돌기(coronoid process). 닿는곳(insertion): 노뼈 앞쪽의 노뼈거친면(radial tuberosity). 신경지배: 근육피부신경(musculocutaneous n.).
※ 팔꿈치 자쪽에서 위팔두갈래근(biceps brachii m.)의 근막이 만져진다. 그 아래에 위팔동맥(brachial a.)과 정중신경(median n.)이 지나간다.

2. 위팔근(brachialis m.)
이는곳(origin): 위팔뼈(humerus) 앞쪽 하단. 닿는곳(insertion): 자뼈 앞쪽의 자뼈거친면(ulnar tuberosity). 신경지배: 근육피부신경(musculocutaneous n.)과 노신경(radial n.).

3. 부리위팔근(coracobrachialis m.)
이는곳(origin): 갈고리돌기(coronoid process). 닿는곳(insertion): 위팔뼈(humerus) 중간의 안쪽모서리. 신경지배: 근육피부신경(musculocutaneous n.).

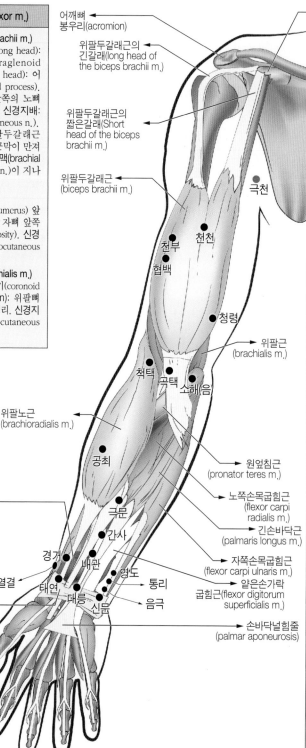

팔의 뒷면

B. 아래팔의 굽힘근(flexor m.)

● I 정중신경(median n.)이 지배하는 근육

1. 원엎침근(pronator teres m.)(C6, C7)
이는곳(origin): 위팔뼈 안쪽위관절융기(medial epicondyle of the humerus)와 자뼈 갈고리돌기(coronoid process of ulna). 닿는곳(insertion): 노뼈(radius) 중간의 바깥쪽면.

2. 노쪽손목굽힘근(flexor carpi radialis m.)(C6, C7)
이는곳(origin): 위팔뼈 안쪽위관절융기(medial epicondyle of the humerus). 닿는곳(insertion): 둘째 손허리뼈바닥(base of the 2nd metacarpal bone).

3. 손바닥근(palmaris m.)(C7, C8, T1)
이는곳(origin): 위팔뼈 안쪽위관절융기(medial epicondyle of the humerus). 닿는곳(insertion): 손바닥널힘줄(palmar aponeurosis).

4. 긴엄지굽힘근(flexor pollicis longus m.)(C8, T1)
이는곳(origin): 노뼈(radius)와 그 뼈사이막(interosseous membrane). 닿는곳(insertion): 엄지 끝마디뼈바닥(base of the distal phalanges of thumb).

5. 네모엎침근(pronator quadratus m.)(C7, C8, T1)
이는곳(origin): 자뼈(ulna) 앞쪽 하단. 닿는곳(insertion): 노뼈(radius) 앞쪽 하단.

6. 얕은손가락굽힘근(flexor digitorum superficialis m.)(C7, C8, T1)
이는곳(origin): 위팔뼈 안쪽위관절융기(medial epicondyle of the humerus)와 자뼈거친면(ulnar tuberosity), 노뼈(radius) 앞 위쪽. 닿는곳(insertion): 둘째-다섯째 중간마디뼈바닥(base of the middle phalanges).

7. 깊은손가락굽힘근(flexor digitorum profundus m.)(C8, T1)
이는곳(origin): 자뼈(ulna)와 그 뼈사이막(interosseous membrane). 닿는곳(insertion): 둘째-다섯째 끝마디뼈바닥(base of the distal phalanges).
※ 자쪽은 자신경(ulna n.)(C8, T1)이 지배한다.

● II 자신경(ulna n.)(C7, C8, T1)이 지배하는 근육

8. 자쪽손목굽힘근(flexor carpi ulnaris m.)
이는곳(origin): 위팔뼈 안쪽위관절융기(medial epicondyle of the humerus), 팔꿈치, 자뼈(ulna) 중간부분의 뒤모서리. 닿는곳(insertion): 갈고리뼈, 다섯째 손허리뼈바닥(base of 5th metacarpal bone).

● III 요골 신경 (C5-C7) 지배 근육

9. 위팔노근(brachioradialis m.)
이는곳(origin): 위팔뼈(humerus) 가쪽모서리 먼쪽. 닿는곳(insertion): 노뼈붓돌기(radial styloid process).
※ 위팔노근(brachioradialis m.)은 폄근(extensor m.)으로 분류되지만 기능상으로는 팔꿈관절(elbow joint)의 강력한 굽힘근(flexor m.)이다.
※ 주먹을 쥐고 손목관절(radiocarpal joint)을 강하게 굴곡시키면 손목 앞면의 정중선상에 손바닥근(palmaris m.)이 쉽게 만져지고, 그 노쪽에서 노쪽손목굽힘근(flexor carpi radialis m.)을, 자쪽에서 자쪽손목굽힘근(flexor carpi ulnaris m.)을 확인할 수 있다.

4. 팔(upper limb)

5─팔의 경혈과 근육(폄근)

A. 위팔의 폄근(extensor m.)

1. 위팔세갈래근(triceps brachialis m.)
이는곳(origin): 긴갈래(long head): 어깨뼈 관절아래결절(infraglenoid tubercle), 가쪽갈래(lateral head): 위팔뼈(humerus) 뒷면에서 노신경고랑(radial groove)의 위가쪽. 안쪽갈래(medial head): 위팔뼈(humerus) 뒷면에서 노신경고랑(radial groove)의 아래안쪽. 닿는곳(insertion): 자뼈 팔꿈치머리(olecranon). 신경지배: 노신경(radial n.)(C6-C8).

2. 팔꿈치근(anconeus m.)
이는곳(origin): 위팔뼈 가쪽관절융기(lateral condyle of humerus) 뒷면, 팔꿈치관절주머니(capsule of elbow joint). 닿는곳(insertion): 팔꿈치머리(olecranon) 가쪽면. 신경지배: 노신경(radial n.)(C7-C8)

※ 위팔의 근육은 위팔근막(brachial fascia)으로 싸여 있다. 이 근막이 심층에서 안쪽위팔근육사이막(medial brachial intermuscular septum)과 가쪽위팔근육사이막(lateral brachial intermuscular septum)이 되어 위팔의 앞쪽 근육과 뒤쪽 근육을 나누고 있다.
근육사이막(intermuscular septum)의 가운데를 혈관과 신경이 통과한다.

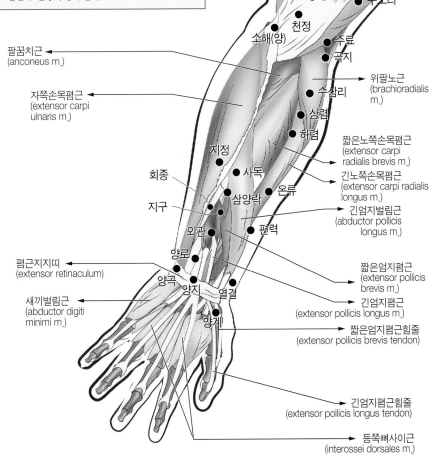

팔의 뒷면

B. 아래팔의 폄근(extensor m.)

1. 긴노쪽손목폄근(extensor carpi radialis longus m.) (C6-C8)
이는곳(origin): 위팔뼈(humerus) 가쪽모서리. 닿는곳(insertion): 둘째 손허리뼈바닥(base of the 2nd metacarpal bone)의 등쪽면.

2. 짧은노쪽손목폄근(extensor carpi radialis brevis m.) (C6-C8)
이는곳(origin): 위팔뼈 가쪽관절융기(lateral condyle of humerus). 닿는곳(insertion): 셋째 손허리뼈바닥(base of the 3rd metacarpal bone)의 등쪽면.

3. 손가락폄근(extensor digitorum m.)(C6, C8)
이는곳(origin): 위팔뼈 가쪽위관절융기(lateral epicondyle of the humerus). 닿는곳(insertion): 둘째-다섯째 손가락의 등쪽면 널힘줄(aponeurosis).

4. 새끼폄근(extensor digiti minimi m.)(C6,C8)
이는곳(origin): 손가락폄근(extensor digitorum m.)의 가지. 닿는곳(insertion): 새끼 손가락(digitus minimus)의 등쪽면 널힘줄(aponeurosis).

5. 자쪽손목폄근(extensor carpi ulnaris m.) (C6-C8)
이는곳(origin): 위팔뼈 가쪽위관절융기(lateral epicondyle of humerus), 자뼈 뒷면의 위쪽. 닿는곳(insertion): 새끼 손가락(digitus minimus)의 손허리뼈바닥(base of metacarpal bone).

6. 손뒤침근(supinator m.)(C5, C6)
이는곳(origin): 위팔뼈 가쪽위관절융기(lateral epicondyle of humerus), 팔꿈치관절주머니(capsule of elbow joint)과 자뼈의 뒤침근능선(supinator crest of ulna). 닿는곳(insertion): 노뼈(radius) 상부의 뒷면.

7. 긴엄지벌림근(abductor pollicis longus m.) (C7,C8)
이는곳(origin): 노뼈(radius)와 자뼈(ulna)의 뒷면 중앙과 그 뼈사이막(interosseous membrane). 닿는곳(insertion): 엄지손허리뼈 바닥(base of 1st metacarpal bone).

8. 짧은엄지폄근(extensor pollicis brevis m.)(C7,C8)
이는곳(origin): 노뼈(radius)의 뒷면과 그 뼈사이막(interosseous membrane). 닿는곳(insertion): 엄지(thumb) 첫마디뼈바닥(base of 1st metacarpal bone).

9. 긴엄지폄근(extensor pollicis longus m.) (C7,C8)
이는곳(origin): 자뼈(ulna)의 뒷면과 그 뼈사이막(interosseous membrane). 닿는곳(insertion): 엄지(thumb) 끝마디뼈바닥(base of distal phalanges).

10. 집게폄근(extensor indicis m.)(C7,C8)
이는곳(origin): 자뼈(ulna)의 뒷면과 그 뼈사이막(interosseous membrane). 닿는곳(insertion): 둘째 손가락의 등쪽면 널힘줄(aponeurosis).

6─팔 가쪽면의 경혈과 근육

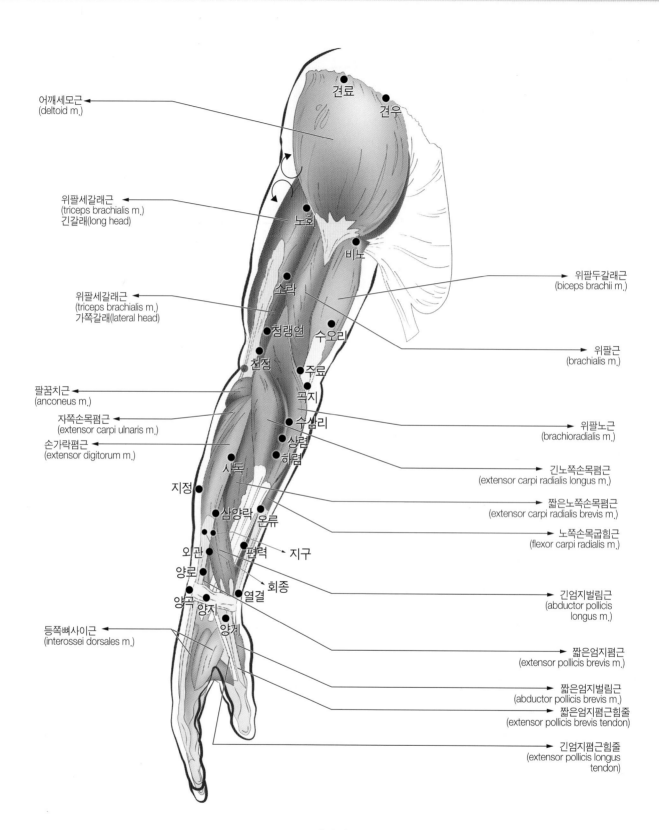

어깨세모근
(deltoid m.)

위팔세갈래근
(triceps brachialis m.)
긴갈래(long head)

위팔세갈래근
(triceps brachialis m.)
가쪽갈래(lateral head)

팔꿈치근
(anconeus m.)

자쪽손목폄근
(extensor carpi ulnaris m.)

손가락폄근
(extensor digitorum m.)

등쪽뼈사이근
(interossei dorsales m.)

견료
견우
노회
비노
소락
청랭연
수오리
천정
주료
곡지
수삼리
상렴
하렴
사독
지정
삼양락
온류
외관
편력
양로
회종
양곡
양지
열결
양계
지구

위팔두갈래근
(biceps brachii m.)

위팔근
(brachialis m.)

위팔노근
(brachioradialis m.)

긴노쪽손목폄근
(extensor carpi radialis longus m.)

짧은노쪽손목폄근
(extensor carpi radialis brevis m.)

노쪽손목굽힘근
(flexor carpi radialis m.)

긴엄지벌림근
(abductor pollicis
longus m.)

짧은엄지폄근
(extensor pollicis brevis m.)

짧은엄지벌림근
(abductor pollicis brevis m.)
짧은엄지폄근힘줄
(extensor pollicis brevis tendon)

긴엄지폄근힘줄
(extensor pollicis longus
tendon)

팔의 가쪽(노쪽)면

4. 팔(upper limb)

7 — 팔의 경혈과 동맥, 정맥

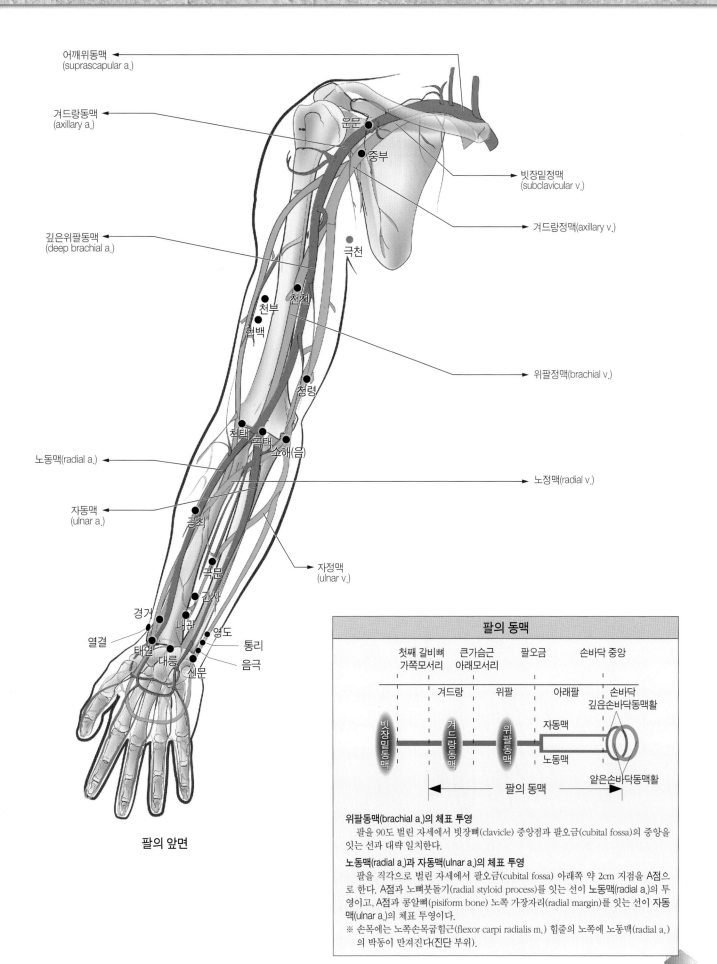

어깨위동맥 (suprascapular a.)

겨드랑동맥 (axillary a.)

깊은위팔동맥 (deep brachial a.)

노동맥(radial a.)

자동맥 (ulnar a.)

경거

열결

운문

중부

극천

천천

천부

협백

청령

척택

곡택

소해(음)

공최

극문

간사

내관

영도

통리

음극

태연

대릉

신문

빗장밑정맥 (subclavicular v.)

겨드랑정맥(axillary v.)

위팔정맥(brachial v.)

노정맥(radial v.)

자정맥 (ulnar v.)

팔의 앞면

팔의 동맥

첫째 갈비뼈 가쪽모서리	큰가슴근 아래모서리	팔오금	손바닥 중앙
겨드랑	위팔	아래팔	손바닥

빗장밑동맥

겨드랑동맥

위팔동맥

자동맥

노동맥

깊은손바닥동맥활

얕은손바닥동맥활

팔의 동맥

위팔동맥(brachial a.)의 체표 투영

　팔을 90도 벌린 자세에서 빗장뼈(clavicle) 중앙점과 팔오금(cubital fossa)의 중앙을 잇는 선과 대략 일치한다.

노동맥(radial a.)과 자동맥(ulnar a.)의 체표 투영

　팔을 직각으로 벌린 자세에서 팔오금(cubital fossa) 아래쪽 약 2cm 지점을 A점으로 한다. A점과 노뼈붓돌기(radial styloid process)를 잇는 선이 노동맥(radial a.)의 투영이고, A점과 콩알뼈(pisiform bone) 노쪽 가장자리(radial margin)를 잇는 선이 자동맥(ulnar a.)의 체표 투영이다.

　※ 손목에는 노쪽손목굽힘근(flexor carpi radialis m.) 힘줄의 노쪽에 노동맥(radial a.)의 박동이 만져진다(진단 부위).

149

8―팔의 경혈과 신경

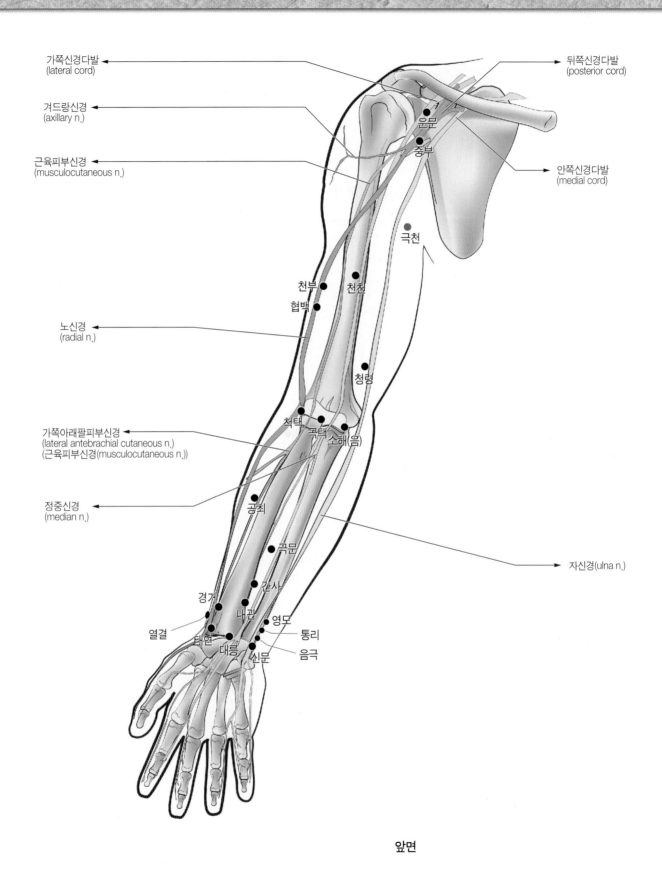

가쪽신경다발
(lateral cord)

뒤쪽신경다발
(posterior cord)

겨드랑신경
(axillary n.)

근육피부신경
(musculocutaneous n.)

안쪽신경다발
(medial cord)

노신경
(radial n.)

가쪽아래팔피부신경
(lateral antebrachial cutaneous n.)
(근육피부신경(musculocutaneous n.))

정중신경
(median n.)

자신경(ulna n.)

운문
중부
극천
천부
천천
협백
청령
척택
곡택
소해(음)
공최
곡문
간사
경거
내관
영도
열결
태연
대릉
신문
음극
통리

앞면

팔의 앞면과 근육피부신경, 노신경, 정중신경, 자신경

4. 팔(upper limb)

9 — 팔의 경혈과 어깨신경, 겨드랑신경

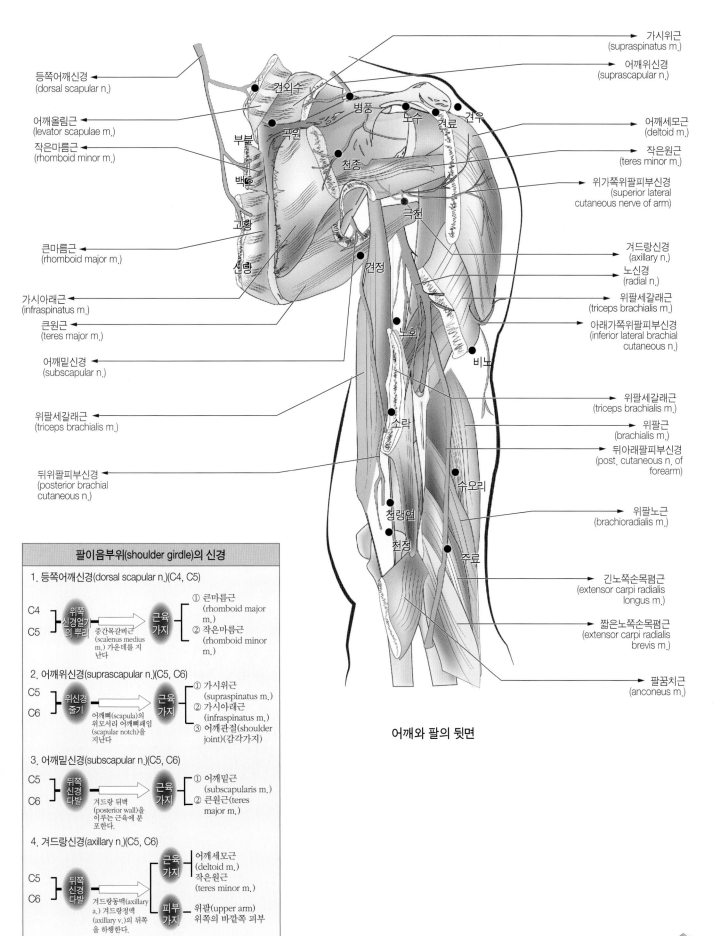

등쪽어깨신경
(dorsal scapular n.)

어깨올림근
(levator scapulae m.)

작은마름근
(rhomboid minor m.)

큰마름근
(rhomboid major m.)

가시아래근
(infraspinatus m.)

큰원근
(teres major m.)

어깨밑신경
(subscapular n.)

위팔세갈래근
(triceps brachialis m.)

뒤위팔피부신경
(posterior brachial cutaneous n.)

견외수
부분
곡원
백
고황
신량
천종
병풍
노수
견료
견우
극천
견정
노회
소락
청랭연
천정
주료
비노
슈오리

가시위근
(supraspinatus m.)

어깨위신경
(suprascapular n.)

어깨세모근
(deltoid m.)

작은원근
(teres minor m.)

위가쪽위팔피부신경
(superior lateral cutaneous nerve of arm)

겨드랑신경
(axillary n.)

노신경
(radial n.)

위팔세갈래근
(triceps brachialis m.)

아래가쪽위팔피부신경
(inferior lateral brachial cutaneous n.)

위팔세갈래근
(triceps brachialis m.)

위팔근
(brachialis m.)

뒤아래팔피부신경
(post. cutaneous n. of forearm)

위팔노근
(brachioradialis m.)

긴노쪽손목폄근
(extensor carpi radialis longus m.)

짧은노쪽손목폄근
(extensor carpi radialis brevis m.)

팔꿈치근
(anconeus m.)

어깨와 팔의 뒷면

팔이음부위(shoulder girdle)의 신경

1. 등쪽어깨신경(dorsal scapular n.)(C4, C5)

C4
C5 → 위쪽신경얼기의 뿌리 →(중간목갈비근 (scalenus medius m.) 가운데를 지난다)→ 근육가지 → ① 큰마름근 (rhomboid major m.)
② 작은마름근 (rhomboid minor m.)

2. 어깨위신경(suprascapular n.)(C5, C6)

C5
C6 → 위신경줄기 →(어깨뼈(scapula)의 위모서리 어깨뼈패임 (scapular notch)을 지난다)→ 근육가지 → ① 가시위근 (supraspinatus m.)
② 가시아래근 (infraspinatus m.)
③ 어깨관절(shoulder joint)(감각가지)

3. 어깨밑신경(subscapular n.)(C5, C6)

C5
C6 → 뒤쪽신경다발 →(겨드랑 뒤벽 (posterior wall)을 이루는 근육에 분포한다)→ 근육가지 → ① 어깨밑근 (subscapularis m.)
② 큰원근(teres major m.)

4. 겨드랑신경(axillary n.)(C5, C6)

C5
C6 → 뒤쪽신경다발 →(겨드랑동맥(axillary a.) 겨드랑정맥 (axillary v.)의 뒤쪽을 하행한다)→ 근육가지 → 어깨세모근 (deltoid m.)
작은원근 (teres minor m.)

피부가지 → 위팔(upper arm) 위쪽의 바깥쪽 피부

10 — 팔의 경혈과 노신경

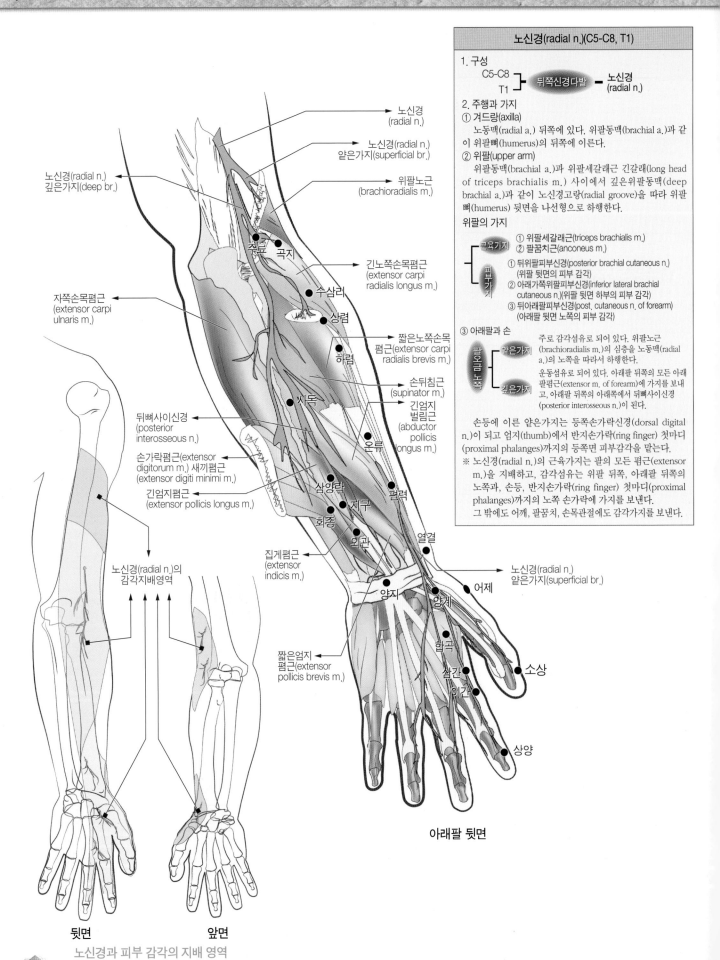

노신경(radial n.)(C5-C8, T1)

1. 구성

C5-C8, T1 → 뒤쪽신경다발 → 노신경(radial n.)

2. 주행과 가지

① 겨드랑(axilla)

노동맥(radial a.) 뒤쪽에 있다. 위팔동맥(brachial a.)과 같이 위팔뼈(humerus)의 뒤쪽에 이른다.

② 위팔(upper arm)

위팔동맥(brachial a.)과 위팔세갈래근 긴갈래(long head of triceps brachialis m.) 사이에서 깊은위팔동맥(deep brachial a.)과 같이 노신경고랑(radial groove)을 따라 위팔뼈(humerus) 뒷면을 나선형으로 하행한다.

위팔의 가지

근육가지
① 위팔세갈래근(triceps brachialis m.)
② 팔꿈치근(anconeus m.)

피부가지
① 뒤위팔피부신경(posterior brachial cutaneous n.)(위팔 뒷면의 피부 감각)
② 아래가쪽위팔피부신경(inferior lateral brachial cutaneous n.)(위팔 뒷면 하부의 피부 감각)
③ 뒤아래팔피부신경(post. cutaneous n. of forearm)(아래팔 뒷면 노쪽의 피부 감각)

③ 아래팔과 손

주로 감각섬유로 되어 있다. 위팔노근(brachioradialis m.)의 심층을 노동맥(radial a.)의 노쪽을 따라서 하행한다.

팔오금 노쪽
얕은가지
깊은가지

운동섬유로 되어 있다. 아래팔 뒤쪽의 모든 아래팔폄근(extensor m. of forearm)에 가지를 보내고, 아래팔 뒤쪽의 아래쪽에서 뒤뼈사이신경(posterior interosseous n.)이 된다.

손등에 이른 얕은가지는 등쪽손가락신경(dorsal digital n.)이 되고 엄지(thumb)에서 반지손가락(ring finger) 첫마디(proximal phalanges)까지의 등쪽면 피부감각을 맡는다.

※ 노신경(radial n.)의 근육가지는 팔의 모든 폄근(extensor m.)을 지배하고, 감각섬유는 위팔 뒤쪽, 아래팔 뒤쪽의 노쪽과, 손등, 반지손가락(ring finger) 첫마디(proximal phalanges)까지의 노쪽 손가락에 가지를 보낸다.

그 밖에도 어깨, 팔꿈치, 손목관절에도 감각가지를 보낸다.

노신경(radial n.)

노신경(radial n.) 얕은가지(superficial br.)

노신경(radial n.) 깊은가지(deep br.)

위팔노근(brachioradialis m.)

긴노쪽손목폄근(extensor carpi radialis longus m.)

자쪽손목폄근(extensor carpi ulnaris m.)

짧은노쪽손목폄근(extensor carpi radialis brevis m.)

손뒤침근(supinator m.)

긴엄지벌림근(abductor pollicis longus m.)

뒤뼈사이신경(posterior interosseous n.)

손가락폄근(extensor digitorum m.) 새끼폄근(extensor digiti minimi m.)

긴엄지폄근(extensor pollicis longus m.)

집게폄근(extensor indicis m.)

짧은엄지폄근(extensor pollicis brevis m.)

노신경(radial n.)의 감각지배영역

노신경(radial n.) 얕은가지(superficial br.)

주료　곡지
수삼리
상렴
하렴
지독
온류
삼양락　지구
회종
외관
편력
양지　양계　어제
합곡
삼간　이간　소상
상양

아래팔 뒷면

뒷면　앞면

노신경과 피부 감각의 지배 영역

4. 팔(upper limb)

11 — 팔의 경혈과 근육피부신경

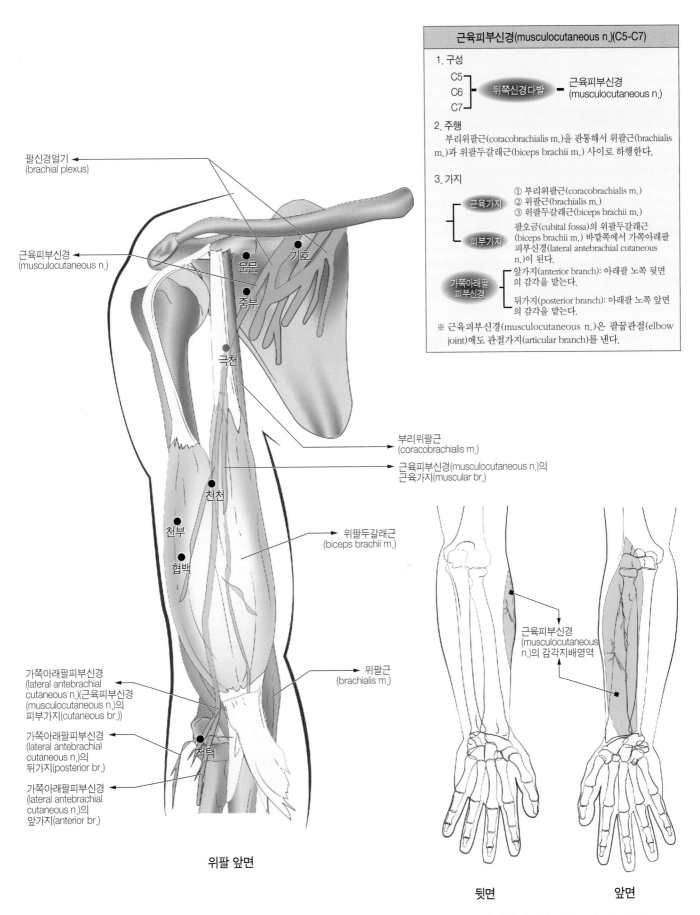

근육피부신경(musculocutaneous n.)(C5-C7)

1. 구성

C5
C6 — 뒤쪽신경다발 — 근육피부신경
C7 (musculocutaneous n.)

2. 주행

부리위팔근(coracobrachialis m.)을 관통해서 위팔근(brachialis m.)과 위팔두갈래근(biceps brachii m.) 사이로 하행한다.

3. 가지

근육가지
① 부리위팔근(coracobrachialis m.)
② 위팔근(brachialis m.)
③ 위팔두갈래근(biceps brachii m.)

피부가지
팔오금(cubital fossa)의 위팔두갈래근(biceps brachii m.) 바깥쪽에서 가쪽아래팔피부신경(lateral antebrachial cutaneous n.)이 된다.

가쪽아래팔피부신경
앞가지(anterior branch): 아래팔 노쪽 뒷면의 감각을 맡는다.
뒤가지(posterior branch): 아래팔 노쪽 앞면의 감각을 맡는다.

※ 근육피부신경(musculocutaneous n.)은 팔꿉관절(elbow joint)에도 관절가지(articular branch)를 낸다.

팔신경얼기
(brachial plexus)

근육피부신경
(musculocutaneous n.)

운문

기호

중부

극천

부리위팔근
(coracobrachialis m.)

근육피부신경(musculocutaneous n.)의
근육가지(muscular br.)

천천

천부

위팔두갈래근
(biceps brachii m.)

협백

위팔근
(brachialis m.)

가쪽아래팔피부신경
(lateral antebrachial cutaneous n.)(근육피부신경
(musculocutaneous n.)의
피부가지(cutaneous br.))

가쪽아래팔피부신경
(lateral antebrachial cutaneous n.)의
뒤가지(posterior br.)

척택

가쪽아래팔피부신경
(lateral antebrachial cutaneous n.)의
앞가지(anterior br.)

위팔 앞면

근육피부신경
(musculocutaneous n.)의 감각지배영역

뒷면　　　　**앞면**

근육피부신경의 피부 감각 지배 영역

153

12─팔의 경혈과 정중신경

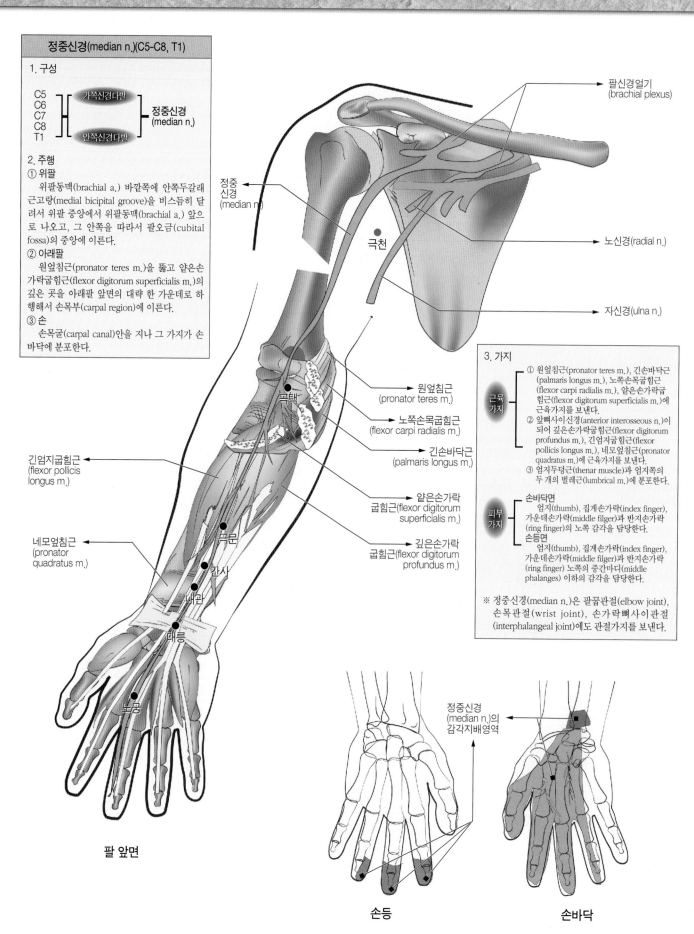

정중신경(median n.)(C5-C8, T1)

1. 구성

C5
C6
C7
C8
T1

가쪽신경다발

안쪽신경다발

정중신경
(median n.)

2. 주행

① 위팔
  위팔동맥(brachial a.) 바깥쪽에 안쪽두갈래근고랑(medial bicipital groove)을 비스듬히 달려서 위팔 중앙에서 위팔동맥(brachial a.) 앞으로 나오고, 그 안쪽을 따라서 팔오금(cubital fossa)의 중앙에 이른다.

② 아래팔
  원엎침근(pronator teres m.)을 뚫고 얕은손가락굽힘근(flexor digitorum superficialis m.)의 깊은 곳을 아래팔 앞면의 대략 한 가운데로 하행해서 손목부(carpal region)에 이른다.

③ 손
  손목굴(carpal canal)안을 지나 그 가지가 손바닥에 분포한다.

3. 가지

근육가지
① 원엎침근(pronator teres m.), 긴손바닥근(palmaris longus m.), 노쪽손목굽힘근(flexor carpi radialis m.), 얕은손가락굽힘근(flexor digitorum superficialis m.)에 근육가지를 보낸다.
② 앞뼈사이신경(anterior interosseous n.)이 되어 깊은손가락굽힘근(flexor digitorum profundus m.), 긴엄지굽힘근(flexor pollicis longus m.), 네모엎침근(pronator quadratus m.)에 근육가지를 보낸다.
③ 엄지두덩근(thenar muscle)과 엄지쪽의 두 개의 벌레근(lumbrical m.)에 분포한다.

피부가지
손바닥면
  엄지(thumb), 집게손가락(index finger), 가운데손가락(middle filger)과 반지손가락(ring finger)의 노쪽 감각을 담당한다.
손등면
  엄지(thumb), 집게손가락(index finger), 가운데손가락(middle filger)과 반지손가락(ring finger) 노쪽의 중간마디(middle phalanges) 이하의 감각을 담당한다.

※ 정중신경(median n.)은 팔꿉관절(elbow joint), 손목관절(wrist joint), 손가락뼈사이관절(interphalangeal joint)에도 관절가지를 보낸다.

팔신경얼기
(brachial plexus)

정중신경
(median n.)

극천

노신경(radial n.)

자신경(ulna n.)

원엎침근
(pronator teres m.)

노쪽손목굽힘근
(flexor carpi radialis m.)

긴손바닥근
(palmaris longus m.)

얕은손가락굽힘근(flexor digitorum superficialis m.)

깊은손가락굽힘근(flexor digitorum profundus m.)

긴엄지굽힘근
(flexor pollicis longus m.)

네모엎침근
(pronator quadratus m.)

곡택

극문

간사

내관

대릉

노궁

팔 앞면

정중신경
(median n.)의
감각지배영역

손등

손바닥

정중신경의 피부 감각 지배 영역

4. 팔(upper limb)

13—팔의 경혈과 자신경

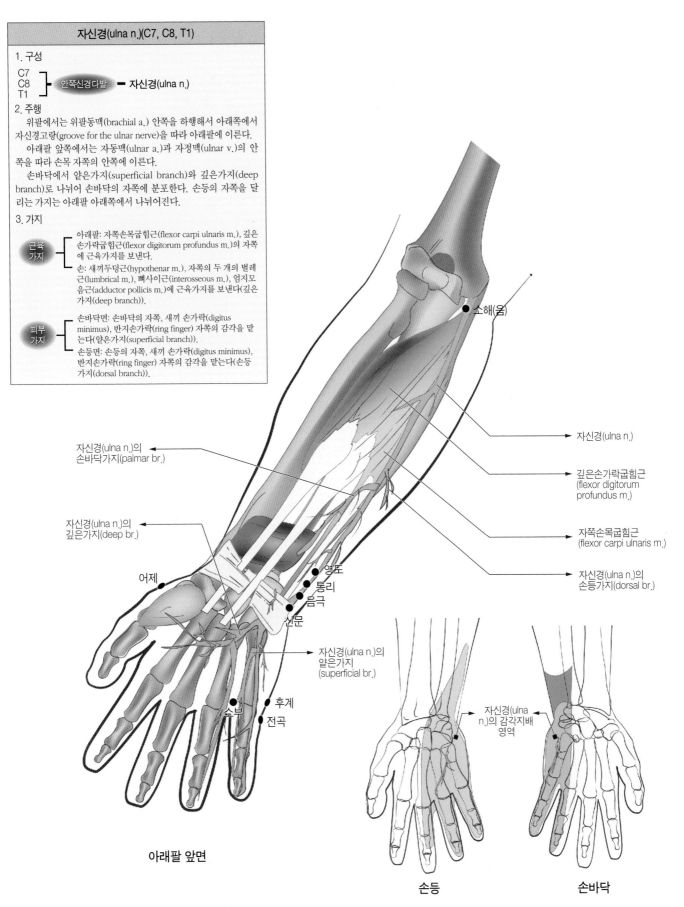

자신경(ulna n.)(C7, C8, T1)

1. 구성

C7
C8 ⟶ 안쪽신경다발 ― 자신경(ulna n.)
T1

2. 주행

　위팔에서는 위팔동맥(brachial a.) 안쪽을 하행해서 아래쪽에서 자신경고랑(groove for the ulnar nerve)을 따라 아래팔에 이른다.

　아래팔 앞쪽에서는 자동맥(ulnar a.)과 자정맥(ulnar v.)의 안쪽을 따라 손목 자쪽의 안쪽에 이른다.

　손바닥에서 얕은가지(superficial branch)와 깊은가지(deep branch)로 나뉘어 손바닥의 자쪽에 분포한다. 손등의 자쪽을 달리는 가지는 아래팔 아래쪽에서 나뉘어진다.

3. 가지

근육가지
아래팔: 자쪽손목굽힘근(flexor carpi ulnaris m.), 깊은손가락굽힘근(flexor digitorum profundus m.)의 자쪽에 근육가지를 보낸다.
손: 새끼두덩근(hypothenar m.), 자쪽의 두 개의 벌레근(lumbrical m.), 뼈사이근(interosseous m.), 엄지모음근(adductor pollicis m.)에 근육가지를 보낸다(깊은가지(deep branch)).

피부가지
손바닥면: 손바닥의 자쪽, 새끼 손가락(digitus minimus), 반지손가락(ring finger) 자쪽의 감각을 맡는다(얕은가지(superficial branch)).
손등면: 손등의 자쪽, 새끼 손가락(digitus minimus), 반지손가락(ring finger) 자쪽의 감각을 맡는다(손등가지(dorsal branch)).

소해(움)

자신경(ulna n.)

깊은손가락굽힘근
(flexor digitorum
profundus m.)

자쪽손목굽힘근
(flexor carpi ulnaris m.)

자신경(ulna n.)의
손등가지(dorsal br.)

자신경(ulna n.)의
손바닥가지(palmar br.)

자신경(ulna n.)의
깊은가지(deep br.)

어제

영도
통리
음극
신문

자신경(ulna n.)의
얕은가지
(superficial br.)

소부
후계
전곡

아래팔 앞면

자신경(ulna n.)의 감각지배 영역

손등　　　　손바닥

자신경의 피부 감각 지배 영역

14 - 팔의 경혈과 피부신경

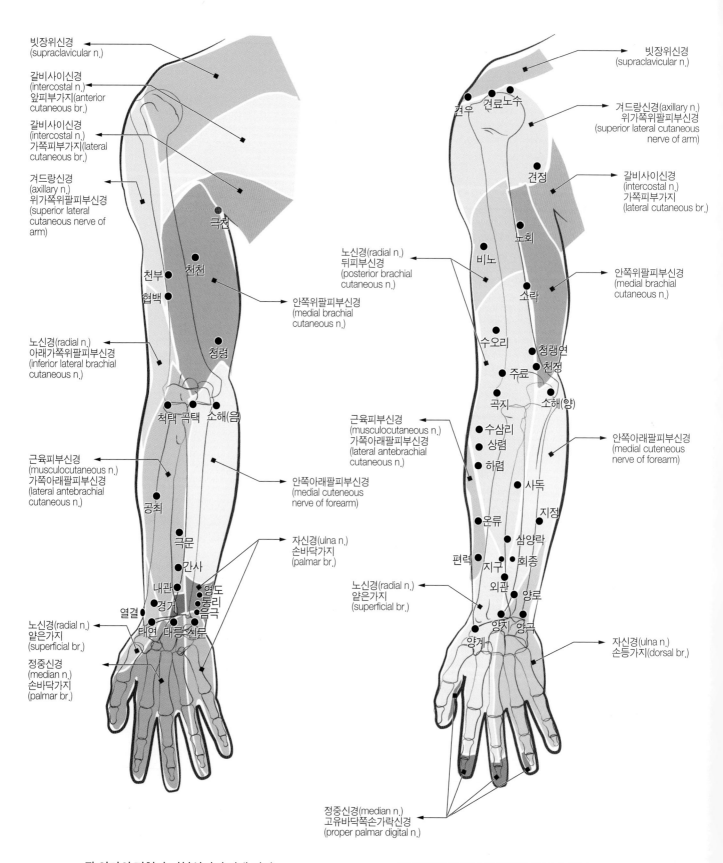

빗장위신경
(supraclavicular n.)

갈비사이신경
(intercostal n.)
앞피부가지(anterior
cutaneous br.)

갈비사이신경
(intercostal n.)
가쪽피부가지(lateral
cutaneous br.)

겨드랑신경
(axillary n.)
위가쪽위팔피부신경
(superior lateral
cutaneous nerve of
arm)

극천

천부   천천

협백

노신경(radial n.)
아래가쪽위팔피부신경
(inferior lateral brachial
cutaneous n.)

청령

안쪽위팔피부신경
(medial brachial
cutaneous n.)

척택 곡택 소해(음)

근육피부신경
(musculocutaneous n.)
가쪽아래팔피부신경
(lateral antebrachial
cutaneous n.)

안쪽아래팔피부신경
(medial cuteneous
nerve of forearm)

공최

극문

간사

내관
열결   경거

자신경(ulna n.)
손바닥가지
(palmar br.)

영도
통리
음극

노신경(radial n.)
얕은가지
(superficial br.)

태연 대릉 신문

정중신경
(median n.)
손바닥가지
(palmar br.)

빗장위신경
(supraclavicular n.)

견우 견료노수

겨드랑신경(axillary n.)
위가쪽위팔피부신경
(superior lateral cutaneous
nerve of arm)

견정

갈비사이신경
(intercostal n.)
가쪽피부가지
(lateral cutaneous br.)

노회

비노

소락

안쪽위팔피부신경
(medial brachial
cutaneous n.)

노신경(radial n.)
뒤피부신경
(posterior brachial
cutaneous n.)

수오리

청랭연
천정

주료

곡지   소해(양)

수삼리

근육피부신경
(musculocutaneous n.)
가쪽아래팔피부신경
(lateral antebrachial
cutaneous n.)

상렴

하렴

안쪽아래팔피부신경
(medial cuteneous
nerve of forearm)

사독

지정

온류

삼양락

편력   지구   회종

외관   양로

노신경(radial n.)
얕은가지
(superficial br.)

양지 양곡

양계

자신경(ulna n.)
손등가지(dorsal br.)

정중신경(median n.)
고유바닥쪽손가락신경
(proper palmar digital n.)

팔 앞면의 경혈과 피부신경의 지배 영역   팔 뒷면의 경혈과 피부신경의 지배 영역

팔의 피부신경

4. 팔(upper limb)

15—팔의 경혈과 더마톰

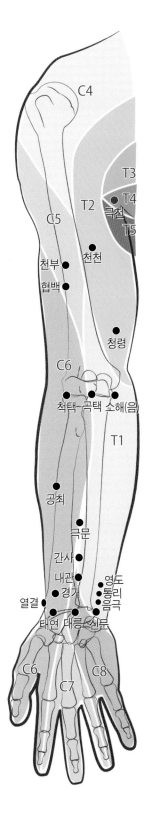

팔 앞면의 경혈과 더마톰

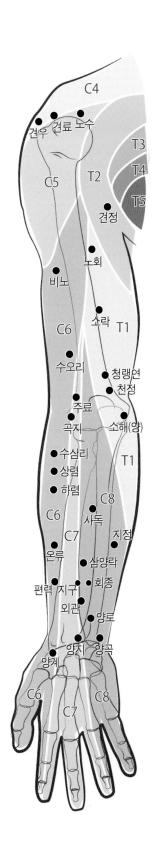

팔 뒷면의 경혈과 더마톰

팔의 더마톰

16 ─ 손의 경혈과 체표 해부

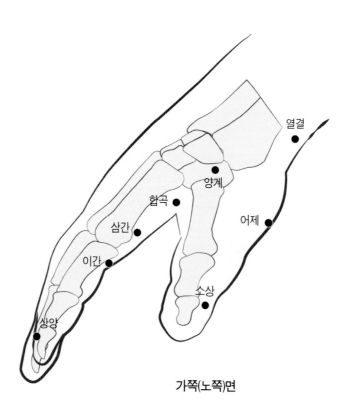

가쪽(노쪽)면

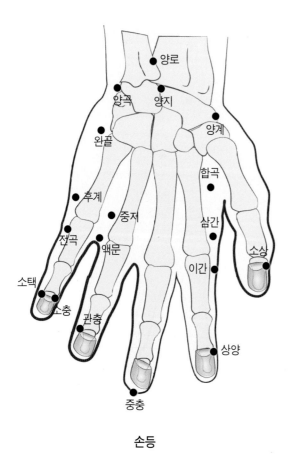

손등

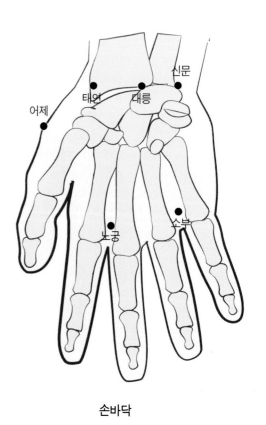

손바닥

손의 골표지

다리의 경혈과 국소 해부

1─ 다리 앞면의 경혈과 체표 해부

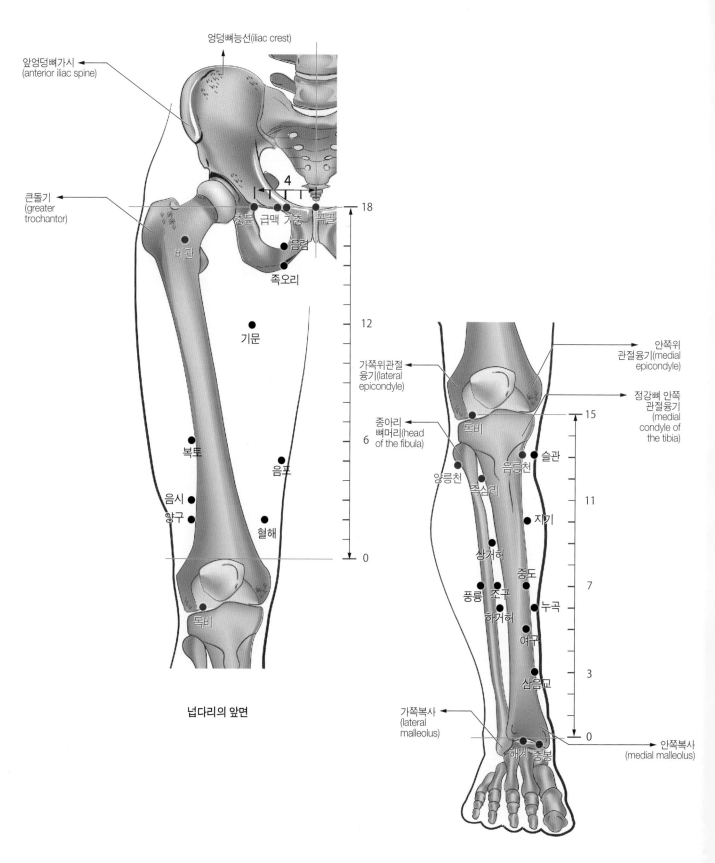

엉덩뼈능선(iliac crest)

앞엉덩뼈가시
(anterior iliac spine)

큰돌기
(greater
trochantor)

비관

기문

복토

음시

양구

독비

혈해

음포

충문 급맥 기충 횡골

음렴

족오리

18

12

6

0

넙다리의 앞면

가쪽위관절
융기(lateral
epicondyle)

종아리
뼈머리(head
of the fibula)

양릉천

풍륭

상거허

하거허

조구

독비

족삼리

음릉천

슬관

지기

중도

누곡

여구

삼음교

안쪽위
관절융기(medial
epicondyle)

정강뼈 안쪽
관절융기
(medial
condyle of
the tibia)

15

11

7

3

0

가쪽복사
(lateral
malleolus)

해계 중봉

안쪽복사
(medial malleolus)

종아리의 앞면

다리 앞면의 골표지

5. 다리(lower limb)

2—다리 앞면의 경혈과 근육(폄근)

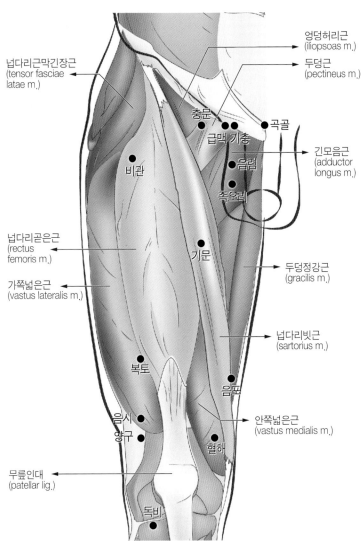

엉덩허리근
(iliopsoas m.)

넙다리근막긴장근
(tensor fasciae latae m.)

두덩근
(pectineus m.)

충문

급맥 기충

곡골

비관

음렴

긴모음근
(adductor longus m.)

족오리

넙다리곧은근
(rectus femoris m.)

기문

두덩정강근
(gracilis m.)

가쪽넓은근
(vastus lateralis m.)

넙다리빗근
(sartorius m.)

복토

음포

음시
양구

안쪽넓은근
(vastus medialis m.)

혈해

무릎인대
(patellar lig.)

독비

넙다리의 앞면

넙다리(thigh)의 근육(폄근(extensor m.))

1. 넙다리빗근(sartorius m.)
이는곳(origin): 위앞엉덩뼈가시(anterior superior iliac spine). 닿는곳(insertion): 정강뼈거친면(tuberosity of the tibia) 안쪽. 신경지배: 넙다리신경(femoral n.).

2. 넙다리네갈래근(quadriceps femoris muscle)
① 넙다리곧은근(rectus femoris m.)
이는곳(origin): 아래앞엉덩뼈가시(anterior inferior iliac spine), 볼기뼈절구(acetabulum) 위모서리. 닿는곳(insertion): 무릎뼈(patella) 위모서리, 무릎인대(patellar lig.), 정강뼈거친면(tuberosity of the tibia). 신경지배: 넙다리신경(femoral n.).
② 안쪽넓은근(vastus medialis m.)
이는곳(origin): 넙다리 거친선(linea aspera of femur) 안쪽선. 닿는곳(insertion): 넙다리곧은근(rectus femoris m.) 힘줄의 양측, 무릎뼈(patella) 위모서리. 신경지배: 넙다리신경(femoral n.).
③ 중간넓은근(vastus intermedius m.)
이는곳(origin): 넙다리뼈(femur) 앞면. 닿는곳(insertion): 넙다리곧은근(rectus femoris m.) 힘줄의 양측, 무릎뼈(patella). 신경지배: 넙다리신경(femoral n.).
④ 가쪽넓은근(vastus lateralis m.)
이는곳(origin): 넙다리 거친선(linea aspera of femur) 가쪽선. 닿는곳(insertion): 넙다리곧은근(rectus femoris m.) 힘줄의 양측, 무릎뼈(patella) 위모서리. 신경지배: 넙다리신경(femoral n.).

3. 무릎관절근(articularis genu m.)
이는곳(origin): 중간넓은등근(latissimus dorsi m.)의 중간. 닿는곳(insertion): 무릎관절주머니(knee joint capsule). 신경지배: 넙다리신경(femoral n.).

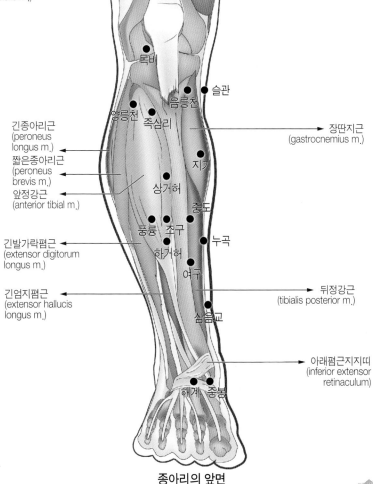

독비

슬관

음릉천

양릉천
족삼리

장딴지근
(gastrocnemius m.)

긴종아리근
(peroneus longus m.)

지기

짧은종아리근
(peroneus brevis m.)

상거허

앞정강근
(anterior tibial m.)

중도

풍륭
조구

긴발가락폄근
(extensor digitorum longus m.)

하거허

누곡

여구

긴엄지폄근
(extensor hallucis longus m.)

뒤정강근
(tibialis posterior m.)

삼음교

아래폄근지지띠
(inferior extensor retinaculum)

해계 종봉

종아리의 앞면

종아리(lower leg)의 폄근(extensor m.)

1. 앞정강근(anterior tibial m.)
이는곳(origin): 정강뼈(tibia) 가쪽면, 종아리뼈사이막(crural interosseous membrane). 닿는곳(insertion): 첫째 발허리뼈바닥(base of the 1st metatarsal bones), 안쪽쐐기뼈(medial cuneiform bone) 발바닥면. 신경지배: 깊은종아리신경(deep peroneal n.).

2. 긴엄지폄근(extensor hallucis longus m.)
이는곳(origin): 종아리뼈(fibula) 중앙 앞면, 종아리뼈사이막(crural interosseous membrane). 닿는곳(insertion): 엄지발가락 끝마디뼈바닥(base of the distal phalanx of hallux). 신경지배: 깊은종아리신경(deep peroneal n.).

3. 긴발가락폄근(extensor digitorum longus m.)
이는곳(origin): 종아리뼈(fibula) 앞면의 위쪽, 종아리뼈사이막(crural interosseous membrane). 닿는곳(insertion): 발가락 널힘줄로 바깥쪽 4개의 발가락 중간마디뼈(middle phalanges)와 끝마디뼈(distal phalanges). 신경지배: 깊은종아리신경(deep peroneal n.).

4. 셋째종아리근(peroneus tertius m.)
이는곳(origin): 긴발가락폄근(extensor digitorum longus m.)의 가지. 닿는곳(insertion): 다섯째 발허리뼈바닥(base of the 5th metatarsal bones). 신경지배: 깊은종아리신경(deep peroneal n.).

3— 다리 뒷면의 경혈과 체표 해부

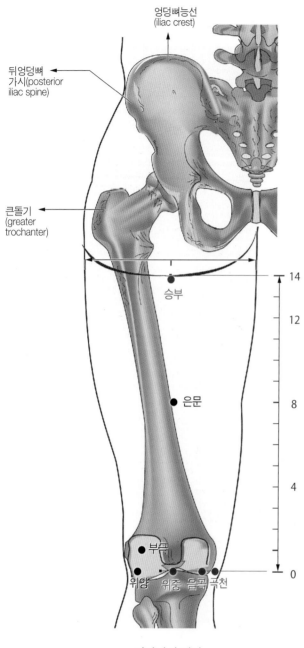

엉덩뼈능선
(iliac crest)

뒤엉덩뼈
가시(posterior
iliac spine)

큰돌기
(greater
trochanter)

14

승부

12

은문

8

4

부곡

0

위양 위중 음곡 곡천

넙다리의 뒷면

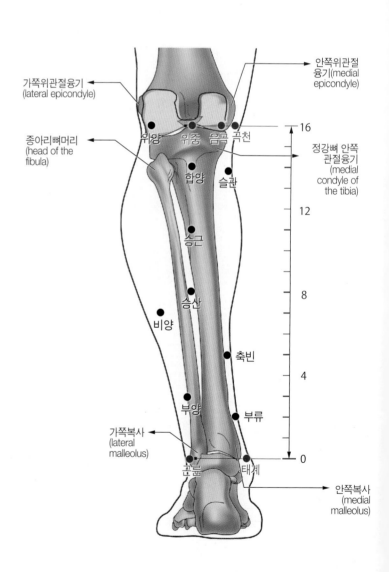

가쪽위관절융기
(lateral epicondyle)

종아리뼈머리
(head of the
fibula)

안쪽위관절
융기(medial
epicondyle)

위양 위중 음곡 곡천

16

정강뼈 안쪽
관절융기
(medial
condyle of
the tibia)

합양 슬관

승근

12

승산

8

비양

축빈

4

부양 부류

가쪽복사
(lateral
malleolus)

곤륜 태계

0

안쪽복사
(medial
malleolus)

종아리의 뒷면

다리 뒷면의 골표지

5. 다리(lower limb)

4─다리 뒷면의 경혈과 근육(굽힘근)

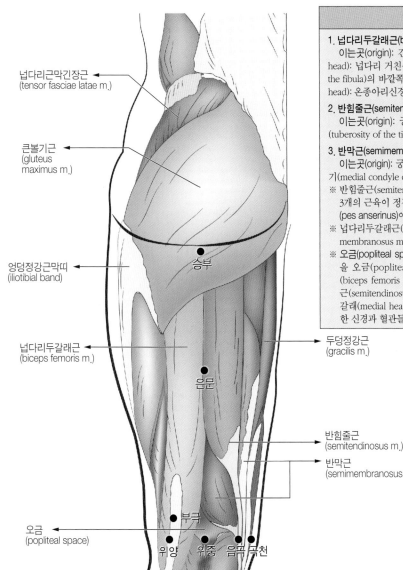

넙다리의 뒷면

넙다리(thigh)의 근육(굽힘근(flexor m.))

1. **넙다리두갈래근(biceps femoris m.)**
   이는곳(origin): 긴갈래(long head): 궁둥뼈결절(ischial tuberosity). 짧은갈래(short head): 넙다리 거친선(linea aspera of femur). 닿는곳(insertion): 종아리뼈머리(head of the fibula)의 바깥쪽. 신경지배: 긴갈래(long head): 정강신경(tibial n.). 짧은갈래(short head): 온종아리신경(common peroneal n.).

2. **반힘줄근(semitendinosus m.)**
   이는곳(origin): 궁둥뼈결절(ischial tuberosity). 닿는곳(insertion): 정강뼈거친면(tuberosity of the tibia) 안쪽부분. 신경지배: 정강신경(tibial n.).

3. **반막근(semimembranosus m.)**
   이는곳(origin): 궁둥뼈결절(ischial tuberosity). 닿는곳(insertion): 정강뼈 안쪽관절융기(medial condyle of the tibia). 신경지배: 정강신경(tibial n.).

   ※ 반힘줄근(semitendinosus m.), 넙다리빗근(sartorius m.), 두덩정강근(gracilis m.)의 3개의 근육이 정강뼈거친면(tuberosity of the tibia)의 안쪽에 부착한 구조를 거위발(pes anserinus)이라 한다.

   ※ 넙다리두갈래근(biceps femoris m.), 반힘줄근(semitendinosus m.), 반막근(semimembranosus m.)의 3개의 근육을 햄스트링근(hamstring m.)이라 한다.

   ※ 오금(popliteal space): 무릎관절(knee joint) 뒷면에 있는 마름모 모양의 움푹한 곳을 오금(popliteal space)이라고 한다. 오금의 위쪽은 바깥쪽이 넙다리두갈래근(biceps femoris m.)의 힘줄이고, 안쪽은 반막근(semimembranosus m.)과 반힘줄근(semitendinosus m.)의 힘줄이며, 아래쪽은 장딴지근(gastrocnemius m.)의 안쪽갈래(medial head)와 가쪽갈래(lateral head)가 양쪽을 감싸고 있다. 오금에는 중요한 신경과 혈관들이 지나간다.

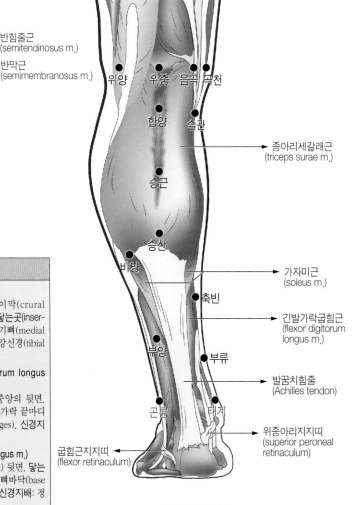

종아리의 뒷면

종아리(lower leg)의 굽힘근(flexor m.)

1. **종아리세갈래근(triceps surae m.)**
   ① 장딴지근(gastrocnemius m.)
   이는곳(origin): 안쪽갈래(medial head): 넙다리뼈(femur) 안쪽위관절융기(medial epicondyle). 가쪽갈래(lateral head): 넙다리뼈(femur) 가쪽위관절융기(lateral epicondyle). 닿는곳(insertion): 발꿈치 힘줄(calcaneal tendon)이 된다. 신경지배: 정강신경(tibial n.).
   ② 가자미근(soleus m.)
   이는곳(origin): 정강뼈(tibia)와 종아리뼈(fibula)의 뒷면. 닿는곳(insertion): 발꿈치 힘줄(calcaneal tendon)과 합쳐진다. 신경지배: 정강신경(tibial n.).

2. **오금근(popliteal m.)**
   이는곳(origin): 넙다리뼈(femur)의 가쪽위관절융기(lateral epicondyle). 닿는곳(insertion): 정강뼈(tibia) 뒷면 위쪽. 신경지배: 정강신경(tibial n.).

3. **뒤정강근(tibialis posterior m.)**
   이는곳(origin): 종아리뼈사이막(crural interosseous membrane) 뒷면. 닿는곳(insertion): 발배뼈(navicula), 안쪽쐐기뼈(medial cuneiform bone). 신경지배: 정강신경(tibial n.).

4. **긴발가락굽힘근(flexor digitorum longus m.)**
   이는곳(origin): 정강뼈(tibia) 중앙의 뒷면. 닿는곳(insertion): 둘째-다섯째 발가락 끝마디뼈바닥(base of the distal phalanges). 신경지배: 정강신경(tibial n.).

5. **긴엄지굽힘근(flexor hallucis lingus m.)**
   이는곳(origin): 종아리뼈(fibula) 뒷면. 닿는곳(insertion): 엄지발가락 끝마디뼈바닥(base of the distal phalanx of hallux). 신경지배: 정강신경(tibial n.).

5─ 다리 가쪽면의 경혈과 체표 해부

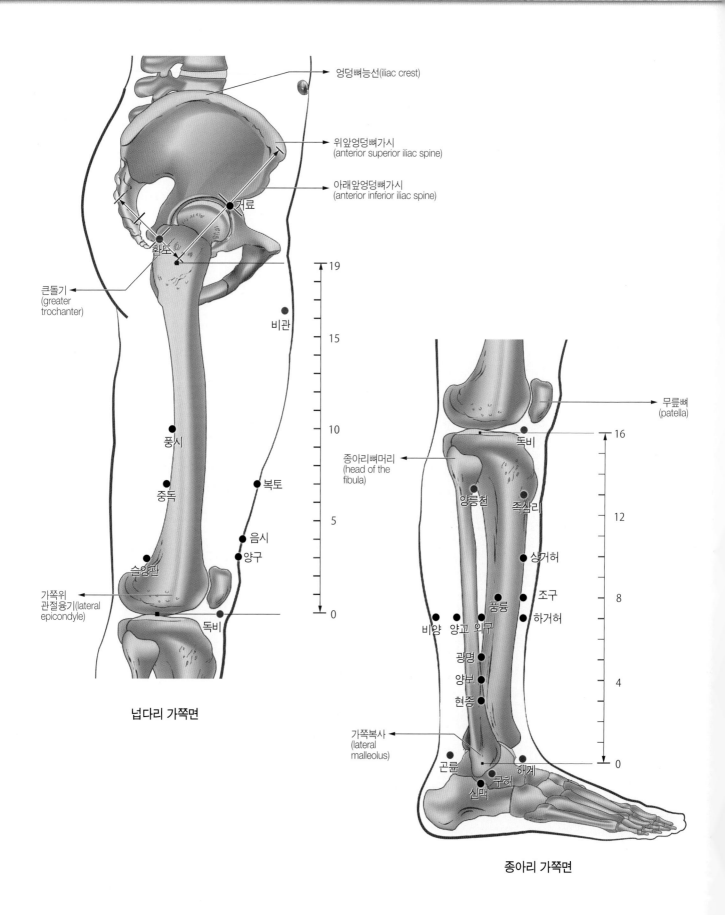

엉덩뼈능선(iliac crest)

위앞엉덩뼈가시
(anterior superior iliac spine)

아래앞엉덩뼈가시
(anterior inferior iliac spine)

거료

환도

큰돌기
(greater
trochanter)

비관

19

15

풍시

10

중독

복토

5

음시
양구

슬양관

가쪽위
관절융기(lateral
epicondyle)

독비

0

넙다리 가쪽면

무릎뼈
(patella)

독비

16

종아리뼈머리
(head of the
fibula)

양릉천

족삼리

상거허

12

조구

풍륭

하거허

8

비양 양교 외구

광명

양보

4

현종

가쪽복사
(lateral
malleolus)

곤륜

해계

0

신맥 구허

종아리 가쪽면

다리 가쪽면의 골표지

5. 다리(lower limb)

6 — 다리 가쪽면의 경혈과 근육

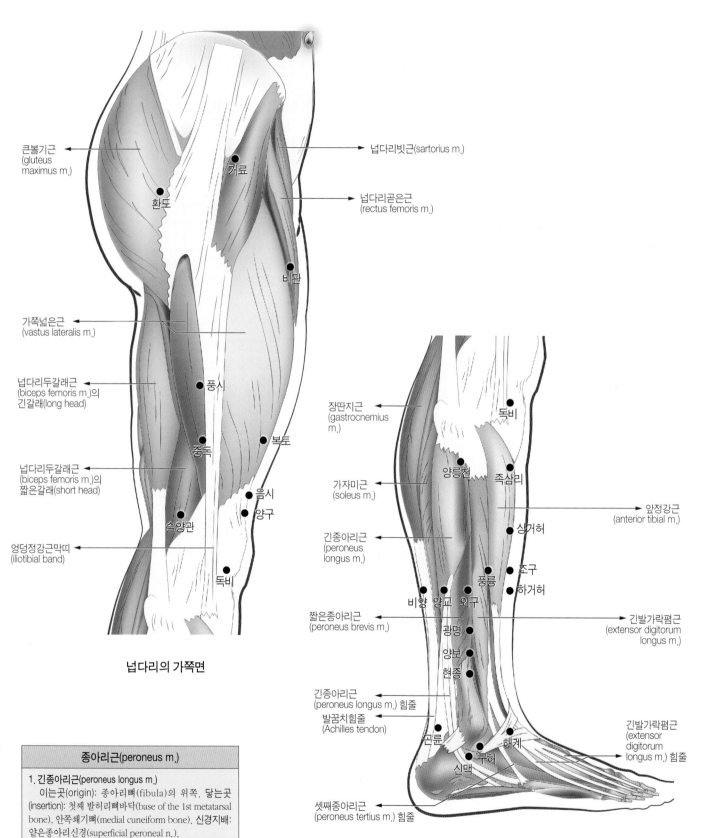

큰볼기근
(gluteus
maximus m.)

환도

거료

넙다리빗근(sartorius m.)

넙다리곧은근
(rectus femoris m.)

비관

가쪽넓은근
(vastus lateralis m.)

넙다리두갈래근
(biceps femoris m.)의
긴갈래(long head)

풍시

넙다리두갈래근
(biceps femoris m.)의
짧은갈래(short head)

중독

복토

음시
양구

슬양관

엉덩정강근막띠
(iliotibial band)

독비

넙다리의 가쪽면

장딴지근
(gastrocnemius
m.)

독비

양릉천

족삼리

가자미근
(soleus m.)

앞정강근
(anterior tibial m.)

상거허

긴종아리근
(peroneus
longus m.)

조구

풍륭

하거허

비양 양교 외구

긴발가락폄근
(extensor digitorum
longus m.)

짧은종아리근
(peroneus brevis m.)

광명

양보

현종

긴종아리근
(peroneus longus m.) 힘줄

발꿈치힘줄
(Achilles tendon)

곤륜

해계

구허

신맥

긴발가락폄근
(extensor
digitorum
longus m.) 힘줄

셋째종아리근
(peroneus tertius m.) 힘줄

종아리의 가쪽면

종아리근(peroneus m.)

1. 긴종아리근(peroneus longus m.)
　이는곳(origin): 종아리뼈(fibula)의 위쪽. 닿는곳
(insertion): 첫째 발허리뼈바닥(base of the 1st metatarsal
bone), 안쪽쐐기뼈(medial cuneiform bone). 신경지배:
얕은종아리신경(superficial peroneal n.).

2. 짧은종아리근(peroneus brevis m.)
　이는곳(origin): 종아리뼈(fibula)의 아래쪽. 닿는곳
(insertion): 다섯째 발허리뼈바닥(base of the 5th
metatarsal bone). 신경지배: 얕은종아리신경(superfi-
cial peroneal n.).

7－다리의 경혈과 동맥, 정맥

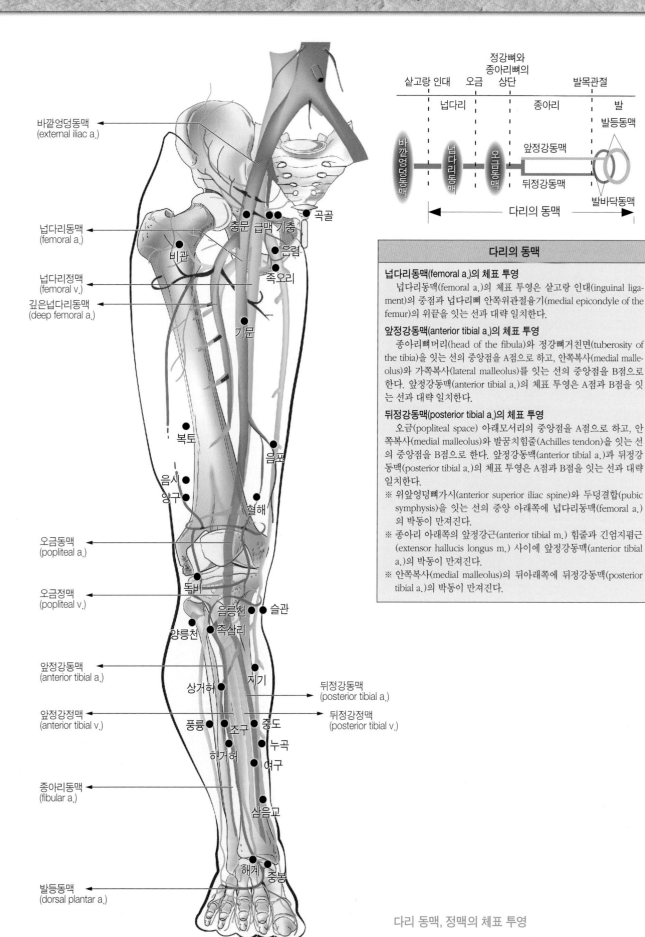

바깥엉덩동맥
(external iliac a.)

넙다리동맥
(femoral a.)

넙다리정맥
(femoral v.)

깊은넙다리동맥
(deep femoral a.)

오금동맥
(popliteal a.)

오금정맥
(popliteal v.)

앞정강동맥
(anterior tibial a.)

앞정강정맥
(anterior tibial v.)

종아리동맥
(fibular a.)

발등동맥
(dorsal plantar a.)

곡골
충문 급맥 기충
은렴
족오리
기문
복토
음포
음시
양구
혈해
독비
음릉천 · 슬관
양릉천 · 족삼리
지기
상거허
풍륭 · 조구 · 중도
뒤정강정맥
(posterior tibial v.)
누곡
해거허 · 여구
삼음교
해계 · 중봉

뒤정강동맥
(posterior tibial a.)

다리 앞면

정강뼈와
종아리뼈의
상단

샅고랑 인대   오금   발목관절

넙다리   종아리   발

발등동맥

앞정강동맥

바깥엉덩동맥
넙다리동맥
오금동맥

뒤정강동맥

발바닥동맥

다리의 동맥

다리의 동맥

넙다리동맥(femoral a.)의 체표 투영
넙다리동맥(femoral a.)의 체표 투영은 샅고랑 인대(inguinal ligament)의 중점과 넙다리뼈 안쪽위관절융기(medial epicondyle of the femur)의 위끝을 잇는 선과 대략 일치한다.

앞정강동맥(anterior tibial a.)의 체표 투영
종아리뼈머리(head of the fibula)와 정강뼈거친면(tuberosity of the tibia)을 잇는 선의 중앙점을 A점으로 하고, 안쪽복사(medial malleolus)와 가쪽복사(lateral malleolus)를 잇는 선의 중앙점을 B점으로 한다. 앞정강동맥(anterior tibial a.)의 체표 투영은 A점과 B점을 잇는 선과 대략 일치한다.

뒤정강동맥(posterior tibial a.)의 체표 투영
오금(popliteal space) 아래모서리의 중앙점을 A점으로 하고, 안쪽복사(medial malleolus)와 발꿈치힘줄(Achilles tendon)을 잇는 선의 중앙점을 B점으로 한다. 앞정강동맥(anterior tibial a.)과 뒤정강동맥(posterior tibial a.)의 체표 투영은 A점과 B점을 잇는 선과 대략 일치한다.

※ 위앞엉덩뼈가시(anterior superior iliac spine)와 두덩결합(pubic symphysis)을 잇는 선의 중앙 아래쪽에 넙다리동맥(femoral a.)의 박동이 만져진다.

※ 종아리 아래쪽의 앞정강근(anterior tibial m.) 힘줄과 긴엄지폄근(extensor hallucis longus m.) 사이에 앞정강동맥(anterior tibial a.)의 박동이 만져진다.

※ 안쪽복사(medial malleolus)의 뒤아래쪽에 뒤정강동맥(posterior tibial a.)의 박동이 만져진다.

다리 동맥, 정맥의 체표 투영

5. 다리(lower limb)

8— 허리신경얼기, 엉치신경얼기

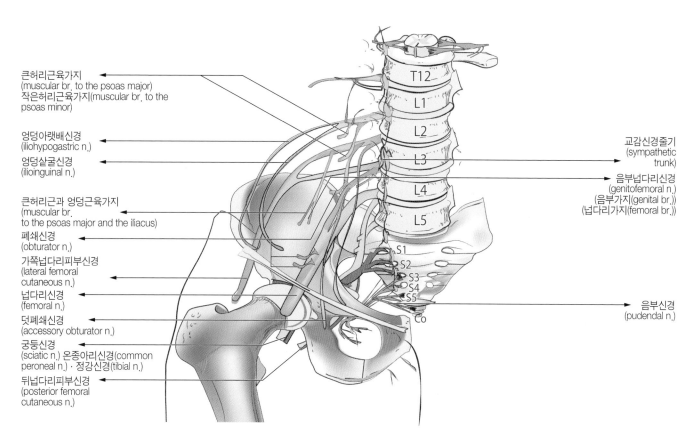

큰허리근육가지
(muscular br. to the psoas major)
작은허리근육가지(muscular br. to the psoas minor)

엉덩아랫배신경
(iliohypogastric n.)

엉덩샅굴신경
(ilioinguinal n.)

큰허리근과 엉덩근육가지
(muscular br.
to the psoas major and the iliacus)

폐쇄신경
(obturator n.)

가쪽넙다리피부신경
(lateral femoral
cutaneous n.)

넙다리신경
(femoral n.)

덧폐쇄신경
(accessory obturator n.)

궁둥신경
(sciatic n.) 온종아리신경(common peroneal n.) · 정강신경(tibial n.)

뒤넙다리피부신경
(posterior femoral
cutaneous n.)

교감신경줄기
(sympathetic
trunk)

음부넙다리신경
(genitofemoral n.)
(음부가지(genital br.))
(넙다리가지(femoral br.))

음부신경
(pudendal n.)

T12
L1
L2
L3
L4
L5
S1
S2
S3
S4
S5
Co

허리신경얼기 · 엉치신경얼기

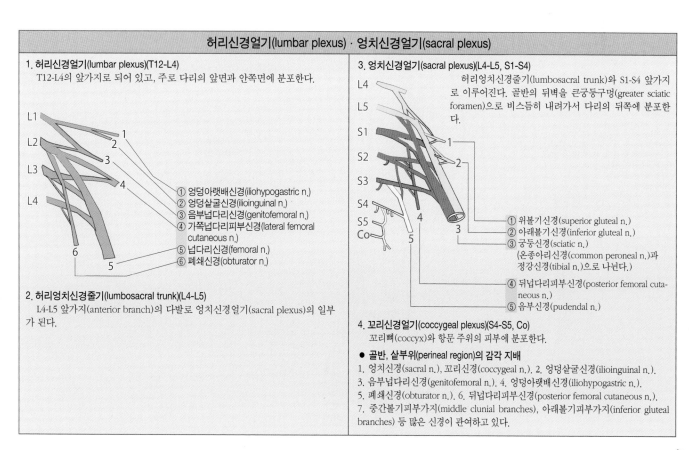

허리신경얼기(lumbar plexus) · 엉치신경얼기(sacral plexus)

1. 허리신경얼기(lumbar plexus)(T12-L4)
　　T12-L4의 앞가지로 되어 있고, 주로 다리의 앞면과 안쪽면에 분포한다.

L1
L2
L3
L4

1
2
3
4
6
5

① 엉덩아랫배신경(iliohypogastric n.)
② 엉덩샅굴신경(ilioinguinal n.)
③ 음부넙다리신경(genitofemoral n.)
④ 가쪽넙다리피부신경(lateral femoral cutaneous n.)
⑤ 넙다리신경(femoral n.)
⑥ 폐쇄신경(obturator n.)

2. 허리엉치신경줄기(lumbosacral trunk)(L4-L5)
　　L4-L5 앞가지(anterior branch)의 다발로 엉치신경얼기(sacral plexus)의 일부가 된다.

3. 엉치신경얼기(sacral plexus)(L4-L5, S1-S4)
　　　허리엉치신경줄기(lumbosacral trunk)와 S1-S4 앞가지로 이루어진다. 골반의 뒤벽을 큰궁둥구멍(greater sciatic foramen)으로 비스듬히 내려가서 다리의 뒤쪽에 분포한다.

L4
L5
S1
S2
S3
S4
S5
Co

1
2
4
3
5

① 위볼기신경(superior gluteal n.)
② 아래볼기신경(inferior gluteal n.)
③ 궁둥신경(sciatic n.)
　(온종아리신경(common peroneal n.)과 정강신경(tibial n.)으로 나뉜다.)
④ 뒤넙다리피부신경(posterior femoral cutaneous n.)
⑤ 음부신경(pudendal n.)

4. 꼬리신경얼기(coccygeal plexus)(S4-S5, Co)
　　꼬리뼈(coccyx)와 항문 주위의 피부에 분포한다.

● 골반, 샅부위(perineal region)의 감각 지배
1. 엉치신경(sacral n.), 꼬리신경(coccygeal n.), 2. 엉덩샅굴신경(ilioinguinal n.).
3. 음부넙다리신경(genitofemoral n.), 4. 엉덩아랫배신경(iliohypogastric n.).
5. 폐쇄신경(obturator n.), 6. 뒤넙다리피부신경(posterior femoral cutaneous n.).
7. 중간볼기피부가지(middle clunial branches), 아래볼기피부가지(inferior gluteal branches) 등 많은 신경이 관여하고 있다.

9 — 넙다리의 경혈과 넙다리신경, 가쪽넙다리피부신경

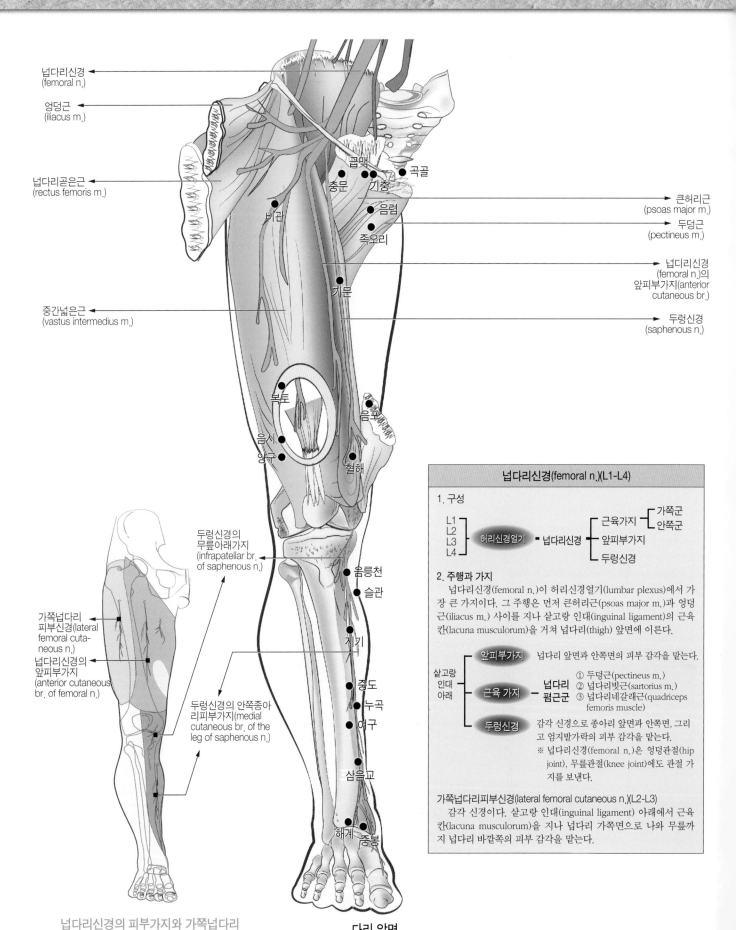

넙다리신경
(femoral n.)

엉덩근
(iliacus m.)

넙다리곧은근
(rectus femoris m.)

중간넓은근
(vastus intermedius m.)

곱맥
곡골
충문
기충
비관
음렴
족오리
기문

큰허리근
(psoas major m.)
두덩근
(pectineus m.)
넙다리신경
(femoral n.)의
앞피부가지(anterior
cutaneous br.)
두렁신경
(saphenous n.)

복토
음포
음시
양구
혈해

두렁신경의
무릎아래가지
(infrapatellar br.
of saphenous n.)

가쪽넙다리
피부신경(lateral
femoral cuta-
neous n.)
넙다리신경의
앞피부가지
(anterior cutaneous
br. of femoral n.)

두렁신경의 안쪽종아
리피부가지(medial
cutaneous br. of the
leg of saphenous n.)

음릉천
슬관
지기
중도
누곡
여구
삼음교
해계
종봉

넙다리신경의 피부가지와 가쪽넙다리
피부신경의 피부 감각 지배 영역

다리 앞면

넙다리신경(femoral n.)(L1-L4)

1. 구성

L1
L2 허리신경얼기 → 넙다리신경
L3
L4

근육가지 → 가쪽군
　　　　　안쪽군
앞피부가지
두렁신경

2. 주행과 가지

　넙다리신경(femoral n.)이 허리신경얼기(lumbar plexus)에서 가장 큰 가지이다. 그 주행은 먼저 큰허리근(psoas major m.)과 엉덩근(iliacus m.) 사이를 지나 샅고랑 인대(inguinal ligament)의 근육칸(lacuna musculorum)을 거쳐 넙다리(thigh) 앞면에 이른다.

살고랑 인대 아래	앞피부가지	넙다리 앞면과 안쪽면의 피부 감각을 맡는다.
	근육 가지	넙다리 폄근군 ① 두덩근(pectineus m.) ② 넙다리빗근(sartorius m.) ③ 넙다리네갈래근(quadriceps femoris muscle)
	두렁신경	감각 신경으로 종아리 앞면과 안쪽면, 그리고 엄지발가락의 피부 감각을 맡는다.

　※ 넙다리신경(femoral n.)은 엉덩관절(hip joint), 무릎관절(knee joint)에도 관절 가지를 보낸다.

가쪽넙다리피부신경(lateral femoral cutaneous n.)(L2-L3)

　감각 신경이다. 샅고랑 인대(inguinal ligament) 아래에서 근육칸(lacuna musculorum)을 지나 넙다리 가쪽면으로 나와 무릎까지 넙다리 바깥쪽의 피부 감각을 맡는다.

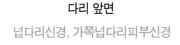

넙다리신경, 가쪽넙다리피부신경

5. 다리(lower limb)

10― 넙다리의 경혈과 폐쇄신경

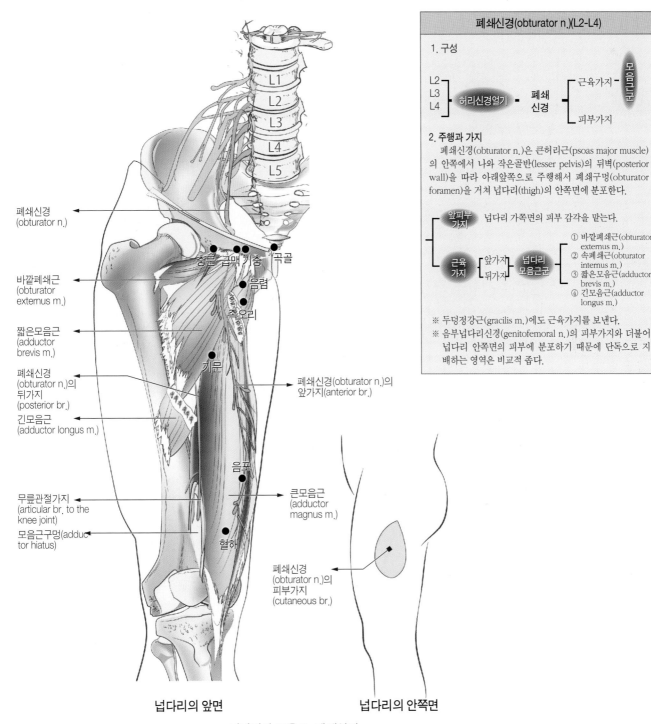

폐쇄신경(obturator n.)(L2-L4)

1. 구성

L2
L3 ―― 허리신경얼기 ― 폐쇄 ― 근육가지 ―― 모음근군
L4   신경 ― 피부가지

2. 주행과 가지

　폐쇄신경(obturator n.)은 큰허리근(psoas major muscle)의 안쪽에서 나와 작은골반(lesser pelvis)의 뒤벽(posterior wall)을 따라 아래앞쪽으로 주행해서 폐쇄구멍(obturator foramen)을 거쳐 넙다리(thigh)의 안쪽면에 분포한다.

앞피부가지 ―― 넙다리 가쪽면의 피부 감각을 맡는다.

근육가지 ― 앞가지 ― 넙다리 모음근군 ― ① 바깥폐쇄근(obturator externus m.)
　　　　　 뒤가지　　　　　　　　　 ② 속폐쇄근(obturator internus m.)
　　　　　　　　　　　　　　　　　 ③ 짧은모음근(adductor brevis m.)
　　　　　　　　　　　　　　　　　 ④ 긴모음근(adductor longus m.)

※ 두덩정강근(gracilis m.)에도 근육가지를 보낸다.
※ 음부넙다리신경(genitofemoral n.)의 피부가지와 더불어 넙다리 안쪽면의 피부에 분포하기 때문에 단독으로 지배하는 영역은 비교적 좁다.

넙다리의 앞면　　　　　**넙다리의 안쪽면**

넙다리와 모음근, 폐쇄신경

넙다리(thigh)의 근육

모두가 폐쇄신경(obturator n.)의 지배를 받는다.

1. 두덩근(pectineus m.)
　이는곳(origin): 두덩뼈위가지(superior ramus of pubis). 닿는곳(insertion): 두덩뼈빗(두덩선)(pectineal line)

2. 두덩정강근(gracilis m.)
　이는곳(origin): 두덩뼈아래가지(inferior ramus of pubis). 닿는곳(insertion): 정강뼈거친면(tuberosity of the tibia) 안쪽부분.

3. 긴모음근(adductor longus m.)
　이는곳(origin): 두덩결합(pubic symphysis)의 아래. 닿는곳(insertion): 넙다리 거친선(linea aspera femoris)의 안쪽선(medial lip) 중간부분.

4. 짧은모음근(adductor brevis m.)
　이는곳(origin): 두덩뼈 아래가지(inferior ramus of pubis). 닿는곳(insertion): 넙다리 거친선(linea aspera of femoris)의 안쪽선(medial lip) 윗부분.

5. 큰모음근(adductor magnus m.)
　이는곳(origin): 궁둥뼈가지(ischial ramus)와 궁둥뼈결절(ischial tuberosity). 닿는곳(insertion): 넙다리 거친선(linea aspera of femur)의 안쪽선(medial lip).

6. 바깥폐쇄근(obturator externus m.)
　이는곳(origin): 폐쇄막의 바깥쪽. 닿는곳(insertion): 돌기오목(trochanteric fossa).

11 – 다리 안쪽면의 경혈과 신경

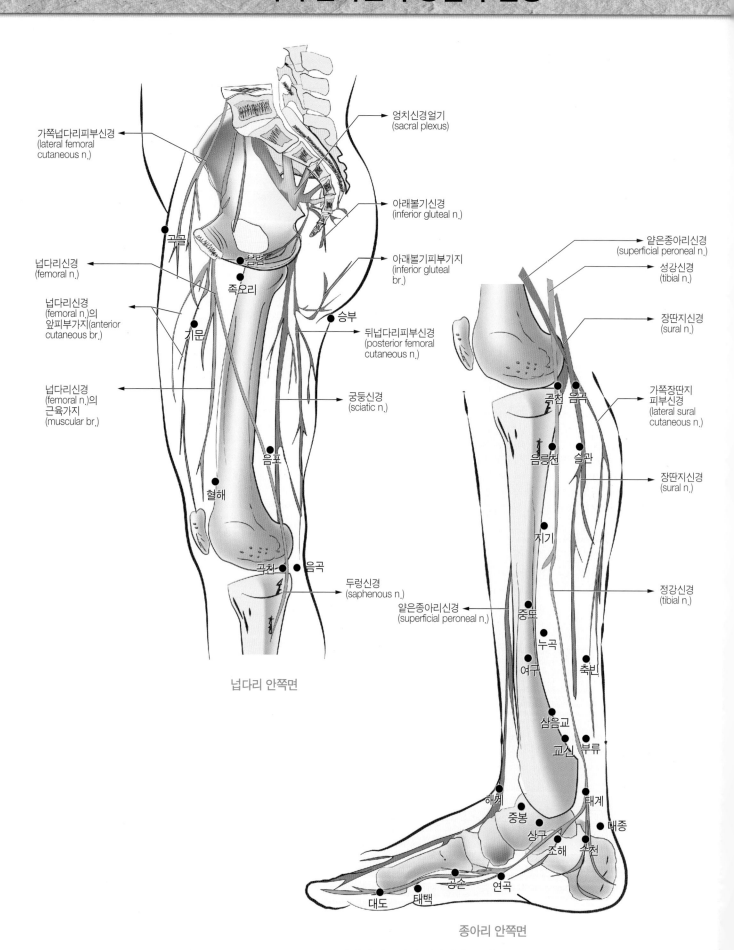

가쪽넙다리피부신경
(lateral femoral
cutaneous n.)

넙다리신경
(femoral n.)

넙다리신경
(femoral n.)의
앞피부가지(anterior
cutaneous br.)

넙다리신경
(femoral n.)의
근육가지
(muscular br.)

엉치신경얼기
(sacral plexus)

아래볼기신경
(inferior gluteal n.)

아래볼기피부가지
(inferior gluteal
br.)

뒤넙다리피부신경
(posterior femoral
cutaneous n.)

궁둥신경
(sciatic n.)

두렁신경
(saphenous n.)

얕은종아리신경
(superficial peroneal n.)

곡골
음렴
족오리
승부
기문
음포
혈해
곡천 음곡

넙다리 안쪽면

얕은종아리신경
(superficial peroneal n.)

성강신경
(tibial n.)

장딴지신경
(sural n.)

가쪽장딴지
피부신경
(lateral sural
cutaneous n.)

장딴지신경
(sural n.)

정강신경
(tibial n.)

곡천 음곡
음릉천 슬관
지기
중묘
누곡
여구
축빈
삼음교
교신
부류
해계
중봉
상구
조해
수천
태계
태종
공손
연곡
대도
태백

종아리 안쪽면

다리의 안쪽면과 넙다리신경, 정강신경, 온종아리신경

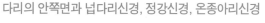

5. 다리(lower limb)

12 — 다리 뒷면의 경혈과 궁둥신경

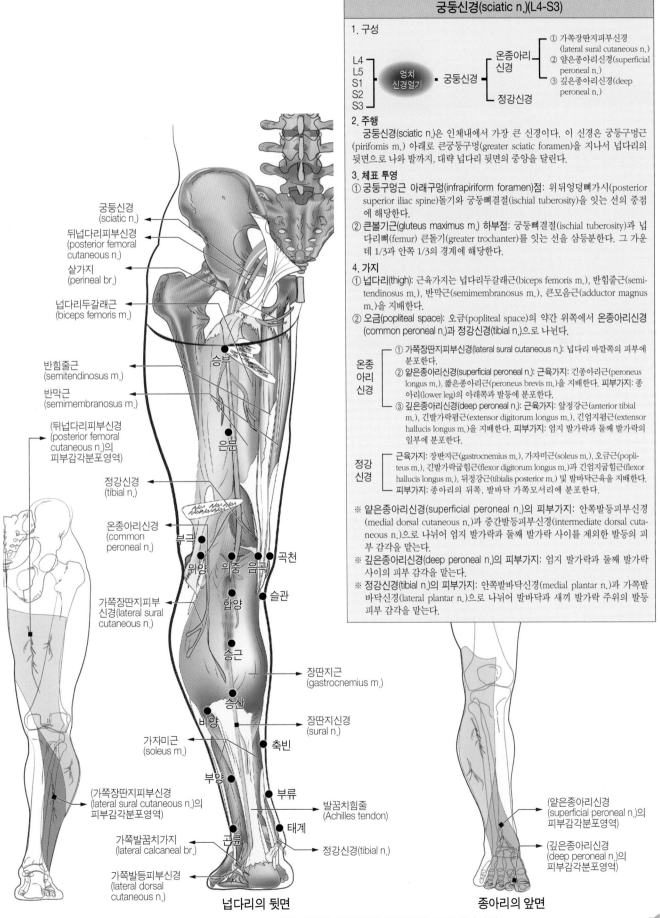

궁둥신경(sciatic n.)(L4-S3)

1. 구성

L4
L5   엉치
S1   신경얼기 ── 궁둥신경 ┬ 온종아리 ┬ ① 가쪽장딴지피부신경
S2   신경   (lateral sural cutaneous n.)
S3   │ ② 얕은종아리신경(superficial peroneal n.)
                      │ ③ 깊은종아리신경(deep peroneal n.)
                      └ 정강신경

2. 주행

　궁둥신경(sciatic n.)은 인체내에서 가장 큰 신경이다. 이 신경은 궁둥구멍근(pirifomis m.) 아래로 큰궁둥구멍(greater sciatic foramen)을 지나서 넙다리의 뒷면으로 나와 발까지, 대략 넙다리 뒷면의 중앙을 달린다.

3. 체표 투영

① 궁둥구멍근 아래구멍(infrapiriform foramen)점: 위뒤엉덩뼈가시(posterior superior iliac spine)돌기와 궁둥뼈결절(ischial tuberosity)을 잇는 선의 중점에 해당한다.
② 큰볼기근(gluteus maximus m.) 하부점: 궁둥뼈결절(ischial tuberosity)과 넙다리뼈(femur) 큰돌기(greater trochanter)를 잇는 선을 삼등분한다. 그 가운데 1/3과 안쪽 1/3의 경계에 해당한다.

4. 가지

① 넙다리(thigh): 근육가지는 넙다리두갈래근(biceps femoris m.), 반힘줄근(semitendinosus m.), 반막근(semimembranosus m.), 큰모음근(adductor magnus m.)을 지배한다.
② 오금(popliteal space): 오금(popliteal space)의 약간 위쪽에서 온종아리신경(common peroneal n.)과 정강신경(tibial n.)으로 나뉜다.

온종아리신경 ┬ ① 가쪽장딴지피부신경(lateral sural cutaneous n.): 넙다리 바깥쪽의 피부에 분포한다.
　　　　　 │ ② 얕은종아리신경(superficial peroneal n.): 근육가지: 긴종아리근(peroneus longus m.), 짧은종아리근(peroneus brevis m.)을 지배한다. 피부가지: 종아리(lower leg)의 아래쪽과 발등에 분포한다.
　　　　　 └ ③ 깊은종아리신경(deep peroneal n.): 근육가지: 앞정강근(anterior tibial m.), 긴발가락폄근(extensor digitorum longus m.), 긴엄지폄근(extensor hallucis longus m.)을 지배한다. 피부가지: 엄지 발가락과 둘째 발가락의 일부에 분포한다.

정강신경 ┬ 근육가지: 장딴지근(gastrocnemius m.), 가자미근(soleus m.), 오금근(popliteus m.), 긴발가락굽힘근(flexor digitorum longus m.)과 긴엄지굽힘근(flexor hallucis longus m.), 뒤정강근(tibialis posterior m.) 및 발바닥근육을 지배한다.
　　　　 └ 피부가지: 종아리의 뒤쪽, 발바닥 가쪽모서리에 분포한다.

※ 얕은종아리신경(superficial peroneal n.)의 피부가지: 안쪽발등피부신경(medial dorsal cutaneous n.)과 중간발등피부신경(intermediate dorsal cutaneous n.)으로 나뉘어 엄지 발가락과 둘째 발가락 사이를 제외한 발등의 피부 감각을 맡는다.
※ 깊은종아리신경(deep peroneal n.)의 피부가지: 엄지 발가락과 둘째 발가락 사이의 피부 감각을 맡는다.
※ 정강신경(tibial n.)의 피부가지: 안쪽발바닥신경(medial plantar n.)과 가쪽발바닥신경(lateral plantar n.)으로 나뉘어 발바닥과 새끼 발가락 주위의 발등 피부 감각을 맡는다.

궁둥신경 (sciatic n.)

뒤넙다리피부신경 (posterior femoral cutaneous n.)

샅가지 (perineal br.)

넙다리두갈래근 (biceps femoris m.)

반힘줄근 (semitendinosus m.)

반막근 (semimembranosus m.)

(뒤넙다리피부신경 (posterior femoral cutaneous n.)의 피부감각분포영역)

정강신경 (tibial n.)

온종아리신경 (common peroneal n.)

가쪽장딴지피부신경(lateral sural cutaneous n.)

(가쪽장딴지피부신경 (lateral sural cutaneous n.)의 피부감각분포영역)

가쪽발꿈치가지 (lateral calcaneal br.)

가쪽발등피부신경 (lateral dorsal cutaneous n.)

승부
은문
부극
위양　위중　음곡
곡천
슬관
합양
승근
승산
비양
축빈
부양
부류
태계
곤륜

장딴지근 (gastrocnemius m.)

장딴지신경 (sural n.)

발꿈치힘줄 (Achilles tendon)

정강신경 (tibial n.)

가자미근 (soleus m.)

(얕은종아리신경 (superficial peroneal n.)의 피부감각분포영역)

(깊은종아리신경 (deep peroneal n.)의 피부감각분포영역)

넙다리의 뒷면　　**종아리의 앞면**

다리 뒷면의 궁둥신경, 정강신경, 온종아리신경

13—종아리의 경혈과 정강신경, 종아리신경

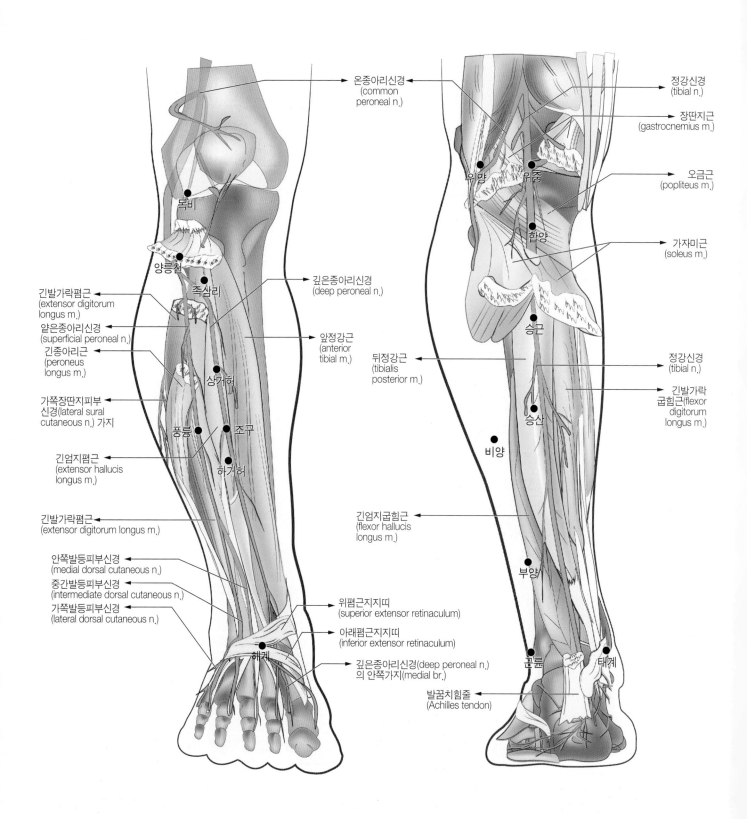

온종아리신경
(common peroneal n.)

독비

양릉천

족삼리

긴발가락폄근
(extensor digitorum longus m.)

얕은종아리신경
(superficial peroneal n.)

긴종아리근
(peroneus longus m.)

가쪽장딴지피부신경(lateral sural cutaneous n.) 가지

풍륭

조구

긴엄지폄근
(extensor hallucis longus m.)

해거허

긴발가락폄근
(extensor digitorum longus m.)

안쪽발등피부신경
(medial dorsal cutaneous n.)

중간발등피부신경
(intermediate dorsal cutaneous n.)

가쪽발등피부신경
(lateral dorsal cutaneous n.)

상거허

해계

깊은종아리신경
(deep peroneal n.)

앞정강근
(anterior tibial m.)

위폄근지지띠
(superior extensor retinaculum)

아래폄근지지띠
(inferior extensor retinaculum)

깊은종아리신경(deep peroneal n.)
의 안쪽가지(medial br.)

정강신경
(tibial n.)

장딴지근
(gastrocnemius m.)

오금근
(popliteus m.)

가자미근
(soleus m.)

정강신경
(tibial n.)

긴발가락굽힘근(flexor digitorum longus m.)

유양

위중

합양

승근

승산

비양

뒤정강근
(tibialis posterior m.)

긴엄지굽힘근
(flexor hallucis longus m.)

부양

곤륜

태계

발꿈치힘줄
(Achilles tendon)

종아리의 앞면

종아리의 뒷면

종아리와 정강신경, 온종아리신경

14─ 다리의 경혈과 피부신경

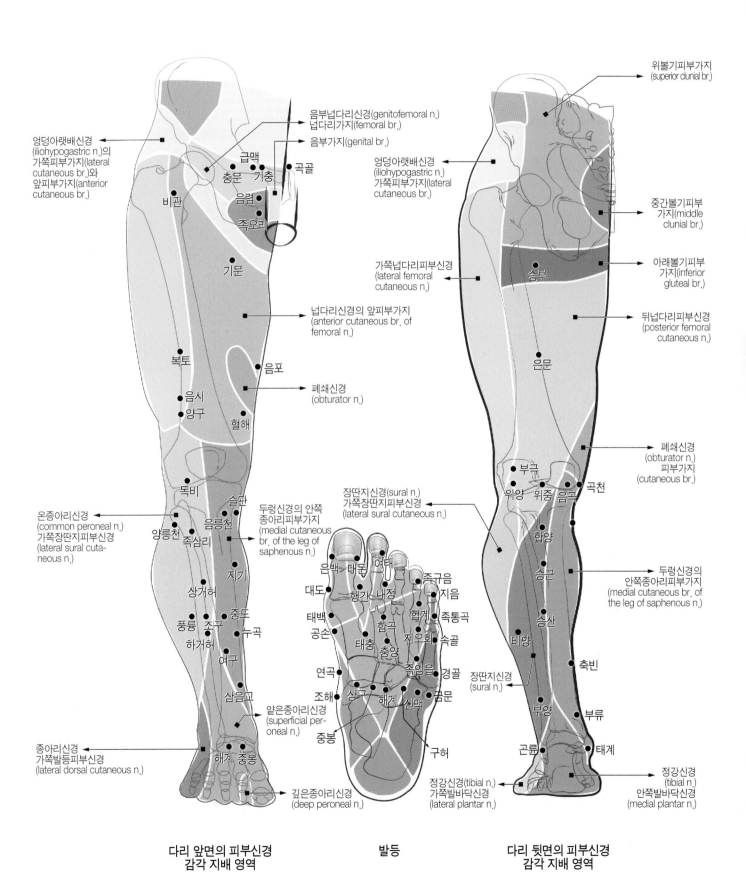

음부넙다리신경(genitofemoral n.)
넙다리가지(femoral br.)
음부가지(genital br.)

엉덩아랫배신경
(iliohypogastric n.)의
가쪽피부가지(lateral
cutaneous br.)와
앞피부가지(anterior
cutaneous br.)

위볼기피부가지
(superior clunial br.)

엉덩아랫배신경
(iliohypogastric n.)의
가쪽피부가지(lateral
cutaneous br.)

중간볼기피부
가지(middle
clunial br.)

아래볼기피부
가지(inferior
gluteal br.)

가쪽넙다리피부신경
(lateral femoral
cutaneous n.)

뒤넙다리피부신경
(posterior femoral
cutaneous n.)

넙다리신경의 앞피부가지
(anterior cutaneous br. of
femoral n.)

폐쇄신경
(obturator n.)

폐쇄신경
(obturator n.)
피부가지
(cutaneous br.)

온종아리신경
(common peroneal n.)
가쪽장딴지피부신경
(lateral sural cuta-
neous n.)

장딴지신경(sural n.)
가쪽장딴지피부신경
(lateral sural cutaneous n.)

두렁신경의 안쪽
종아리피부가지
(medial cutaneous
br. of the leg of
saphenous n.)

두렁신경의
안쪽종아리피부가지
(medial cutaneous br. of
the leg of saphenous n.)

얕은종아리신경
(superficial per-
oneal n.)

장딴지신경
(sural n.)

종아리신경
가쪽발등피부신경
(lateral dorsal cutaneous n.)

깊은종아리신경
(deep peroneal n.)

정강신경(tibial n.)
가쪽발바닥신경
(lateral plantar n.)

정강신경
(tibial n.)
안쪽발바닥신경
(medial plantar n.)

급맥
충문
기충
곡골
비관
음렴
족오리
기문
복토
음시
양구
혈해
음포
독비
슬관
음릉천
양릉천
족삼리
지기
상거허
풍륭
조구
하거허
중도
누곡
여구
삼음교
해계
중봉

승부
은문
부극
위양
위중
음곡
곡천
합양
승근
승산
비양
축빈
부양
부류
곤륜
태계

은백
대도
태백
공손
연곡
조해
상구
중봉
태돈
행간
내정
함곡
태충
충양
여태
족규음
지음
협계
지오회
족임읍
협계
족통곡
속골
경골
금문
구허
해계
신맥

다리 앞면의 피부신경
감각 지배 영역

발등

다리 뒷면의 피부신경
감각 지배 영역

다리와 피부신경 감각 지배 영역

15— 다리의 경혈과 더마톰

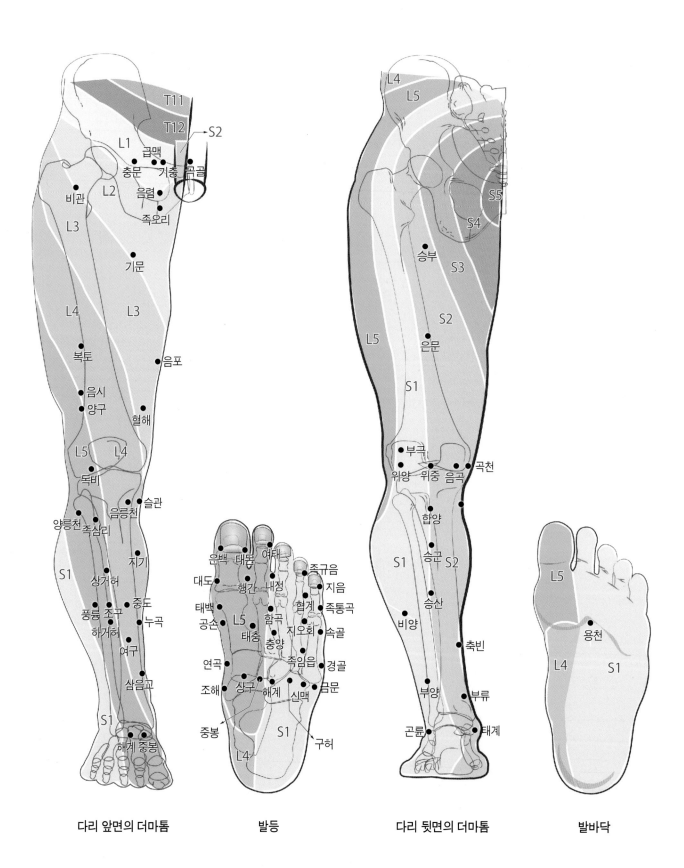

다리 앞면의 더마톰   발등   다리 뒷면의 더마톰   발바닥

다리와 더마톰

5. 다리(lower limb)

16―발의 경혈과 체표 해부

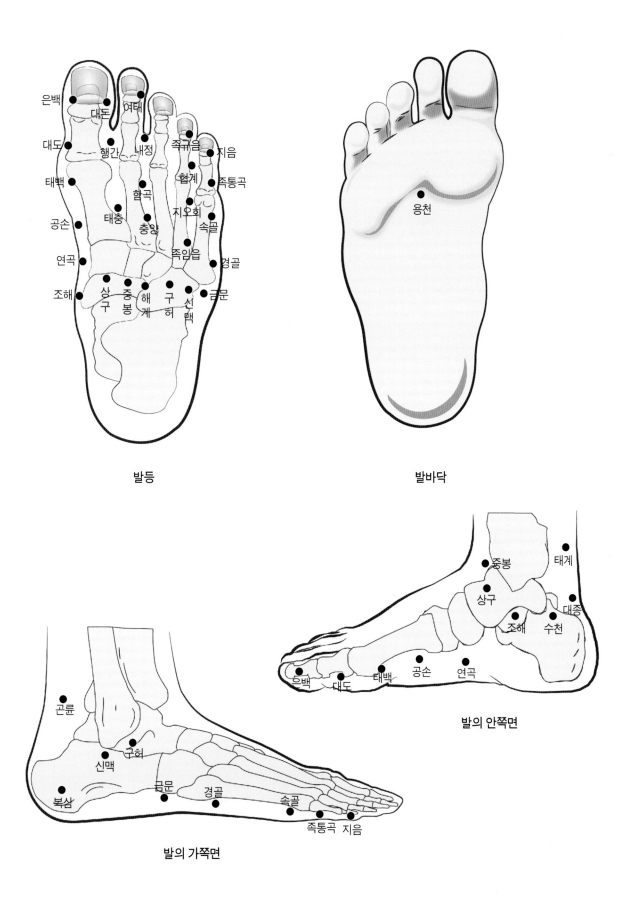

발등

발바닥

발의 안쪽면

발의 가쪽면

발의 골표지

제 4 장

특정혈

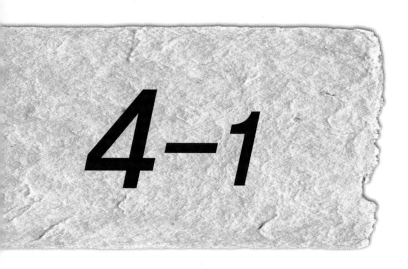

원혈(原穴), 낙혈(絡穴), 극혈(郄穴), 오수혈(五輸穴)

1. 원혈(原穴), 낙혈(絡穴), 극혈(郄穴), 오수혈(五輸穴)

1－12원혈(原穴)

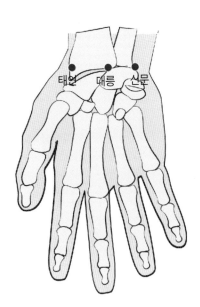

손바닥

12원혈

12원혈이란 장부의 원기(原氣)가 통과하고 머무는 경혈을 의미한다.

【부위】

수경(手經)의 원혈은 손목관절(wrist joint) 주위에, 족경(足經)의 원혈은 발목관절(ankle joint) 주위에 있다.

【유래】

《영추(靈樞) 구침십이원편(九鍼十二原編)》에는 "오장(五臟)의 병을 12원혈에서 구한다"라고 하는 기록이 있다. 12원혈에 대한 최초의 논술이다.

【내용】

	음 경		양 경		
수삼음경	태음폐경	태연	합곡	양명대장경	수삼양경
	궐음심포경	대릉	양지	소양삼초경	
	소음심경	신문	완골	태양소장경	
족삼음경	태음비경	태백	충양	양명위경	족삼양경
	궐음간경	태충	구허	소양담경	
	소음신경	태계	경골	태양방광경	

【임상 응용】
1. 증(證)의 반응점과 촉진점: 오장육부의 증, 특히 오장의 증은 각각의 원혈에서 진단하기 쉽다.
2. 오장의 증은 원혈에 자침해서 그 기혈과 장부의 허실을 조절한다.
3. "원락배혈법(原絡配穴法)"으로 표리관계를 가진 음양경맥의 기혈을 소통시킨다.

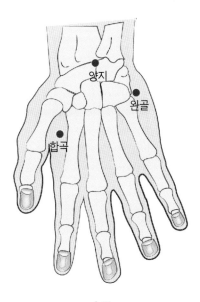

손등

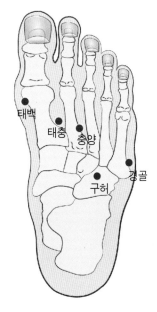

발등

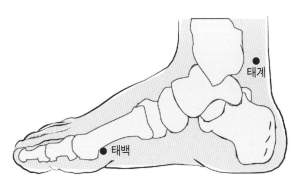

발 안쪽면

2— 낙혈(絡穴)

15락혈

15락혈이란 십이경맥으로부터 하나씩의 낙혈과 임맥의 구미(鳩尾), 독맥의 장강(長强), 비경의 대포(大包)를 합해서 15락혈이라 한다.

【부위】
팔의 팔꿈관절(elbow joint)과 손목관절(wrist joint) 사이, 다리의 무릎관절(knee joint)과 발목관절(ankle joint) 사이에 있으며, 원혈(原穴) 근처에 있는 경우가 많다.

【유래】
《영추(靈樞) 경맥편(經脈編)》에 이에 대한 최초의 기록이 있다.

【내용】

수삼음경	음 경		양 경		수삼양경
수삼음경	태음폐경	열결	편력	양명대장경	수삼양경
수삼음경	궐음심포경	내관	외관	소양삼초경	수삼양경
수삼음경	소음심경	통리	지정	태양소장경	수삼양경
족삼음경	태음비경	공손	풍륭	양명위경	족삼양경
족삼음경	궐음간경	여구	광명	소양담경	족삼양경
족삼음경	소음신경	대종	비양	태양방광경	족삼양경

독맥: 장강(長强), 임맥: 구미(鳩尾), 비(脾)의 대락(大絡): 대포(大包)

【임상 응용】
1. 표리경맥의 병증이 치료된다.
   예: 열결(列缺)은 폐경의 낙혈로, 폐의 증인 해수를 치료함과 더불어 대장경의 치통(齒痛)에도 쓰인다.
2. 낙맥의 증을 치료한다.
3. "원락배혈법(原絡配穴法)"으로 표리관계를 가진 음경과 양경의 기혈을 소통시킨다.
4. 만성병증에 많이 쓰인다.

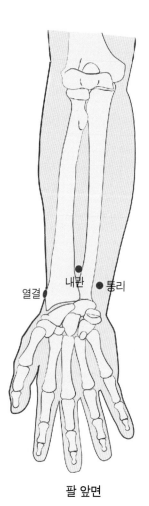

팔 앞면

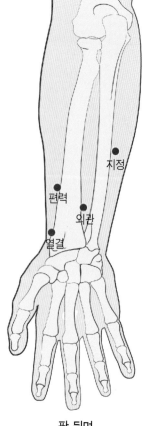

팔 뒷면

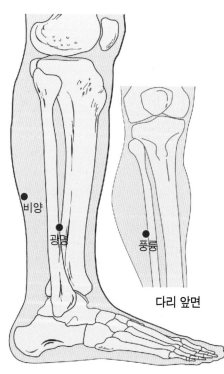

다리 앞면

다리 가쪽면

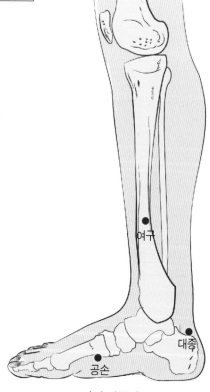

다리 안쪽면

1. 원혈(原穴), 낙혈(絡穴), 극혈(郄穴), 오수혈(五輸穴)

3—극혈(郄穴)

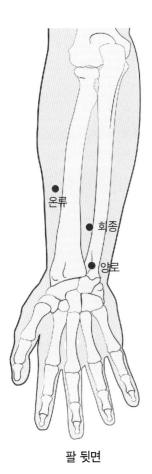

팔 뒷면

16극혈

극(郄)이란 뼈나 근육의 틈새를 의미한다. 고전에는 경맥이 깊이 달리는 부위에 극혈을 배치하였다.

십이경맥으로부터 각각 하나씩의 극혈과 음교맥과 양교맥, 음유맥과 양유맥의 극맥을 합해서 16극혈이 된다.

【부위】

팔꿈관절(elbow joint)과 손목관절(wrist joint) 사이, 무릎관절(knee joint)과 발목관절(ankle joint) 사이에 있다.

【유래】

《침구갑을경(鍼灸甲乙經)》에 이에 대한 최초의 기록이 있다.

【내용】

	음 경			양 경	
수삼음경	태음폐경	공최	온류	양명대장경	수삼양경
	궐음심포경	극문	회종	소양삼초경	
	소음심경	음극	양로	태양소장경	
족삼음경	태음비경	지기	양구	양명위경	족삼양경
	궐음간경	중도	외구	소양담경	
	소음신경	수천	금문	태양방광경	

음교맥: 교신, 양교맥: 부양, 음유맥: 축빈, 양유맥: 양교

【임상 응용】

1. 급성 병증
2. 통증
3. 음경의 극혈은 출혈을 치료한다. 예: 공최는 객혈에, 음극은 토혈과 비출혈에, 중도는 붕루에, 지기와 교신은 생리불순에 많이 이용된다.
4. 양경의 극혈은 통증이나 근육의 종창에 많이 쓰인다.
5. 급성 질환에는 압통점이 잘 진단되기 때문에 절경(切經) 진단에 좋다.

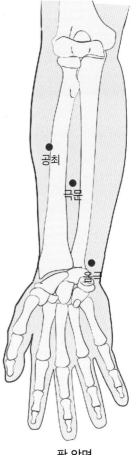

팔 앞면

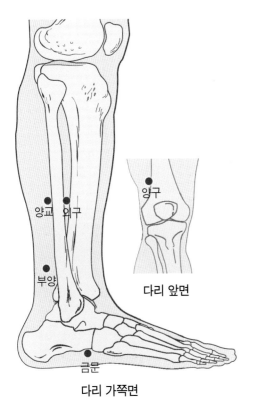

다리 가쪽면

다리 앞면

다리 안쪽면

4─수경(手經)의 오수혈(五輸穴)(1)

오수혈(五輸穴)

십이경맥에는 손끝 발끝에서 팔꿈치와 무릎을 향해 오행의 상생관계에 따라 정(井), 형(滎), 수(輸), 경(經), 합(合)의 오수혈이 있다.

음경은 목(木), 화(火), 토(土), 금(金), 수(水)의 순이고, 양경에서는 음경과의 상극관계에 따라 금(金), 수(水), 목(木), 화(火), 토(土)의 순으로 배열되어 있다.

【유래】
《영추(靈樞) 구침십이원(九鍼十二原)》에 이에 대한 최초의 기록이 있다.

【경맥의 기혈 유주와 오수혈】
오장육부와 경맥의 기혈이 나오는(出) 곳을 정(井)으로 하고, 가늘게 흘러 고이는(溜) 곳을 형(滎)으로, 흘러 들어가는(注) 곳을 수(輸)로, 강물처럼 흘러가는(行) 곳을 경(經)으로, 바다로 들어오는(入) 곳을 합(合)으로 한다.

【임상 응용】(고전)
1. 오수혈의 주치 정혈은 심하만(心下滿)을, 형혈은 신열(身熱)을, 수혈은 체중절통(體重節痛)을, 경혈은 천해한열(喘咳寒烈)을, 합혈은 역기(逆氣)를 사(瀉)하는데 쓴다.
2. 모자보사법의 배혈 《난경(難經) 69난(六九難)》에는 오행의 상생 이론에 따라 오장의 허증과 실증에 대해서 오수혈을 배혈한다.

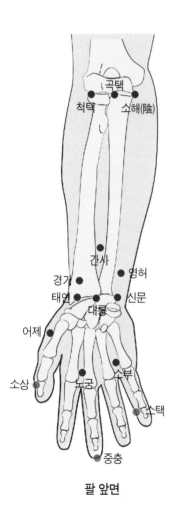

팔 앞면

수경(手經)

	음경(陰經)					양경(陽經)					
	정목	형화	수토	경금	합수	합토	경화	수목	형수	정금	
폐경	소상	어제	태연	경거	척택	곡지	양계	삼간	이간	상양	대장경
심포경	중충	노궁	대릉	간사	곡택	천정	지구	중저	액문	관충	삼초경
심경	소충	소부	신문	영도	소해(음)	소해(양)	양곡	후계	전곡	소택	소장경

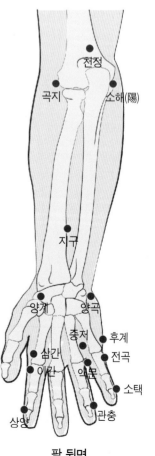

팔 뒷면

《난경(難經) 69난(六九難)》의 모자상생(母子相生) 보사법(補瀉法)

오장	허증: 모(母)를 보한다		실증: 자(子)를 사한다	
(五臟)	자경(自經)의 모혈	모경(母經)의 모혈	자경(自經)의 자혈	자경(子經)의 자혈
간목(肝木)	곡천(합수혈)	음곡(신, 합수혈)	행간(형화혈)	소부(심, 형화혈)
심화(心火)	소충(정목혈)	대돈(간, 정목혈)	신문(수토혈)	태백(비, 수토혈)
비토(脾土)	대도(형화혈)	소부(심, 형화혈)	상구(경금혈)	경거(폐, 경금혈)
폐금(肺金)	태연(수토혈)	태백(비, 수토혈)	척택(합수혈)	음곡(신, 합수혈)
신수(腎水)	부류(경금혈)	경거(폐, 경금혈)	용천(정목혈)	대돈(간, 정목혈)

4─족경(足經)의 오수혈(五輸穴)(2)

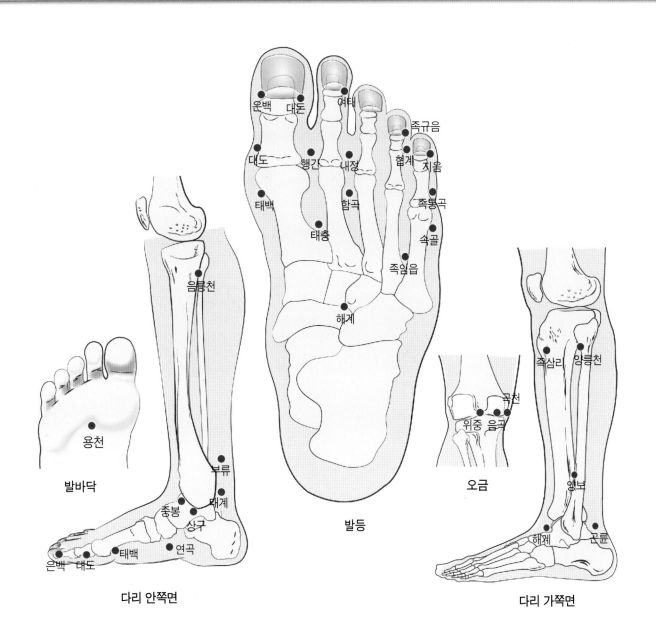

족경(足經)의 오수혈(五輸穴)

족경(足經)										
	음경(陰經)					양경(陽經)				
	정목	형화	수토	경금	합수	합토	경화	수목	형수	정금	
비경	은백	대도	태백	상구	음릉천	족삼리	해계	함곡	내정	여태	위경
간경	대돈	행간	태충	중봉	곡천	양릉천	양보	족임읍	협계	족규음	담경
신경	용천	연곡	태계	부류	음곡	위중	곤륜	속골	족통곡	지음	방광경

【임상 응용】

1. 정혈(井穴) ① 지열감도(知熱感度) 진단법. ② 사혈요법. ③ 급성 병증의 구급혈.
2. 형혈(榮穴) 발열.
3. 수혈(輸穴) 관절 통증과 오장병증.
4. 경혈(經穴) 천식과 해수, 비허에 의한 습증.
5. 합혈(合穴) 구토, 하리 등의 육부병증.

기타 특정혈

1― 모혈(募穴)과 수혈(兪穴)

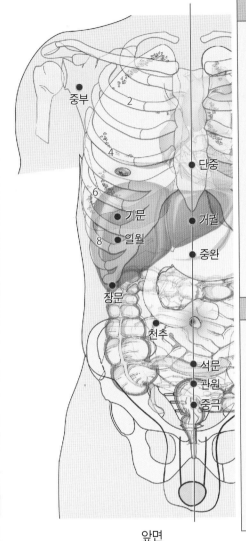

앞면
모혈

모혈(募穴)

모(募)는 "모은다", "집결한다"는 의미이다. 모혈(募穴)이란 장부의 기가 가슴배부위에 집결하는 경혈을 가리킨다.

오장육부의 기가 체표(가슴배부위)에 투영하는(민감하게 반응하는) 경혈이 모혈이기 때문에 반드시 자경(自經)에 있는 것은 아니다. 임맥에 있는 것은 단혈이고 십이경맥에 있는 것은 쌍혈이다.

【유래】

《소문(素問) 기병론편(奇病論編)》에 최초로 기재되어 있지만 구체적인 경혈명은 없었다. 《경맥(經脈)》이나 《침구갑을경(鍼灸甲乙經)》에 그 경혈명이 정해져 완성되었다.

【임상 응용】

1. 진찰점　병사가 장부를 침입하면 모혈(募穴)에 이상 반응이 진단된다.
2. 배혈법　양병(陽病), 부병(腑病)에 많이 쓰인다. 수모(兪募) 배혈법은 고전 침구 처방의 하나이다.

수혈(兪穴)

오장육부의 기가 체표(등 부위)에 투영하는(민감하게 반응하는) 경혈이 수혈이다. 방광경의 제1선에 배치되어 있다. 배수혈(背兪穴)이라고도 한다.

【유래】

《영추(靈樞) 배수편(背兪編)》에 오장에 대한 수혈의 명칭이나 부위가 기재되어 있다.
《경맥(經脈)》이나 《침구갑을경(鍼灸甲乙經)》에 육부의 수혈이 추가되어 완성되었다.

【임상 응용】

1. 진찰점　병사가 장부를 침입하면 수혈(兪穴)에 이상 반응이 진단된다.
2. 배혈법　음병(陰病), 장병(臟病)에 많이 쓰인다. 수모(兪募) 배혈법은 고전 침구 처방의 하나이다.

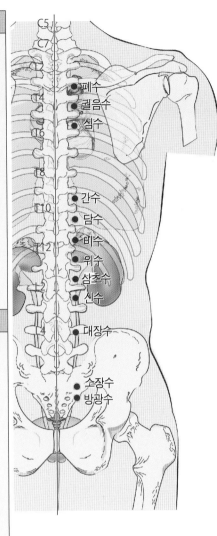

뒷면
수혈

가쪽면
모혈

모혈(募穴)

★★★ 폐경: 1경혈 위경: 1경혈 간경: 2경혈 담경: 2경혈 임맥: 6경혈	폐	중부(폐경)	심포	전중(임맥)	심	거궐(임맥)
	대장	천추(위경)	삼초	석문(임맥)	소장	관원(임맥)
	비	장문(간경)	간	기문(간경)	신	경문(담경)
	위	중완(임맥)	담	일월(담경)	방광	중극(임맥)

수혈(兪穴)

★★★ 장기의 체표 투영으로 방광경의 제1선에 있다	폐	폐수	심포	궐음수	심	심수
	대장	대장수	삼초	삼초수	소장	소장수
	비	비수	간	간수	신	신수
	위	위수	담	담수	방광	방광수

2―팔회혈(八會穴)

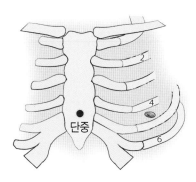

가슴 앞면

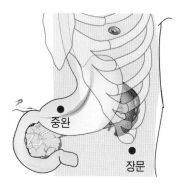

갈비활 윗배 앞면

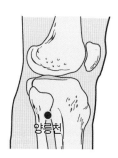

무릎 가쪽면

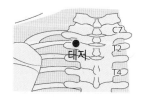

가슴 뒷면

팔회혈(八會穴)

팔회혈은 장(臟), 부(腑), 기(氣), 혈(血), 근(筋), 맥(脈), 골(骨), 수(髓)의 기가 특정한 경혈에 모여 있는 것을 가리킨다. 이 8개의 경혈은 장부, 기혈, 근맥, 골수의 병에 특별한 치료 효과를 가진다.

【유래】
《난경(難經) 45난(難)》에 최초로 기재되어 있다.

【내용】

	음	양	
장	장문	중완	부
혈	격수	단중	기
맥	태연	양릉천	근
수	현종	대저	골

【임상 응용】
동양의학의 장부, 기혈, 근맥, 골수 이론에 기초해서 각각의 병증에 특별한 효과가 있다.
단독으로 써도 좋지만 조합하여 배혈하면 그 효과가 더 커진다.
예를 들면 중완과 장문은 장부의 병증에 좋고 양릉천, 대저, 현종은 근육과 골수의 병에 효과가 좋다.

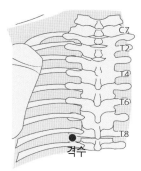

가슴 뒷면

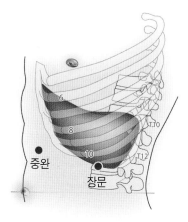

갈비활 가쪽면

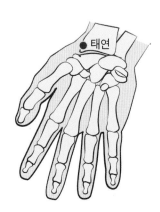

손바닥

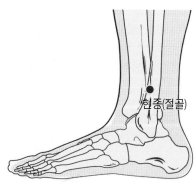

종아리 가쪽면

팔회혈

2. 기타 특정혈

3―팔맥교회혈(八脈交會穴)

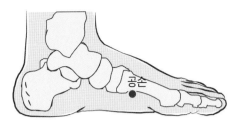

발 안쪽면

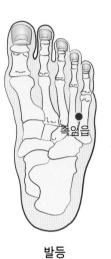

발등

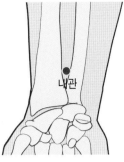

아래팔 앞면

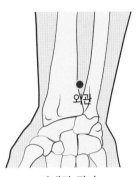

아래팔 뒷면

팔맥교회혈(八脈交會穴)

팔맥교회혈을 팔총혈(八總穴), 유주팔혈(流注八穴), 팔맥팔혈이라고도 한다. 사지부에 있는 십이경맥의 여덟 개의 경혈이 기경팔맥에 통한다는 의미이다.

여기서 말하는 "통한다"는 것은 그 기경팔맥의 기(氣)에 의해 기경팔맥의 병증을 치료할 수 있다는 의미이다.

【유래】
두한경(竇漢卿)의 《침경지남(鍼經指南)》에 최초로 기재되어 있다.

【내용】

기경	발경맥	주치	손경맥	기경
충맥	공손	위 · 심흉	내관	음유맥
대맥	족임읍	가쪽눈구석 · 귀뒤 · 옆구리 · 목 · 어깨	외관	양유맥
양교맥	신맥	안쪽눈구석 · 귀 · 목 · 견갑골	후계	독맥
음교맥	조해	가슴 · 폐 · 가로막	열결	임맥

【임상 응용】
고전에는 200 종류의 병증을 치료한다고 기재되어 있다. 현대 임상에서는 공손과 내관, 족임읍과 외관, 신맥과 후계, 조해와 열결을 상하배혈법으로 배합해서 복잡한 병증에 이용하고 있다.

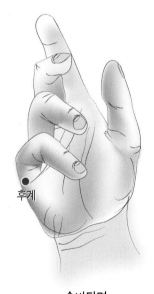

손바닥면

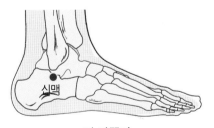

발 가쪽면

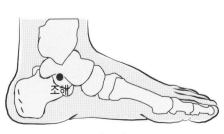

발 안쪽면

팔맥교회혈

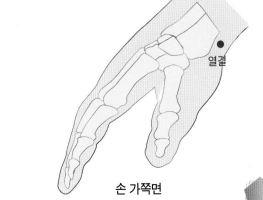

손 가쪽면

4―사총혈(四總穴)과 하합혈(下合穴)

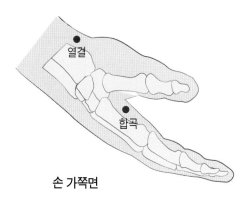

손 가쪽면

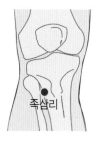

무릎 앞면

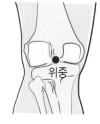

오금

사총혈

사총혈(四總穴)

사총혈이란 족삼리, 위중, 열결, 합곡의 네 개의 경혈을 말한다. 신체의 특정 부위에 특별한 치료 효과가 있다.

【유래】
《침구취영(鍼灸聚英)》에 최초로 기재되어 있다.

【내용】

경혈	치료 부위
합곡	얼굴부의 병증
열결	머리와 목의 병증
족삼리	배의 병증
위중	등허리부의 병증

【임상 응용】
원격취혈법으로 이용된다.

하합혈(下合穴)

하합혈이란 위, 대장, 소장, 방광, 담, 삼초의 육부가 다리의 족삼양경으로 들어가는 경혈을 말한다. 육부 병증의 치료에 특별한 효과가 있다.

【유래】
《영추(靈樞) 사기장부병형편(邪氣臟腑病形編)》에 최초로 기재되어 있다.

【내용】

경맥		육부	하합혈
손	양명경	대장	상거허
	소양경	삼초	위양
	태양경	소장	하거허
발	양명경	위	족삼리
	소양경	담	양릉천
	태양경	방광	위중

【임상 응용】
육부 병증의 진찰점이나 치료의 요혈로 이용되고 있다.

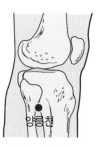

무릎 가쪽면

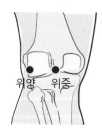

오금

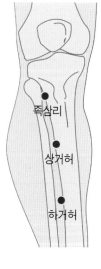

종아리 앞면

하합혈

제 **5** 장

기혈(奇穴)

● :기혈   ● :정혈

1. 사신총(四神聰) (Ex-HN1)

위치: 백회를 중심으로 전후 좌우로 1촌 떨어져 있는 네 곳.

※ 백회 앞의 것을 전신총, 뒤의 것을 후신총이라고도 한다.

주치: 두통, 어지럼증, 간질.

2. 인당(印堂)(Ex-HN3)

위치: 미간의 중앙 움푹한 곳.

주치: 두통, 콧병, 불면증.

3. 어요(魚腰)(Ex-HN4)

위치: 양 눈썹 중앙.

주치: 삼차신경통, 안면마비(facial palsy).

4. 구후(球後)(Ex-HN7)

위치: 눈확아래모서리(infraorbital margin)의 바깥1/4과 안쪽3/4의 경계.

주치: 시신경염 등의 눈병.

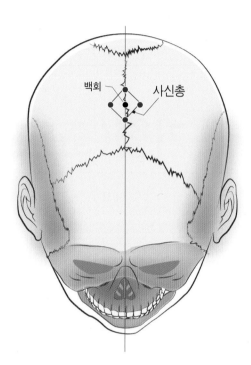

마루부위의 기혈

5. 태양(太陽)(Ex-HN5)

위치: 눈썹 가쪽끝(external extremity)과 가쪽눈구석(outer canthus)의 중앙에서 1촌 뒤의 움푹한 곳.

주치: 두통, 고혈압, 눈병

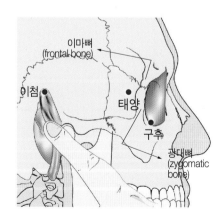

옆머리

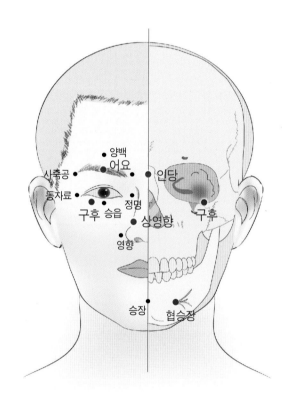

6. 상영향(上迎香)(Ex-HN8)

위치: 콧방울(ala of the nose)연골과 코선반(nasal concha)의 중간.

주치: 코의 질환.

7. 협승장(夾承漿)(UEx-HN27)

위치 : 얼굴(face), 승장(承漿)의 바깥쪽으로 1촌.

주치: 치은염, 하치통, 안면신경마비, 삼차신경통(3지)

1─머리목부위의 기혈(奇穴)(2)

● :기혈　● :정혈

8. 이첨(耳尖)(Ex-HN6)

위치: 귓바퀴 위쪽의 최고점.

주치: 두통, 눈병.

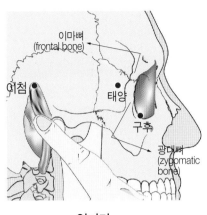

옆머리

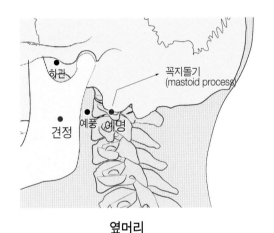

옆머리

9. 예명(翳明)(Ex-HN14)

위치: 예풍(翳風) 뒤 1촌, 꼭지돌기(mastoid process)의 아래모서리.

주치: 귀밑샘염(parotitis), 백내장 초기, 어지럼증, 이명, 불면증.

10. 견정(牽正)

위치: 얼굴, 하관(下關)에서 아래쪽으로 그은 수직선과 귓불(ear lobe) 아래모서리를 지나는 수평선과의 교점.

주치: 안면신경마비, 귀밑샘염, 구강궤양.

11. 금진(金津)(Ex-HN12) · 옥액(玉液)(Ex-HN13)

위치: 혀 아래쪽 혀주름띠(frenulum linguae) 양측에 있는 정맥 위. 왼쪽이 금진, 오른쪽이 옥액이다.

주치: 실어증, 뇌졸중의 후유증, 구강미란(사혈요법).

12. 경백로(頸百勞)(Ex-HN15)

위치: 대추 위 2촌, 뒤정중선에서 바깥쪽으로 1촌.

주치: 목(neck)의 통증, 호흡기계의 질환.

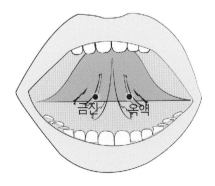

혀 아래

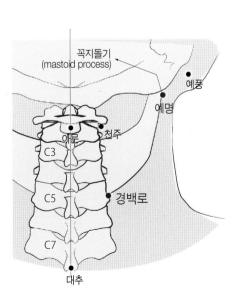

목의 뒷면

191

2—등과 배의 기혈(奇穴)(1)

●: 기혈 ●: 정혈

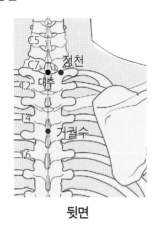

뒷면

13. 정천(定喘)(Ex-B1)

위치: 대추(大椎) 바깥쪽 0.5촌.

주치: 해수, 천식, 두드러기

14. 거궐수(巨闕俞)

위치: 넷째 등뼈 가시돌기(spinous process of the 4th thoracic vertebra) 바로 밑.

주치: 심장질환, 호흡기질환.

15. 접척(接脊)(UEx-B4: 접골(接骨)이라고도 한다)

위치: 열두째 등뼈 가시돌기(spinous process of the 12th thoracic vertebra) 바로 밑.

주치: 척추 및 척수의 질환, 소아의 복부질환.

16. 위완하수(胃脘下俞)(Ex-B1)

위치: 여덟째 등뼈 가시돌기(spinous process of the 8th thoracic vertebra) 바깥쪽 1.5촌.

주치: 위통, 복통, 늑간신경통

17. 비근(痞根)(Ex-B4)

위치: 첫째 허리뼈 가시돌기(spinous process of the 1st lumbar vertebra) 바깥쪽 3.5촌.

주치: 위통, 요통, 하리.

18. 요안(Ex-B7)

위치: 넷째 허리뼈 가시돌기(spinous process of the 4th lumbar vertebra) 바깥쪽 3.5촌.

주치: 요통, 비뇨생식기 질환.

19. 하극수(下極俞)

위치: 셋째 허리뼈 가시돌기(spinous process of the 3rd lumbar vertebra) 바로 밑.

주치: 요통, 비뇨기·생식기질환.

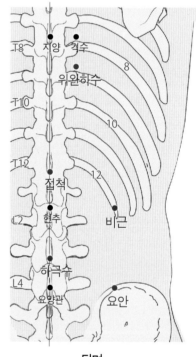

뒷면

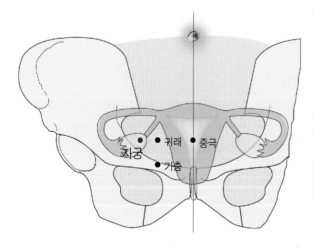

아랫배 앞면

20. 십칠추(十七椎)(Ex-B8: 상천(上薦)이라고도 한다)

위치: 다섯째 허리뼈 가시돌기(spinous process of the 5th lumbar vertebra) 바로 밑.

주치: 요통, 하지마비.

21. 자궁(子宮)(Ex-CA1)

위치: 신궐(神闕) 아래 4촌, 중극(中極) 바깥쪽 3촌.

주치: 부인병.

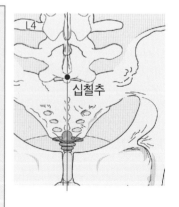

뒷면

2─등과 배의 기혈(奇穴)(2)

● : 기혈   ● : 정혈

22. 화타협척(華佗夾脊)

위치: 첫째 등뼈(the 1st thoracic vertebra)에서 다섯째 허리뼈(the 5th lumbar
vertebra)까지의 가시돌기(spinous process)아래 바깥쪽 0.5촌.

주치 : 각각의 상응하는 부위의 질환.

23. 소아어긋매낌의 뜸혈(소아근차구혈)

위치: 남아는 왼쪽 간수(肝兪)와 오른쪽 비수(脾兪), 여아는 오른쪽 간수(肝兪)와
왼쪽 비수(脾兪).

주치: 소아질환(특히 소화불량).

24.위(胃)의 6뜸

위치: 좌우 위수(胃兪), 간수(肝兪), 비수(脾兪)의 6혈.

주치: 위질환.

대추

C5
C7
T2
T4
T6
지양
T8
T10
T12
명문
L2
L4
요양관
협척
(화타협척)

뒷면

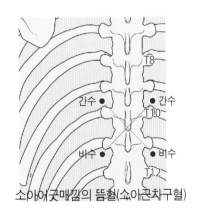

소아어긋매낌의 뜸혈(소아근차구혈)

뒷면

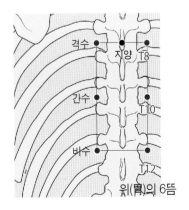

위(胃)의 6뜸

뒷면

3—팔의 기혈(奇穴)

● :기혈   ● :정혈

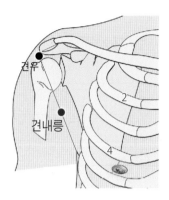

어깨관절 앞면

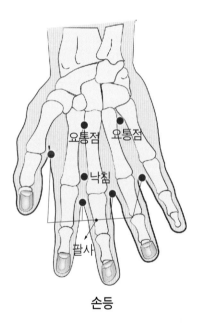

손등

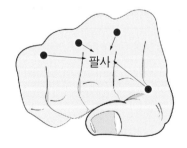

손등

25. 견내릉(肩內陵):견전(肩前)이라고도 한다.

위치: 견우(肩髃)와 겨드랑주름 앞쪽끝과의 중간.
주치: 어깨관절 질환, 팔운동장애.

26. 이백(Ex-UE2)

위치: 아래팔 앞면, 손목 주름 위 4촌, 노쪽손목굽힘근
(flexor carpi radialis m.) 힘줄의 양쪽.
주치: 아래팔 통증, 치질, 탈항.

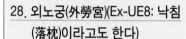

27. 요통점(腰痛点)(Ex-UE7)

위치: 손등, 둘째와 셋째 손허리뼈사이(space between
the 2nd & 3rd metacarpal bones) 몸쪽 움푹한 곳,
넷째와 다섯째 손허리뼈사이(space between the
4th & 5th metacarpal bones) 몸쪽 움푹한 곳.
주치: 요통.

28. 외노궁(外勞宮)(Ex-UE8: 낙침 (落枕)이라고도 한다)

위치: 손등 둘째와 셋째 손허리손가락관절(the 2nd & 3rd
metacarpophalangeal joint) 사이의 몸쪽 0.5촌.
주치: 낙침(落枕).

29. 사봉(四縫)(Ex-UE10)

위치: 손바닥, 몸쪽 손가락뼈사이관절(proximal inter-
phalangeal joint) 주름 위.
주치: 소아 소화불량, 하리.

30. 팔사(八邪)(Ex-UE9)

위치: 손등, 첫째-다섯째 손허리손가락관절(the 1st-5th
metacarpophalangeal joint) 사이 먼쪽 오목한 곳.
주치: 손의 운동마비.

31. 십선(十宣)(Ex-UE11)

위치: 열손가락 끝.
주치: 사혈요법을 써서 구급혈로 응용한다.

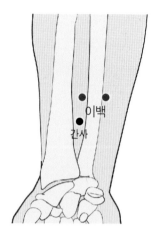

아래팔 앞면

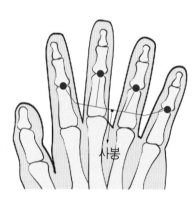

손바닥

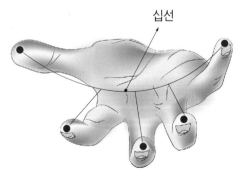

손바닥

4─다리의 기혈(奇穴)

● :기혈 　● :정혈

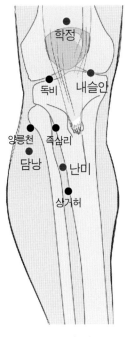

종아리 앞면

32. 학정(鶴頂)(Ex-LE2)
위치 : 무릎뼈(patella) 위모서리의 중앙.
주치 : 무릎관절 질환.

33. 외슬안(外膝眼)(독비(犢鼻)), 　　내슬안(內膝眼)(Ex-LE4)
위치 : 무릎뼈 아래 앞면, 무릎인대(patellar lig.)의 바깥
　　　쪽 움푹한 곳이 외슬안, 안쪽 움푹한 곳이 내슬안.
주치 : 무릎관절 질환

34. 담낭(膽囊)(Ex-LE6: 담낭점 　　(膽囊点)이라고도 한다)
위치 : 양릉천 아래 1촌의 압통점.
주치 : 담낭질환.

35. 난미(蘭尾)(Ex-LE7)
위치 : 족삼리 아래 2촌의 압통점.
주치 : 충수염, 위통.

36. 팔풍(八風)(Ex-LE10)
위치 : 첫째-다섯째 발허리발가락관절(metatarsopha-
　　　langeal joint) 사이 먼쪽 오목한 곳.
주치 : 발의 통증이나 감각이상, 두통.

37. 이내정(裏內庭)
위치 : 발바닥, 둘째 발허리발가락관절(metatarsopha-
　　　langeal joint)의 바닥쪽 중점.
주치 : 식중독, 복통, 구토, 하리.

38. 실면(失眠)
위치 : 발바닥, 발뒤꿈치의 중앙.
주치 : 불면증, 하지의 냉증 · 부종.

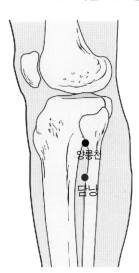

종아리 가쪽면

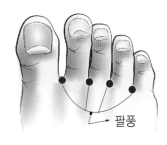

발등

발바닥

고전 배혈법

39. 중풍 7혈
위치 : 설 1: 백회(百會), 곡빈(曲鬢), 견정(肩井), 풍시(風市), 족삼리(足三里), 현종(懸鍾), 곡지(曲池).
　　　설 2: 백회(百會), 풍지(風池), 대추(大椎), 견정(肩井), 족삼리(足三里), 간사(間使), 곡지(曲池).
주치 : 편마비, 언어장애.

40. 각기(脚氣) 8혈
위치 : 풍시(風市), 복토(伏兔), 내슬안(內膝眼), 독비(犢鼻), 족삼리(足三里), 상거허(上巨虛),
　　　현종(懸鍾).
주치 : 각기병.

제 6 장

이혈(耳穴)·두침혈위(頭鍼穴位)

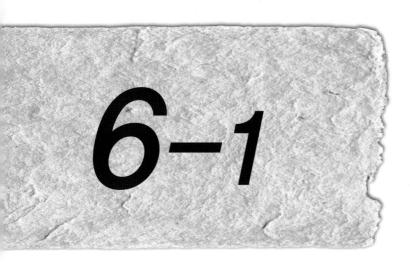

이혈(耳穴)

1 — 귓바퀴의 체표 해부(1)

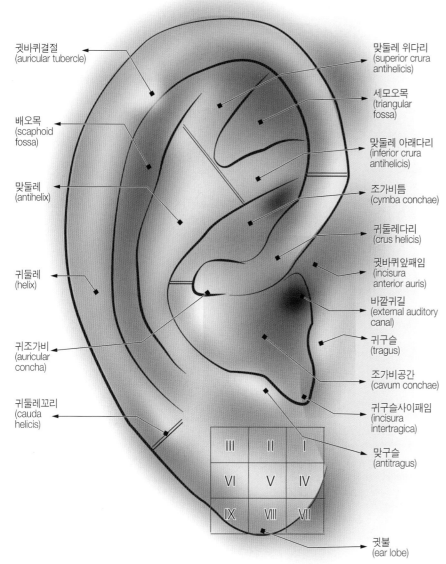

귓바퀴결절
(auricular tubercle)

배오목
(scaphoid fossa)

맞둘레
(antihelix)

귀둘레
(helix)

귀조가비
(auricular concha)

귀둘레꼬리
(cauda helicis)

맞둘레 위다리
(superior crura antihelicis)

세모오목
(triangular fossa)

맞둘레 아래다리
(inferior crura antihelicis)

조가비틈
(cymba conchae)

귀둘레다리
(crus helicis)

귓바퀴앞패임
(incisura anterior auris)

바깥귀길
(external auditory canal)

귀구슬
(tragus)

조가비공간
(cavum conchae)

귀구슬사이패임
(incisura intertragica)

맞구슬
(antitragus)

귓불
(ear lobe)

III	II	I
VI	V	IV
IX	VIII	VII

귀의 체표 해부의 표지

1. 귀둘레(helix)
귓바퀴의 C자 모양의 윤곽을 이루는 부위.
① 귀둘레다리(crus helicis): 귀둘레(helix) 앞쪽끝에 있는 귀조가비(auricular concha) 가로돌기 부분.
② 귓바퀴결절(auricular tubercle): 귀둘레(helix) 뒤위쪽의 돌기 부분.
③ 귀둘레꼬리(cauda helicis): 귀둘레(helix)와 귓불(ear lobe)의 경계 부분.

2. 맞둘레(antihelix)
귀둘레(helix)의 안쪽으로 귀둘레(helix)와 평행하게 달리는 융기 부분.
① 배오목(scaphoid fossa): 귀둘레(helix)와 맞둘레(antihelix) 사이의 움푹한 곳.
② 맞둘레 위다리(superior crura antihelicis)와 맞둘레 아래다리(inferior crura antihelicis): 두 갈래로 나뉘는 맞둘레 다리(crura antihelicis)의 위 부분과 아래 부분.

3. 세모오목(triangular fossa)
맞둘레 위다리(superior crura antihelicis)와 맞둘레 아래다리(crura antihelicis) 사이의 움푹한 곳.

4. 조가비틈(cymba conchae)과 조가비공간(cavum conchae)
맞둘레(antihelix) 안쪽에 있는 깊게 움푹한 곳이 귀둘레다리(crus helicis)에 의해 두 개로 나뉘는데, 위쪽을 조가비틈(cymba conchae), 아래쪽을 조가비공간(cavum conchae)이라 한다.

5. 귀구슬(tragus)
바깥귀길(external auditory canal) 앞을 병풍처럼 가리고 있는 융기 부분을 귀구슬(tragus)이라고 한다.
① 맞구슬(antitragus): 맞둘레(antihelix) 아래끝의 돌출되어 있는 부분을 맞구슬(antitragus)이라고 한다.
② 귓바퀴앞패임(incisura anterior auris)과 귀구슬사이패임(incisura intertragica): 귀구슬(tragus) 위모서리와 귀둘레다리(crus helicis) 사이에 귓바퀴앞패임(incisura anterior auris), 귀구슬(tragus) 아래모서리와 맞구슬(antitragus) 사이에 귀구슬사이패임(incisura intertragica)이 있다.

6. 귓불(ear lobe)
귓바퀴의 아래끝으로 연골이 없는 지방조직이 풍부한 부분을 귓불(ear lobe)이라고 한다.

귓불(ear lobe)의 9 구분법
① 귀구슬사이패임(incisura intertragica)을 지나는 수평선을 긋는다. ②와 ③ : ①과 평행하는 선으로 귓불(ear lobe)을 가로로 삼등분한다. ④와 ⑤ : ①과의 수직선으로 귓불(ear lobe)을 세로로 삼등분한다. 이 수평선과 수직선들로 귓불(ear lobe)을 9구분으로 나눈다.

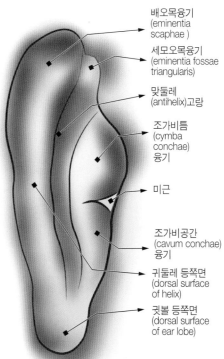

배오목융기
(eminentia scaphae)

세모오목융기
(eminentia fossae triangularis)

맞둘레
(antihelix)고랑

조가비틈
(cymba conchae) 융기

미근

조가비공간
(cavum conchae) 융기

귀둘레 등쪽면
(dorsal surface of helix)

귓불 등쪽면
(dorsal surface of ear lobe)

귓바퀴의 뒷면

1─귓바퀴의 체표 해부(2)

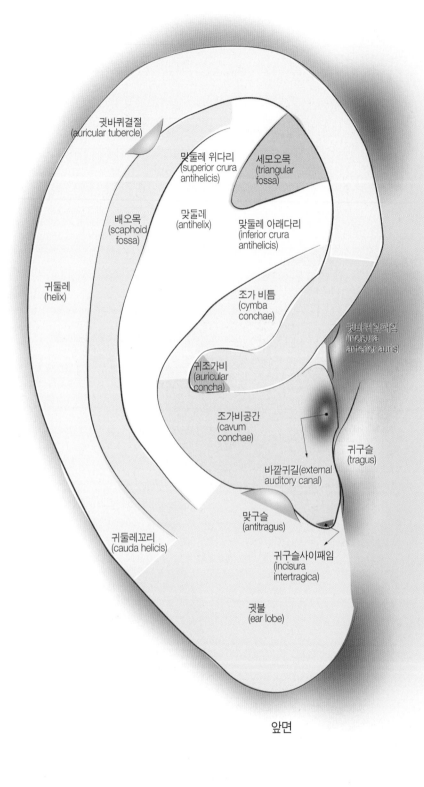

귓바퀴결절
(auricular tubercle)

맞둘레 위다리
(superior crura
antihelicis)

세모오목
(triangular
fossa)

배오목
(scaphoid
fossa)

맞둘레
(antihelix)

맞둘레 아래다리
(inferior crura
antihelicis)

귀둘레
(helix)

조가 비틈
(cymba
conchae)

귓바퀴앞패임
(incisura
anterior auris)

귀조가비
(auricular
concha)

조가비공간
(cavum
conchae)

바깥귀길(external
auditory canal)

귀구슬
(tragus)

귀둘레꼬리
(cauda helicis)

맞구슬
(antitragus)

귀구슬사이패임
(incisura
intertragica)

귓불
(ear lobe)

앞면

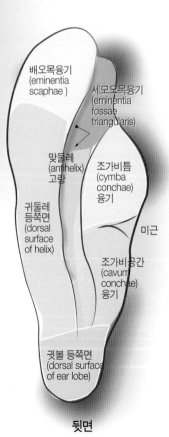

배오목융기
(eminentia
scaphae)

세모오목융기
(eminentia
fossae
triangularis)

맞둘레
(antihelix)
고랑

조가비틈
(cymba
conchae)
융기

귀둘레
등쪽면
(dorsal
surface
of helix)

미근

조가비공간
(cavum
conchae)
융기

귓볼 등쪽면
(dorsal surface
of ear lobe)

뒷면

1. 이혈(耳穴)

2— 이혈(耳穴)의 종합(1)

침(枕) : 바깥뒤통수뼈융기 부위
섭(顬) : 관자놀이. 눈 위, 눈 옆, 씹으면 움직이는 부위.
연중(緣中) : 다른 이름은 뇌점(腦点). 뇌하수체의 기능을 조정한다

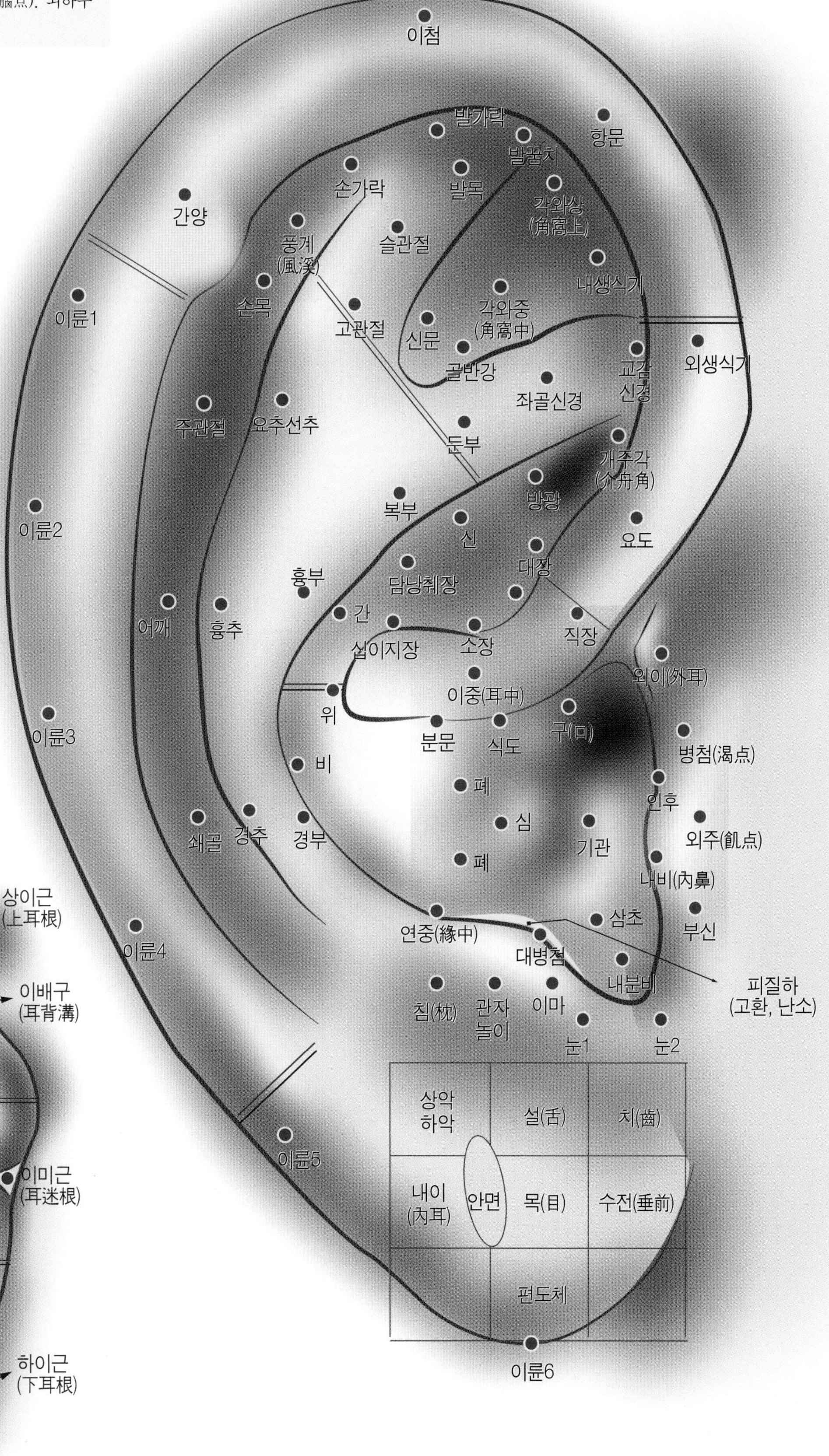

이첨

발가락
항문
발꿈치
손가락 발목
간양 각와상
(角窩上)
풍계 슬관절 내생식기
(風溪)
이륜1 손목 각와중
고관절 (角窩中) 외생식기
손목 신문 교감
주관절 요추선추 골반강 신경
둔부 좌골신경 개주각
(介舟角)
복부 방광
이륜2 신 요도
흉부 담낭췌장 대장
여깨 흉추 간 직장
이륜3 십이지장 소장 외이(外耳)
위 이중(耳中)
비 구(口) 병첨(渴点)
분문 식도
폐 인후 외주(飢点)
쇄골 경추 경부 심 기관 내비(內鼻)
폐 삼초 부신
이륜4 연중(緣中) 피질하
대병점 (고환, 난소)
침(枕) 관자 이마 내분비
놀이
눈1 눈2

이륜5

상악하악	설(舌)	치(齒)
내이(內耳)	안면 / 목(目)	수전(垂前)
	편도체	

이륜6

뒷면

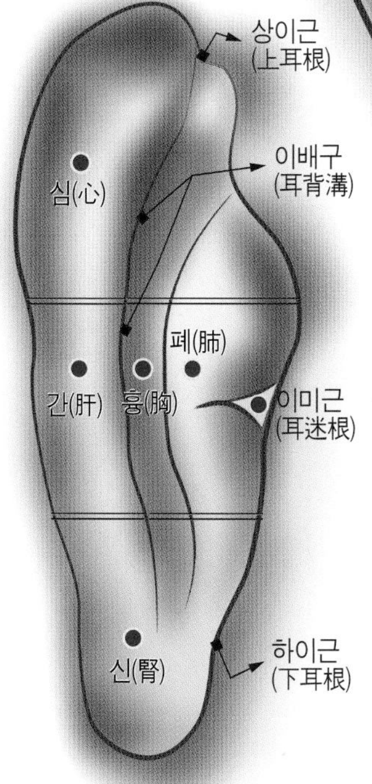

상이근
(上耳根)
이배구
(耳背溝)
심(心)
폐(肺)
간(肝) 흉(胸) 이미근
(耳迷根)
신(腎) 하이근
(下耳根)

앞면

2─이혈(耳穴)의 종합(2)

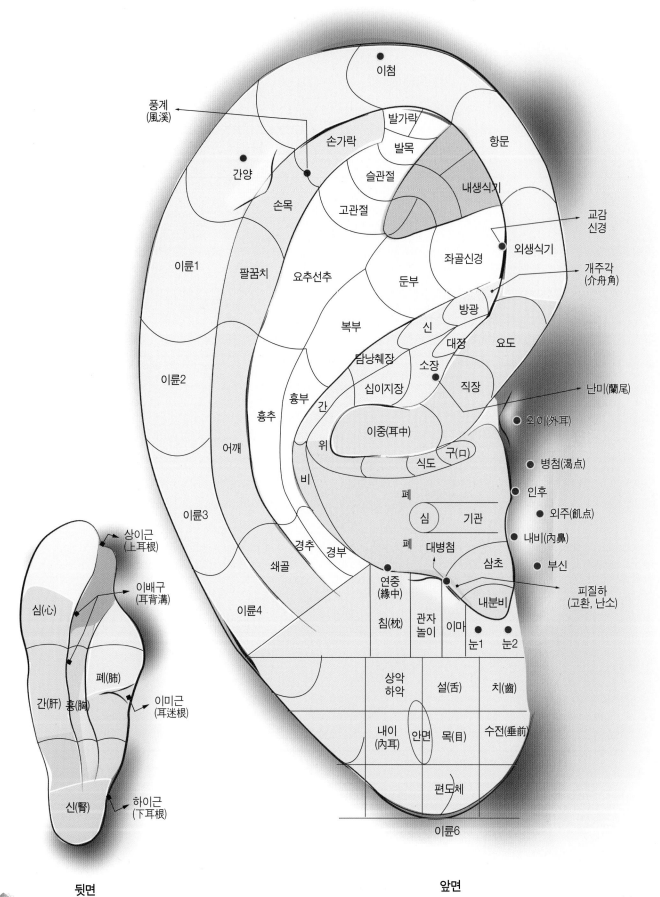

- 이첨
- 풍계(風溪)
- 발가락
- 손가락
- 발목
- 항문
- 간양
- 슬관절
- 내생식기
- 손목
- 고관절
- 교감신경
- 좌골신경
- 외생식기
- 이륜1
- 팔꿈치
- 요추선추
- 둔부
- 개주각(介舟角)
- 방광
- 복부
- 신
- 담낭췌장
- 대장
- 요도
- 십이지장
- 소장
- 이륜2
- 흉부
- 직장
- 난미(蘭尾)
- 흉추
- 간
- 이중(耳中)
- 외이(外耳)
- 어깨
- 위
- 구(口)
- 병첨(渴点)
- 식도
- 인후
- 비
- 외주(飢点)
- 폐
- 내비(內鼻)
- 심
- 기관
- 이륜3
- 폐
- 대병첨
- 부신
- 경추
- 경부
- 삼초
- 피질하(고환, 난소)
- 연중(緣中)
- 내분비
- 침(枕)
- 관자놀이
- 이마
- 이륜4
- 눈1
- 눈2
- 상악하악
- 설(舌)
- 치(齒)
- 내이(內耳)
- 안면
- 목(目)
- 수전(垂前)
- 편도체
- 이륜6

뒷면 측 그림:
- 상이근(上耳根)
- 이배구(耳背溝)
- 심(心)
- 폐(肺)
- 간(肝)
- 흉(胸)
- 이미근(耳迷根)
- 신(腎)
- 하이근(下耳根)

뒷면

앞면

6-2

두침혈위(頭鍼穴位)

이마구
두정구
관자구
후두구

1─이마구

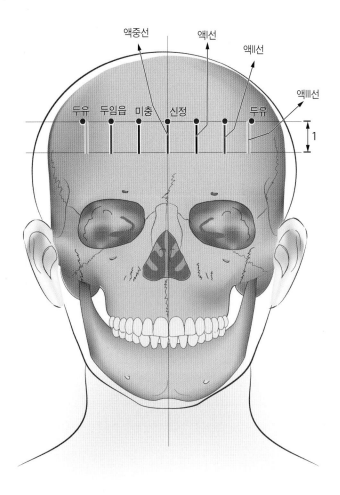

앞면

부위	두침 명칭	취혈법	주치
이마구	액중선 (MSI액중선)	앞정중선상, 전발제(신정)를 기점으로 상하 0.5촌의 선을 긋는다.	간질, 정신병, 코병

부위	두침 명칭	취혈법	주치
이마구	액측I선 (MS2액방1선)	안쪽 눈구석(inner canthus)의 직상, 미충을 기점으로 상하 0.5촌의 선을 긋는다.	흉통, 심계, 천식, 트림
	액측II선 (MS3액방2선)	동공의 직상, 두임읍을 기점으로 상하 0.5촌의 선을 긋는다.	급만성위염, 위십이지장궤양, 간담질환
	액측III선 (MS4액방3선)	두유 안쪽의 0.75촌, 전발제의 경계를 기점으로 상하 0.5촌의 선을 긋는다.	생식기 질환, 성기능 장애, 빈뇨

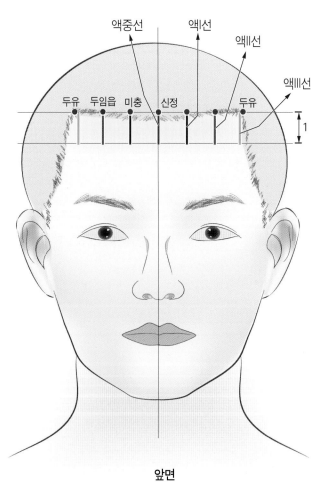

앞면

2 — 두정구

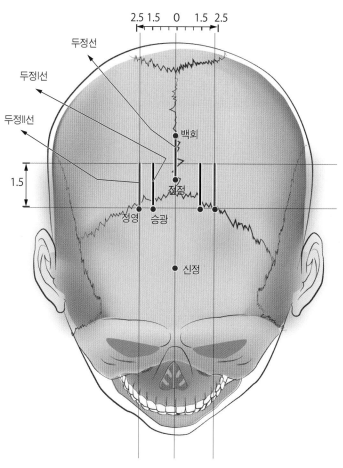

부위	두침 명칭	취혈법	주치
두정구	두정선 (MS5정중선)	백회에서 전정까지 선을 긋는다.	다리의 질환(경련성마비, 이완성마비, 통증), 다뇨증, 소아야뇨증, 고혈압, 두통

부위	두침 명칭	취혈법	주치
두정구	두정I선 (MS8정방1선)	정중선 가쪽 1.5촌, 방광경의 통천에서 후방으로 1.5촌의 선을 긋는다.	허리, 다리질환(경련성마비, 통증 및 근위축 등)
	두정II선 (MS9정방2선)	정중선 가쪽 2.25촌, 담경의 정영에서 승영까지 1.5촌의 선을 긋는다.	어깨, 팔질환(경련성마비, 이완성 마비, 통증, 근위축 등)

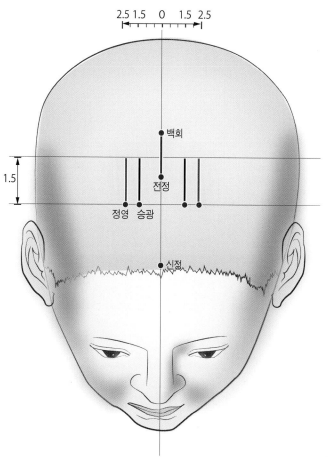

3 — 관자구

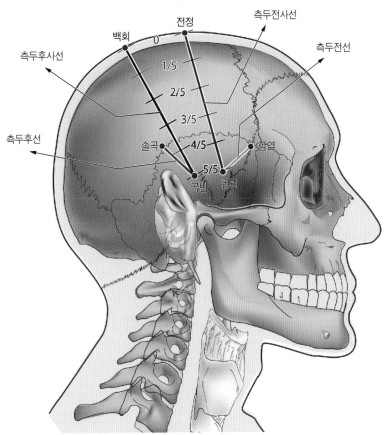

옆머리

※ 섭(顳): 관자놀이

부위	두침 명칭	취혈법	주치
	정섭전사선 (頂顳前斜線) (MS6측두전사선)	백회앞 1촌(전신 총)에서 담경의 현리까지 빗금을 긋고 이를 5등분 한다.	중추성 운동이상 질환 ① 상1/5구역은 반대측 다리와 몸통의 마비. ② 중2/5구역은 반대 측 팔 마비. ③ 하2/5구역은 핵상 성(supranuclear) 얼굴 마비, 운동실조증, 뇌 동맥경화.
측두구	정섭후사선 (頂顳後斜線) (MS7측두후사선)	백회에서 담경의 곡빈까지 빗금을 긋고 이를 5등분 한다.	중추성 감각 이상 질환 ① 상1/5구역은 반대 측 다리와 몸통의 감 각 이상. ② 중2/5구역은 반대 측 팔 감각 이상. ③ 하2/5구역은 머리, 얼굴의 감각 이상.

부위	두침 명칭	취혈법	주치
측두구	섭전선(顳前線) (MS10측두전선)	담경의 함염과 현 리사이에 선을 긋 는다.	편두통, 핵하성 (infranuclear) 얼 굴 신경마비, 운동 성실조증
	섭후선(顳後線) (MS11측두후선)	담경의 솔곡과 곡 빈사이에 선을 긋 는다.	편두통, 이명, 청력 저하, 어지럼증

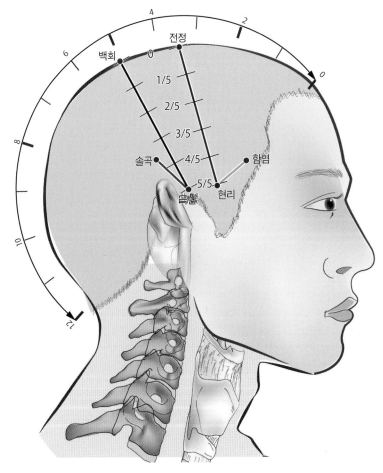

옆머리

4─후두구

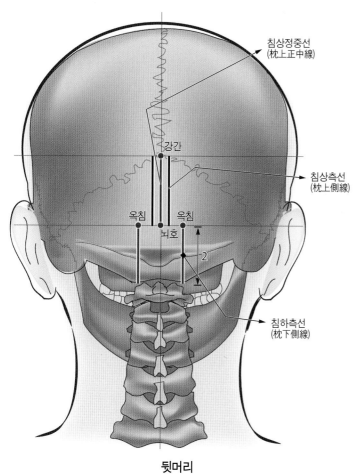

뒷머리

※침(枕) : 외후두융기 부위

부위	두침 명칭	취혈법	주치
후두구	침상정중선 (MS12침상정중선)	후두부정중선상, 독맥의 강간과 뇌호 사이에 선을 긋는다.	눈병.
	침상측선 (MS13침상방선)	후두부정중선 외측 0.5촌, 침상정중선과 평행하는 선을 긋는다.	중추성시력장애, 백내장, 가성근시.
	침하측선 (MS14침하방선)	후두융기 아래, 방광경의 옥침에서 아래로 2촌의 선을 긋는다.	소뇌장애에 의한 운동협조성이상, 후두통.

임상치료 권장 사항: 각종 뇌성 질환과 잘 낫지 않은 통증

1. 각종 뇌성 병증
   예: 뇌졸중 후유증의 편마비, 뇌위축, 실어증, 요붕증(尿崩症), 가성벨마비(pseudo-Bell's palsy), 무도증, 어지럼증, 이명, 간질, 소아발육장애, 추체외로장애 등.

2. 통증 병증
   예: 잘 낫지 않은 두통, 탈모증, 고혈압, 정신병, 우울증, 불면증, 팔다리 관절과 척추 통증의 병증.

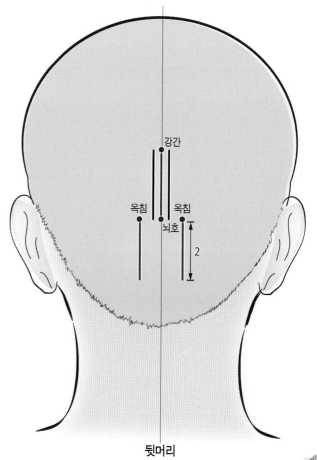

뒷머리

부표 · 색인

부표 1 　근육과 관련된 경혈

1 　머리(얼굴)부의 근육과 관련된 경혈

근 명			지배신경	작 용	관련 경혈	참고페이지
천두근 "표정근"	눈주위	눈둘레근	얼굴신경 (facial n.)	눈을 감는다. 눈물주머니(dacryocyst)를 넓혀서 눈물의 유입을 돕는다.	찬죽 · 어요 · 동자료 · 사죽공 · 승읍 · 사백	☞p96
		눈살근		미간(glabella)의 피부를 아래로 당긴다 · 코뿌리(root of nose)부위에 가로주름을 만든다.	인당	☞p96, 102
	입주위	입둘레근		입을 다물고, 입술(lip)을 앞쪽으로 내민다.	거료 · 지창 · 화료 · 승장 · 수구	☞p96, 102
		위입술올림근		위입술(upper lip) · 입꼬리(oral angle)를 바깥쪽 위로 당겨서 넓힌다.	거료 · 하관	☞p96, 102
		큰 · 작은광대근			거료 · 관료 · 하관	☞p96, 102
		입꼬리올림근			거료	
		입꼬리당김근		입꼬리(oral angle)를 바깥쪽으로 당긴다.	협거	☞p96
		입꼬리내림근		아랫입술(lower lip)을 안쪽 아래로 당긴다.	지창 · 대영	☞p96, 102
		입꼬리내림근		아랫입술(lower lip)을 바깥쪽 아래로 당긴다.	승장	☞p96, 102
		아래입술내림근		아래턱의 피부를 끌어내려서 아랫입술(lower lip)을 앞쪽으로 내민다.		☞p96
		볼근		음식을 씹거나, 나팔을 불거나 젖을 빨 때에 작용한다.	지창	☞p102
	이마힘살			눈썹을 끌어올려서, 이마에 주름을 만든다.	찬죽 · 미충 · 곡차 · 본신 · 양백 · 두임읍	☞p96, 102
실두근 "저작근"	깨물근		아래턱신경 (mandibular n.)	강대한 근으로 아래턱뼈(mandible)를 끌어올려서, 치아를 물게 한다.	대영 · 협거 · 하관 · 관료	☞p102
	관자근			아래턱뼈(mandible)를 끌어올린다. 아래턱뼈(mandible)를 뒤쪽으로 당긴다.	두유 · 관료 · 동자료 · 상관 · 각손 · 화료 · 함염-곡빈 · 솔곡 · 천충	☞p96, 102
	가쪽날개근			아래턱뼈(mandible)를 앞쪽으로 당긴다.	하관	

2 　목의 근육과 관련된 경혈

근 명			지배신경	작 용	관련 경혈	참고페이지
관자근	목빗근		운동성 : 더부신경 (accessory n.) 감각성 : 목신경 (cervical n.)	머리를 옆굽힘(lateral flexion)(한쪽), 앞굽힘(anteflexion) · 뒤굽힘(retroflexion)한다(양쪽).	완골 · 천창 · 천용 · 천정 · 부돌 · 수돌 · 기사	☞p99, 102, 111, 112, 113, 114, 118
이마근	목뿔위근육	두힘살근	앞힘살 : 아래턱신경 (mandibular n.) 뒤힘살 : 얼굴신경 (facial n.)	아래턱(mandibular)을 뒤쪽 아래로 당긴다. 목뿔뼈(hyoid bone)를 끌어올린다.	천용	☞p111
		붓목뿔근	얼굴신경(facial n.)		천창 · 천용	
		턱목뿔근	아래턱신경 (mandibular n.)	목뿔뼈(hyoid bone)를 앞쪽 위로 당긴다.	염천 · 외금진 · 외옥액	
		어깨목뿔근	혀밑신경 (hypoglossal n.)	목뿔뼈(hyoid bone)를 앞쪽 위로 당긴다.	염천 · 외금진 · 외옥액	☞p111
	목뿔아래근육	복장목뿔근	목신경고리 (ansa cervicalis) (C1-C3)	목뿔뼈(hyoid bone)를 아래로 당긴다.	천정 · 부돌 · 인영 · 수돌	☞p115
		어깨목뿔근				☞p111
		복장방패근				
		방패목뿔근				
뒤통수근	목갈비근	앞목갈비근	목신경얼기 (cervical plexus) (C1-C7)	첫째 · 둘째 갈비뼈(the 1st & 2nd rib)를 위로 끌어올린다. 흡기의 보조근. 앞목갈비근(scalenus anterior m.)과 중간목갈비근(scalenus medius m.) 사이의 목갈비근(scalenus m.) 간극에 빗장밑동맥(subclavian a.)이나 팔신경얼기(brachial plexus)가 지나간다.	천정 · 부돌 · 수돌 · 기사 · 결분 · 기호	☞p102, 113, 143
		중간목갈비근				
		뒤목갈비근				

3 등의 근육과 관련된 경혈

	근 명	지배신경	작 용	관련 경혈	참고페이지
뒤통수밑근육	큰뒤머리곧은근	뒤통수밑신경(sub-occipital n.)(C1의 뒤가지)	머리를 뒤굽힘(retroflexion)하고, 직립위를 유지한다. 한쪽만 수축되면, 머리가 옆굽힘(lateral flexion), 회선한다.	천주 · 풍지 · 완골 · 아문	☞p99, 112
	작은머리곧은근				
	위머리빗근				
	아랫머리빗근				
널판근	머리널판근	큰뒤통수신경(great occipital n.)(C2)과 척수신경(spinal n.)의 뒤가지(C3-C5)	머리가 앞굽힘(anteflexion)되지 않도록 한다.	완골 · 풍지	☞p99, 112
	목널판근			천주 · 풍지 · 아문	
척주세움근	엉덩갈비근	척수신경(spinal n.)의 뒤가지	척주를 폄(extension)시켜서, 앞굽힘(anteflexion)되지 않도록 세 근육이 함께 작용한다.	방광경의 등쪽(dorsal) 제1선과 제2선의 각 경혈	☞p123
	가장긴근				
	가시근				

4 가슴의 근육과 관련된 경혈

	근 명	지배신경	작 용	관련 경혈	참고페이지
흡기군	바깥갈비사이근	갈비사이신경(intercostal n.)	갈비뼈(costal bone)를 끌어올려서 흉곽을 넓히고 흡기에 작용한다.	신경 · 위경 · 비경의 가슴에 있는 각 경혈	☞p120
	갈비올림근	척수신경(spinal n.)의 뒤가지			
	가로막	가로막신경(phrenic n.)	복식호흡의 주력근	격수 · 격관 · 거궐 · 구미	☞p131
호기군	속갈비사이근	갈비사이신경(intercostal n.)	갈비뼈(costal bone)를 끌어내려서 흉곽을 좁히고 호기에 작용한다.	신경 · 위경 · 비경의 가슴에 있는 각 경혈	☞p120
	맨속갈비사이근				
	갈비밑근				
	가슴가로근				

5 배의 근육과 관련된 경혈

	근 명	지배신경	작 용	관련 경혈	참고페이지
앞배벽근육	배곧은근	갈비사이신경(intercostal n.)(T7-12)	몸통을 앞굽힘(anteflexion) 시킨다.	임맥 · 신경 · 위경 · 비경의 배(abdomen)에 있는 각 경혈	☞p120
	배세모근	갈비사이신경(intercostal n.)(T12)과 엉덩아랫배신경(iliohypogastric n.)			
가쪽배벽근육	배바깥빗근	갈비사이신경(intercostal n.)(T5-12) / 엉덩아랫배신경	척주를 앞굽힘(anteflexion) 시킨다.	횡골 · 대혁 · 귀래 · 기충 · 충문 · 부사 · 복결 · 대맥 · 오추 · 유도	☞p121
	배속빗근	갈비사이신경(intercostal n.)(T10-12)	몸통을 돌려서 옆굽힘(lateral flexion)시킨다.		
	배가로근	갈비사이신경(intercostal n.)(T5-12)	복압을 높인다.		☞p120, 121
뒤배벽근육	허리네모근	허리신경얼기(lumbar plexus)	허리뼈(lumbar vertebra)의 뒤굽힘(retroflexion)에 작용하지만, 한쪽만 수축하면 허리뼈(lumbar vertebra)를 옆굽힘(lateral flexion) 시킨다.	신수 · 지실 · 삼초수 · 황문 · 위수 · 위창 · 비근	

6 팔이음부위(등쪽)의 근육과 관련된 경혈

근 명	지배신경	작 용	관련 경혈	참고페이지
어깨세모근	겨드랑신경 (axillary n.)	전체: 위팔(upper arm)의 강력한 벌림근 (abductor m.) 앞쪽: 위팔(upper arm)의 굽힘(flexion) 뒤쪽: 위팔(upper arm)의 폄(extension)	비노 · 견우 · 노수 · 뇌회 · 견료	☞p123, 148, 151
등세모근	운동지 : 더부신경 (accessory n.) 감각지 : 목신경얼기 (cervical plexus) (C2 · C3 · C4)	어깨뼈(scapula)를 움직여서 고정시킨다. 위쪽: 어깨뼈(scapula)와 빗장뼈(clavicle)를 올린다. 중간: 어깨뼈(scapula)를 안쪽으로 잡아당긴다 아래쪽: 어깨뼈(scapula)를 아래로 회전시킨다	천주 · 거골 · 견정 · 천료 · 견외수 · 견중수 · 병풍 · 곡원 · 천종 · 방광경의 제1 선의 대저에서 간수까지 · 제2선의 부분에서 신당까지	☞p102, 112, 113, 115, 118, 123
넓은등근	가슴등신경 (thoracodorsal n.)	위팔(upper arm)의 주요 모음근(adductor m.) 의 하나. 위팔(upper arm)을 뒤로 당겨서 모음 (adduction) 또는 안쪽돌림(medial rotation)한 다. 팔(upper limb)을 등쪽으로 돌린다	견정 · 방광경의 제1선의 간수에서 삼초수까지 · 제2선의 격관에서 지실까지	☞p123
어깨올림근	등쪽어깨신경 (dorsal scapular n.) 목신경(cervical n.) (C3 · C4)	어깨뼈 위각(superior angle of the scapula)을 위로 끌어올린다. 어깨뼈(scapula)를 고정할 때, 목뼈(cervical vertebra)의 옆굽힘(lateral flexion)	천료 · 견외수 · 견중수 · 부분	
작은마름근 큰마름근	등쪽어깨신경 (dorsal scapular n.)	어깨올림근(levator scapulae m.)과 함께 어 깨뼈(scapula)를 위쪽 안으로 잡아당긴다	대추 · 도도 · 신주 · 대저 · 풍문 · 폐수 · 궐음수 · 심수 · 부분 · 백호 · 고황 · 의희	☞p144, 151
가시위근	어깨위신경 (suprascapular n.)	위팔(upper arm)의 벌림(abduction)	거골 · 병풍 · 곡원	
가시아래근	어깨위신경 (suprascapular n.)	위팔(upper arm)의 가쪽돌림(lateral rotation)	천종 · 노수	☞p123, 144, 151
작은원근	겨드랑신경 (axillary n.)	위팔(upper arm)의 가쪽돌림(lateral rotation)	견정	☞p144, 151
큰원근	어깨밑신경 (subscapular n.)	위팔(upper arm)의 안쪽돌림(medial rotation) · 모음(adduction)	견정	☞p123, 144, 151

7 팔이음부위(앞쪽)의 근육과 관련된 경혈

근 명	지배신경	작 용	관련 경혈	참고페이지
앞톱니근	긴가슴신경 (long thoracic n.)	어깨뼈(scapula)를 앞으로 당긴다. 어깨뼈(scapula)의 아래각을 앞으로 당 겨서 어깨뼈(scapula)를 돌린다.	연액 · 첩근 · 대포	☞p120, 144
빗장밑근	빗장밑근신경 (subclavius n.)	빗장뼈(clavicle)를 안쪽 아래로 끌어당겨 서, 복장빗장관절(sternoclavicular joint) 의 탈구를 방지한다. 빗장뼈(clavicle) 아래를 주행하는 혈관을 보호한다.	기호 · 수부	
큰가슴근	안쪽가슴근신경 (medial pectoral n.) 가쪽가슴근신경 (lateral pectoral n.)	위팔(upper arm)의 굽힘(flexion) · 모음 (adduction) · 안쪽돌림(medial rotation)	중부 · 운문 · 기호 · 고방 · 옥예 · 응창 · 유중 · 유근 · 보랑 · 신봉 · 영허 · 신장 · 욱중 · 수부 · 식두 · 천계 · 흉향 · 주영 · 천지	☞p143, 144
작은가슴근	안쪽가슴근신경 (medial pectoral n.)	어깨뼈(scapula)를 아래앞쪽으로 끌어 당긴다. 팔(upper limb)의 혈관과 신경 이 겨드랑(axilla)을 향해서 작은가슴근 (pectoralis minor m.)의 깊은 곳을 주 행한다	중부 · 고방 · 옥예 · 응창 · 유중	
부리위팔근	근육피부신경 (musculocutaneous n.)	위팔(upper arm)의 굽힘(flexion) · 모 음(adduction)	운문 · 천천	☞p146, 153

8 위팔의 굽힘근과 관련된 경혈

근 명	지배신경	작 용	관련 경혈	참고페이지
위팔두갈래근	근육피부신경 (musculocutaneous n.)	아래팔(forearm)의 굽힘(flexion) · 뒤침(supination)	천부 · 협백 · 척택 · 비노 · 천천 · 곡택	☞p146, 148, 153
위팔근		아래팔(forearm)의 굽힘(flexion)	척택 · 곡택	

9 위팔의 폄근과 관련된 경혈

근 명	지배신경	작 용	관련 경혈	참고페이지
위팔세갈래근	노신경(radial n.)	위팔(upper arm)의 폄(extension)	주료 · 수오리 · 천정 · 청랭연 · 노회	☞p147, 148, 151, 152
팔꿈치근		위팔(upper arm)의 폄(extension)	곡지 · 주료	

10 아래팔의 굽힘근과 관련된 경혈

근 명		지배신경	작 용	관련 경혈	참고페이지
천층	원엎침근	정중신경 (median n.)	위팔(upper arm)의 엎침 · 굽힘(flexion)	소해(음) · 극문 · 공최	☞p146, 154
	노쪽손목굽힘근		손목의 굽힘(flexion) · 벌림(abduction)(노쪽굽힘(radial flexion))	소해(음) · 극문 · 간사 · 내관 · 대릉	☞p146, 154
	긴손바닥근		손목의 굽힘(flexion)	소해(음) · 극문 · 간사 · 내관 · 대릉 · 노궁	☞p146, 154
	자쪽손목굽힘근	자신경(ulna n.)	손목의 굽힘(flexion) · 모음(adduction)(자쪽굽힘(ulnar flexion))	소해(음) · 지정 · 영도 · 통리 · 음극 · 신문	☞p146, 155
중층	얕은손가락굽힘근	정중신경 (median n.)	둘째-다섯째 손가락의 중간마디의 굽힘(flexion)	소해(음) · 극문 · 간사 · 내관 · 대릉 · 이간 · 삼간 · 전곡 · 후계	☞p146, 154
심층	깊은손가락굽힘근	노쪽: 정중신경 (median n.) 자쪽: 자신경(ulna n.)	둘째-다섯째 손가락의 끝마디의 굽힘(flexion)	간사 · 극문 · 내관 · 대릉 · 이간 · 삼간 · 전곡 · 후계	☞p146, 154, 155
	긴엄지굽힘근	정중신경 (median n.)	엄지(thumb)의 끝마디의 굽힘(flexion)	극문 · 간사 · 내관 · 공최 · 경거 · 어제	☞p146, 154
	네모엎침근		위팔(upper arm)의 강력한 엎침근 (pronator m.)	영도 · 통리 · 음극 · 간사 · 내관 · 경거	☞p146, 154
	위팔노근	노신경(radial n.)	폄근에 속하지만, 팔꿉관절(elbow joint)을 강력하게 굽힌다.	주료 · 곡지 · 공최 · 열결 · 경거	☞p146, 148, 152

11 아래팔의 폄근과 관련된 경혈

근 명		지배신경	작 용	관련 경혈	참고페이지
천층	긴노쪽손목폄근	노신경(radial n.)	손목의 (폄(extension)), 등쪽굽힘(dorsal flexion) · 벌림(abduction)(노쪽굽힘(radial flexion))	주료 · 곡지 · 수삼리 · 상렴 · 하렴 · 온류 · 편력	☞p147, 148, 151, 152
	짧은노쪽손목폄근				
	손가락폄근		둘째-다섯째 손가락의 손허리손가락관절(Metacarpophalangeal joint)에 작용하여, 그 손가락을 등쪽굽힘(dorsal flexion)한다	양지 · 외관 · 지구 · 삼양락 · 사독 · 주료 · 곡지 · 수삼리 · 상렴	☞p147, 148, 152
	새끼폄근		새끼손가락(digitus minimus)의 폄(extension)(등쪽굽힘(dorsal flexion))	양지 · 외관 · 지구 · 회종 · 삼양락 · 사독 · 곡지	☞p147, 152
	자쪽손목폄근		손목의 (폄(extension)), 등쪽굽힘(dorsal flexion) · 모음(adduction)(자쪽굽힘(ulnar flexion))	양곡 · 양로 · 지정 · 회종 · 곡지	☞p147, 148, 152
심층	손뒤침근	노신경(radial n.)	위팔(upper arm)의 뒤침(supination)	주료 · 곡지 · 수삼리	☞p147, 152
	긴엄지벌림근		엄지(thumb)의 뒤침(supination)	온류 · 편력 · 열결	☞p147, 148, 152
	짧은엄지폄근		엄지(thumb)의 첫마디(proximal phalanges)의 폄(extension)	양계 · 편력 · 열결	
	긴엄지폄근		엄지(thumb)의 끝마디의 폄(extension)	양계 · 편력 · 삼양락 · 소상	
	집게폄근		둘째 손가락의 폄(extension)	삼양락 · 회종 · 지구 · 외관 · 상양	☞p147, 152

12 엄지두덩근과 관련된 경혈

근　　명	지배신경	작　　용	관련 경혈	참고페이지
짧은엄지벌림근	정중신경(median n.)	엄지(thumb)의 벌림(abduction)	어제	
엄지맞섬근		엄지(thumb)의 맞섬(opposition)		
짧은엄지굽힘근		엄지(thumb)의 첫마디(proximal pha-langes)의 굽힘(flexion)		
엄지모음근	자신경(ulna n.)	엄지(thumb)의 모음(adduction)	어제 · 노궁	

13 새끼두덩근과 관련된 경혈

근　　명	지배신경	작　　용	관련 경혈	참고페이지
짧은손바닥근	자신경(ulna n.)	새끼손가락 자측(ulnar part of digitus minimus)의 피부를 긴장시켜서 움켜잡기(grasp)을 강화한다	완골 · 양곡	
새끼벌림근		새끼손가락(digitus minimus)의 벌림(abduction)	전곡 · 후계 · 완골 · 양곡	
짧은새끼굽힘근		새끼손가락(digitus minimus)의 첫마디(proximal phalanges)의 굽힘(flexion)		
새끼맞섬근		새끼손가락(digitus minimus)이 엄지(thumb)와 서로 향하도록 손바닥을 오므리게 한다	완골 · 양곡	

14 손허리근과 관련된 경혈

근　　명	지배신경	작　　용	관련 경혈	참고페이지
벌레근	둘째-셋째 손가락 (2nd-3rd finger): 정중신경(median n.)	둘째-다섯째 손가락의 첫마디(proximal phalanges)의 굽힘(flexion) · 중간마디와 끝마디의 펌(extension)	노궁 · 이간 · 삼간	☞p155
	넷째-다섯째 손가락 (4th-5th finger): 자신경(ulna n.)		소부 · 중저	
바닥쪽뼈사이근	자신경(ulna n.)	손가락의 모음(adduction): 각 손가락을 셋째 손가락(third finger)(손의 중심축)에 모이도록 한다	소부 · 노궁	
등쪽뼈사이근		손가락의 벌림(abduction): 각 손가락이 셋째 손가락(third finger)(손의 중심축)에서 멀어지게 한다	합곡 · 중저 · 요통점 · 낙침	

15 팔이음부위의 근육과 관련된 경혈

근　　명			지배신경	작　　용	관련 경혈	참고페이지
볼기뼈안쪽근육	엉덩허리근	엉덩근	넙다리신경(femoral n.)	엉덩관절(hip joint)의 굽힘(flexion), 다리를 고정시키면 상반신을 앞으로 구부린다.	충문 · 유도 · 요안 · 비근	☞p161, 168
		큰허리근	넙다리신경(femoral n.)			
볼기뼈바깥쪽근육	큰볼기근		아래볼기신경 (inferior gluteal n.)	넙다리(thigh)의 펌(extension) · 직립자세의 유지	방광수 · 중려수 · 백환수 · 포황 · 질변 · 환도 · 승부	☞p163, 165
	중간볼기근		위볼기신경 (superior gluteal n.)	넙다리(thigh)의 벌림(abduction)	거료 · 환도	
	작은볼기근					
	넙다리근막긴장근			넙다리(thigh)의 굽힘(flexion) · 종아리(lower leg)의 펌(extension)	거료 · 환도 · 풍시 · 중독 · 슬양관 · 비관	☞p163
돌림근군	궁둥구멍근		엉치신경얼기 (sacral plexus)	넙다리(thigh)의 가쪽돌림(lateral rota-tion) · 엉덩관절(hip joint)의 보호		
	속폐쇄근				환도	
	쌍둥이근					
	넙다리네모근				환도	

16 넙다리의 폄근과 관련된 경혈

근	명	지배신경	작 용	관련 경혈	참고페이지
넙다리빗근		넙다리신경 (femoral n.)	넙다리(thigh)의 굽힘(flex-ion)·벌림(abduction)·가쪽돌림(lateral rotation), 종아리(lower leg)의 굽힘(flexion)·모음(adduction)	비관·기문·음포·곡천	☞p161, 165
넙다리네갈래근	넙다리곧은근		종아리(lower leg)의 폄(exten-sion)	비관·복토·음시·양구·혈해·기문·풍시·중독·학정	☞p161, 165
	가쪽넓은근				☞p161, 165
	중간넓은근				☞p161, 165
	안쪽넓은근				☞p161
무릎관절근			무릎관절 윤활주머니를 위로 당긴다	학정	☞p161

17 넙다리의 굽힘근과 관련된 경혈

근	명	지배신경	작 용	관련 경혈	참고페이지
넙다리두갈래근	긴갈래	정강신경(tibial n.)	엉덩관절(hip joint)의 폄(exten-sion)·종아리(lower leg)의 굽힘(flexion)	승부·은문·부극·위양·중독·풍시·슬양관	☞p165
	짧은갈래	온종아리신경 (common peroneal n.)	종아리(lower leg)의 굽힘(flex-ion)·가쪽돌림(lateral rotation)		
반힘줄근		정강신경(tibial n.)	엉덩관절(hip joint)의 폄(exten-sion)·종아리(lower leg)의 굽힘(flexion)과 안쪽돌림(medial rotation)	승부·은문·부극·음곡·음릉천·곡천	☞p171
반막근					

18 넙다리의 모음근과 관련된 경혈

근	명	지배신경	작 용	관련 경혈	참고페이지
두덩근			넙다리(thigh)의 굽힘(flexion)·모음(adduction)	충문·급맥·족오리	☞p161, 169
긴모음근			넙다리(thigh)의 모음(adduction)	음렴·족오리·음포·기문	☞p169
짧은모음근		폐쇄신경(obturator n.)			
큰모음근					
두덩정강근			엉덩관절(hip joint)의 굽힘(flexion)·종아리(lower leg)의 굽힘(flexion)과 안쪽돌림(medial rotation)	음포·곡천·슬관	☞p163, 169
바깥폐쇄근			넙다리(thigh)의 가쪽돌림(lateral rotation)·모음(adduction)	급맥	☞p169

19 종아리의 폄근과 관련된 경혈

근	명	지배신경	작 용	관련 경혈	참고페이지
앞정강근			발의 등쪽굽힘(dorsal flexion)·안쪽굽힘(inversion)	족삼리에서 해계까지	
긴엄지폄근		깊은종아리신경 (deep peroneal n.)	엄지 발가락(inversion)의 폄(exten-sion)·발의 등쪽굽힘(dorsal flexion)	풍륭·하거허·상구	☞p161
긴발가락폄근			둘째-다섯째 발가락의 폄(exten-sion)·발의 등쪽굽힘(dorsal flexion)	풍륭·외구·구허	
셋째종아리근			발의 바깥굽힘·등쪽굽힘(dorsal flexion)	광명·양보·현종	☞p161, 165

20 종아리의 굽힘근과 관련된 경혈

근 명			지배신경	작 용	관련 경혈	참고페이지
종아리세갈래근	장딴지근	안쪽갈래	정강신경(tibial n.)	발의 바닥쪽굽힘(plantar flexion)·무릎관절(knee joint)의 굽힘(flexion)	합양·승근·승산·비양·부양·음릉천·지기·곤륜	☞p161, 163, 171
		외측두				
	가자미근					☞p163, 171, 172
발바닥근				종아리세갈래근(triceps surae m.)의 보조	위양·합양·승근	☞p161
오금근				무릎관절(knee joint)의 굽힘(flexion)·정강뼈(tibia)의 안쪽돌림(medial rotation)	위양·합양·승근	
뒤정강근				발의 바닥쪽굽힘(plantar flexion)·안쪽굽힘(inversion)	부류·교신·축빈·삼음교·누곡·태계·연곡	☞p172
긴발가락굽힘근				발의 바닥쪽굽힘(plantar flexion)·발가락의 굽힘(flexion)	합양·승근·승산	☞p172
긴엄지굽힘근				엄지발가락의 굽힘(flexion)·발의 바닥쪽굽힘(plantar flexion)	누곡·지기·음릉천	☞p172

21 종아리근과 관련된 경혈

근 명	지배신경	작 용	관련 경혈	참고페이지
긴종아리근	얕은종아리신경 (superficial peroneal n.)	발의 바깥굽힘·바닥쪽굽힘(plantar flexion)	양릉천·양교·외구·광명·양보·현종·곤륜	☞p161, 165
짧은종아리근				

22 발의 근육과 관련된 경혈

근 명	지배신경	작 용	관련 경혈	참고페이지
엄지벌림근	안쪽발바닥신경 (medial plantar n.)	엄지발가락(great toe)의 벌림(abduction)·바닥쪽굽힘(plantar flexion)	태백·공손·연곡	
짧은발가락굽힘근		둘째-다섯째 발가락의 중간마디의 굽힘(flexion)	용천	
새끼벌림근	가쪽발바닥신경 (lateral plantar n.)	새끼발가락(digitus minimus)의 벌림(abduction)	금문·경골·속골	
벌레근	둘째 발가락 : 안쪽발바닥신경 (medial plantar n.)	둘째-다섯째 발가락의 중간마디를 굽힘(flexion)하고, 중간마디와 끝마디를 편다.	함곡·태충	
	셋째-다섯째 발가락 : 가쪽발바닥신경 (lateral plantar n.)		족임읍·지오리	
발바닥네모근	안쪽발바닥신경 (medial plantar n.)	긴발가락굽힘근(flexor digitorum longus m.)을 도와서, 발가락을 굽힘(flexion)한다.		
짧은엄지굽힘근		엄지발가락의 첫마디(proximal phalanges)의 굽힘(flexion)	태백·공손	
엄지모음근	가쪽발바닥신경 (lateral plantar n.)	엄지발가락의 모음(adduction)		
짧은새끼굽힘근		새끼발가락(digitus minimus)의 모음(adduction)		
짧은엄지폄근	깊은종아리신경 (deep peroneal n.)	엄지발가락을 편다.	태충	
짧은발가락폄근		발가락을 편다.	해계·충양·함곡	
등쪽뼈사이근	가쪽발바닥신경 (lateral plantar n.)	발가락의 벌림(abduction)·첫마디(proximal phalanges)의 바닥쪽굽힘	태충·충양·족임읍·지오회	
바닥쪽뼈사이근		발가락의 모음(adduction)·첫마디(proximal phalanges)의 바닥쪽굽힘		

부표 2 신경과 관련된 경혈

1 뇌신경과 관련된 경혈

신경의 명칭		지배영역		관련 경혈	참고페이지
눈돌림신경(혼합)			근육가지: 눈꺼풀올림근(levator palpebrae m.)·위곧은근(superior rectus m.)·안쪽곧은근(medial rectus m.)·아래곧은근(inferior rectus m.)·아래빗근(inferior oblique m.) 부교감신경섬유: 동공조임근(sphincter pupillae m.)·섬모체근(ciliary m.) 등의 민무늬근육(smooth m.)	정명·동자료·승읍·찬죽·구후	☞p126
도르래신경(운동)			위빗근(superior oblique m.)	정명·찬죽·구후	☞p105
삼차신경(혼합)	눈신경(Ⅰ)	씹기근육(muscles of mastication)의 운동 얼굴(face)의 감각	안구의 공막, 각막과 결막·눈물샘(lacrimal gland)·이마부위피부·코안점막	소료·정명·곡차·두유·본신·양백·두임읍	☞p105
	위턱신경(Ⅱ)		위턱부위·관자부위·볼 부위(buccal region)의 피부·코안(nasal cavity), 입안(oral cavity) 뒤쪽의 점막·위치아	수구·영향·화료·승읍·사백·거료·상관	
	아래턱신경(Ⅲ)		감각지: 아래턱부위·관자부위의 피부·구강과 혀의 점막·아래치아 운동지: 씹기근육(muscles of mastication)과 두힘살근(digastric m.)의 앞힘살(anterior belly)	지창·하관·승장·대영·협거	
갓돌림신경(운동)			가쪽곧은근(lateral rectus m.)	동자료	
얼굴신경(혼합)			운동성: 얼굴(표정근)을 지배한다 감각성: 혀의 앞 2/3의 미각을 담당한다 부교감: 눈물샘(lacrimal gland)·턱밑샘(submandibular gland)·혀밑샘(sublingual gland)	예풍·화료·청궁·하관·협거·대영·지창·영향·솔곡·천유·완골·천용	☞p108, 126
속귀신경(감각)			안뜰신경(vestibular n.)과 달팽이신경(cochlear n.)으로 이루어진다. 평형감각과 청각을 담당한다.	예풍·청궁·청회·이문	
혀인두신경(혼합)			감각성: 혀의 뒤 1/3의 미각·목동맥팽대(carotid sinus), 목동맥토리(carotid body)의 감각을 담당한다 부교감: 귀밑샘(parotid gland) 운동성: 인두(pharynx)의 근육	예풍·천용·인영	☞p126
미주신경(혼합)			부교감: 목(cervical) 및 가슴(thoracic)·배(abdominal part) 내장의 감각을 담당한다 감각성: 인두·후두의 점막 운동성: 되돌이신경(recurrent n.)이 대표적이며, 인두·후두의 근을 지배하고, 연하, 발성, 조음에 작용한다	예풍·천유·천정·수돌·기사	☞p113, 126
더부신경(운동)			목빗근(sternocleidomastoid m.)·등세모근(trapezius m.)	예풍·천용·천창·천정	☞p113, 118
혀밑신경(운동)			혀근육(muscles of tongue)	염천·금진·옥액	☞p113

2 목신경·목신경얼기과 관련된 경혈

신경의 명칭			기 시	지배영역	관련 경혈	참고페이지
목신경		뒤통수밑신경	C1의 뒤가지	근육가지: 깊은목근육	천주·풍부·풍지	
		큰뒤통수신경	C2의 뒤가지	근육가지: 깊은목근육 피부가지: 뒤통수부위(occipital region)와 마루부위(parietal region)의 피부	풍부-백회·승령·뇌공·낙각·옥침·천주	☞p109
		셋째뒤통수신경	C3의 뒤가지	근육가지: 깊은목근육 피부가지: 뒤통수부위(occipital region)의 피부	뇌호·옥침·천주	
목신경얼기	피부가지	작은뒤통수신경	C2·C3	귀의 뒤쪽과 뒤통수부위(occipital region)의 피부	천유·천충·부백·두규음·완골·풍지	☞p109, 115
		큰귓바퀴신경	C3·C4	귀의 뒤쪽·가쪽과 앞쪽의 피부	예풍·계맥·노식·천창·천용	☞p109, 115
		가로목신경	C2·C3	앞목부위·관자부위의 피부	천정·수돌·부돌·천창	
		빗장위신경	C3·C4	목아래부위·가슴위부위의 피부	천정·수돌·부돌·천창	☞p115
	근육가지	목신경고리	C1-C3	목뿔아래근육(infrahyoid muscle)	천용·천창·부돌·천정	
		가로막신경	C3-C5	근육가지: 가로막(diaphragm) 피부가지: 가로막(diaphragm) 상하의 가슴막(pleura)·배막(peritoneum) 및 세로칸 가슴막(mediastinal pleura)	천정·수돌·기사	☞p115, 132

3 팔신경얼기과 관련된 경혈

	신경의 명칭	기 시	지배영역	관련 경혈	참고페이지
신경얼기·줄기의 가지	등쪽어깨신경	C4·C5	근육가지: 마름근(rhomboid m.)	대추·도도·신주·풍문·폐수-심수·백호-신당	☞p142, 151
	긴가슴신경	C5·C7	근육가지: 앞톱니근(serratus anterior m.)	연액·첩근	☞p142
	어깨위신경	C5·C6	근육가지: 가시위근(supraspinatus m.)·가시아래근(infraspinatus m.)·목갈비근(scalenus m.)·빗장밑근(subclavius m.)·긴목근(longus colli m.) 피부가지: 어깨세모근(deltoid m.)과 위팔(upper arm) 상반부 가쪽피부	병풍·곡원·거골·천종·견우·견료·비노	☞p142, 151
신경다발가지	가쪽가슴근신경 안쪽가슴근신경	C5·C8·T1	근육가지: 큰가슴근(pectoralis major m.)·작은가슴근(pectoralis minor m.) 피부가지: 아래팔앞면·겨드랑앞벽·어깨관절(shoulder joint) 주위	중부·운문·보랑-수부·기호-유근·식두-주영	☞p142
	안쪽위팔피부신경	C8·T1	피부가지: 위팔안쪽에서 뒷면의 피부	천부·협백·청령·천천·수오리·비노	☞p142
	안쪽이레팔피부신경	C5·C6	피부가지: 아래필인쪽에서 뒷면의 피부	소해(음)·영도·통리·음극	
	어깨밑신경	C5·C8	근육가지: 어깨밑근(subscapularis m.)·큰원근(teres major m.)	견정	☞p142, 151
	가슴등신경	C5·C7	근육가지: 넓은등근(latissimus dorsi m.)	견정·독수-관원수	☞p123, 142
끝가지	겨드랑신경	C5·C7	근육가지: 어깨세모근(deltoid m.)·작은원근(teres minor m.) 피부가지: 어깨세모근 뒤모서리와 위팔 위쪽의 가쪽피부	비노·노회·노수·견정	☞p142, 151
	근육피부신경	C5·C7	근육가지 : 위팔(upper arm)의 모든 굽힘근(flexor muscles) 피부가지 : 아래팔 앞면의 노쪽 피부	천부·협백·척택·청령·천천·곡택	☞p153
	노신경	C5·C8·T1	근육가지: 위팔(upper arm)과 아래팔(forearm)의 모든 폄근(extensor m.) 피부가지: 위팔(upper arm)의 뒤쪽·아래쪽의 가쪽과 아래팔 앞뒤면·손등과 손가락등의 노쪽 피부	공최-경거·온류-수삼리·곡지-수오리·천정-노회·양지-사독·양곡·양로	☞p152
	정중신경	C5·C8·T1	근육가지: 아래팔(forearm)의 굽힘근(flexor m.)의 대부분·엄지두덩근(thenar muscle)·첫째·둘째 벌레근(the 1st&2nd lumbrical m.) 피부가지: 바닥쪽(palmar)의 엄지손가락(thumb)·집게손가락(index finger)·가운데손가락(middle filger) 및 반지손가락(ring finger)의 반과 이들 손가락 등쪽면(dorsal surface)의 중간마디·끝마디의 피부	천천-곡택-대릉	☞p154
	자신경	C7·C8·T1	근육가지: 아래팔(forearm)의 굽힘근(flexor m.)의 일부(자쪽손목굽힘근(flexor carpi ulnaris m.)·깊은손가락굽힘근(flexor digitorum profundus m.)의 자쪽과 새끼두덩근(hypothenar m.)·자쪽 벌레근(ulnar lumbrical m.)·뼈사이근(interosseous m.), 엄지모음근(adductor pollicis) 피부가지: 아래팔 아래쪽의 자쪽과 손바닥·손등의 자쪽 피부	소해(음)·영도·통리·음극·신문·지정·소부	☞p155

4 허리신경얼기와 관련된 경혈

신경의 명칭	기 시	지배영역	관련 경혈	참고페이지
엉덩아랫배신경	T12·L1	근육가지: 앞배벽근육(muscles of anterior abdominal wall) 피부가지: 아랫배부위와 볼기부위(gluteal region)의 피부	위경·신경·비경의 하복부의 각 경혈·환도	☞p167
엉덩샅굴신경	T12·L1·L2	근육가지: 가쪽배벽근육(lateral abdominal m.) 피부가지: 넙다리 위안쪽·두덩부위(pubic region)·음낭	족오리·음렴·급맥·기문·충문·귀래·기충	
음부넙다리신경	T12·L1·L2	근육가지: 고환올림근(cremaster m.) 피부가지: 넙다리 위안쪽과 음낭	족오리·음렴·급맥·기문·충문·귀래·기충	☞p167
가쪽넙다리피부신경	L1-L3	피부가지: 넙다리 가쪽의 피부	풍시	
넙다리신경	L1-L4	근육가지: 넙다리폄근(extensor m. of femur)군 피부가지: 두렁신경(saphenous n.)이 되어 종아리(lower leg)와 발등의 안쪽면의 피부감각을 담당한다	비관·복토·음시·양구·기문·혈해·학정·삼음교·누곡·지기·축빈	☞p168
폐쇄신경	L2-L4	근육가지: 넙다리모음근(adductor m. of femur)군 피부가지: 넙다리 안쪽의 피부	음포·족오리·음렴·급맥·기문·혈해	☞p169

5 엉치신경얼기와 관련된 경혈

신경의 명칭	기 시	지배영역	관련 경혈	참고페이지
위볼기신경	L4-L5·S5	근육가지: 중간볼기근(gluteus medius m.)·작은볼기근(gluteus minimus m.)·넙다리근막긴장근(tensor fasciae latae m.) 피부가지: 볼기부위(gluteal region)의 피부	환도·승부·풍시	☞p167
아래볼기신경	L5·S1-S3	큰볼기근(gluteus maximus m.)과 그 피부에 분포한다	소장수-승부·포황·질변	☞p167, 170
궁둥신경	L1-L2·S1-S4	근육가지: 넙다리굽힘근(flexor m. of femur)군 피부가지: 종아리(lower leg)의 피부	환도·승부·은문·부극·위양	☞p167, 171
정강신경	궁둥신경(sciatic n.)의 가지	근육가지: 종아리굽힘근(flexor m. of leg)군 피부가지: 종아리 뒤면·발바닥 및 발등의 바깥쪽	합양·승근·승산·비양·용천·금문·경골·속골	☞p167, 170, 171
깊은종아리신경	궁둥신경(sciatic n.)의 가지	근육가지: 종아리폄근(extensor m. of leg)군 피부가지: 발등의 엄지쪽	족삼리·상거허·조구·하거허·해계	☞p171
얕은종아리신경	궁둥신경(sciatic n.)의 가지	근육가지: 종아리근(peroneal m.)군 피부가지: 종아리 아래쪽과 발등	양릉천·양교·외구·광명·현종·구허	☞p170, 171

부표 3　체표의 동맥박동부와 관련된 경혈

명　칭	촉진부위	관련 경혈	참고페이지
얕은관자동맥	외이도(external auditory canal)의 앞, 광대활(zygomatic arch)의 위	청궁 · 청회 · 각손 · 두유 · 화료	☞p103
얼굴동맥	아래턱뼈(mandible)의 아래모서리	대영 · 지창	
뒤통수동맥	바깥뒤통수뼈융기(external occipital protuberance) 위, 등세모근(trapezius m.)과 목빗근(sternocleidomastoid m.) 사이	천주	
온목동맥	목동맥삼각(carotid triangle)	인영	☞p103
위팔동맥	팔오금(cubital fossa)과 위팔두갈래근힘줄(biceps brachii tendon)의 자쪽	곡택	☞p149
노동맥	손목관절 앞면의 노쪽	태연 · 경거	
넙다리동맥	위앞엉덩뼈가시(anterior superior iliac spine)와 두덩결합(pubic symphysis)을 연결하는 선의 중점, 그 2~3cm 아래쪽	충문 · 기충	☞p166
오금동맥	오금(popliteal space)의 중앙	위중	
뒤정강동맥	안쪽복사(medial malleolus)와 아킬레스건(Achilles tendon) 사이	태계	
발등동맥	발등에서 긴엄지폄근힘줄(extensor hallucis longus tendon)과 긴발가락폄근힘줄(extensor digitorum longus tendon) 사이	충양 · 태충	

부표 4 요혈표

1 음경(陰經)의 원혈(原穴)·낙혈(絡穴)·오수혈(五兪穴)·모혈(募穴)·배수혈(背兪穴)

명 칭		수 삼음경맥			족 삼음경맥			참고페이지
		폐 경	심포경	심 경	비 경	간 경	신 경	
원 혈		태 연	대 릉	신 문	태 백	태 충	태 계	☞p179
낙 혈		열 결	내 관	통 리	공 손	여 구	대 종	☞p180
극 혈		공 최	극 문	음 극	지 기	중 도	수 천	☞p181
오수혈	정목혈	소 상	중 충	소 충	은 백	대 돈	용 천	p182, 183
	형화혈	어 제	노 궁	소 부	대 도	행 간	연 곡	
	수토혈	태 연	대 릉	신 문	태 백	태 충	태 계	
	경금혈	경 거	간 사	영 도	상 구	중 봉	복 류	
	합수혈	척 택	곡 택	소 해(음)	음릉천	곡 천	음 곡	
모 혈		중부 自	단중 임	거궐 임	장문 他	기문 自	경문 他	☞p185
배수혈		폐 수	궐음수	심 수	비 수	간 수	신 수	

2 양경(陽經)의 원혈(原穴)·낙혈(絡穴)·오수혈(五兪穴)·모혈(募穴)·배수혈(背兪穴)

명 칭		수 삼양경맥			족 삼양경맥			참고페이지
		대장경	삼초경	소장경	위 경	담 경	방광경	
원 혈		합 곡	양 지	완 골	충 양	구 허	경 골	☞p179
낙 혈		편 력	외 관	지 정	풍 륭	광 명	비 양	☞p180
극 혈		온 류	회 종	양 로	양 구	외 구	금 문	☞p181
오수혈	정금혈	상 양	관 충	소 택	여 태	족규음	지 음	p182, 183
	형수혈	이 간	액 문	전 곡	내 정	협 계	족통곡	
	수목혈	삼 간	중 저	후 계	함 곡	족임읍	속 골	
	경화혈	양 계	지 구	양 곡	해 계	양 보	곤 륜	
	합토혈	곡 지	천 정	소 해(양)	족삼리	양릉천	위 중	
모 혈		천추 他	석문 임	관원 임	중완 임	일월 自	중극 임	☞p185
배수혈		대장수	삼초수	소장수	위 수	담 수	방광수	

【보충】

1. 십오락혈설(十五絡穴說)과 십육락혈설(十六絡穴說): 위의 십이락혈(十二絡穴)에 독맥(督脈)의 장강(長强), 임맥(任脈)의 구미(鳩尾), 및 비경(脾經)의 대포(大包)(비의 대락(大絡)이라고 한다)를 추가하여 십오락혈이 된다. 또 위(胃)의 대락인 허리(虛里)(심장끝(apex of heart) 박동부에 있다)를 추가하면 십육락혈이 된다.

2. 십육극혈설(十六郄穴說): 위의 십이극혈(十二郄穴)에 기경(奇經)의 극혈인 음교맥(陰蹻脈)의 교신(交信), 양교맥(陽蹻脈)의 부양(跗陽), 음유맥(陰維脈)의 축빈(築賓), 양유맥(陽維脈)의 양교(陽交)의 4경혈을 추가하여 십육극혈이 된다.

3. 타(他)란 다른 경맥에 있는 경혈, 자(自)란 자신의 경맥에 있는 경혈, 임(任)이란 임맥에 있는 경혈을 의미한다.
   모혈 중에서는 타(他)의 경혈수가 3개, 자(自)가 3개, 임(任)이 6개이다.

3 팔회혈(八會穴)·사총혈(四總穴)·팔맥교회혈(八脈交會穴)·하합혈(下合穴)

명칭		경혈	주치	명칭	경맥(경혈)	주치	참고페이지
팔회혈	장회	장문	오장(五臟)	팔맥교회혈	충맥(공손) ⇕ 음유맥(내관)	위장질환과 신경증과 심장질환	☞p186, 187
	부회	중완	육부(六腑)				
	기회	단중	기(氣)		대맥(족임읍) ⇕ 양유맥(외관)	얼굴, 관자부위와 목(neck)의 질환	
	혈회	격수	혈(血)				
	맥회	태연	맥(脈)		독맥(후계) ⇕ 양교맥(신맥)	얼굴, 관자부위와 어깨뼈(scapula) 주위의 질환	
	근회	양릉천	근(筋)				
	골회	대저	골(骨)		임맥(열결) ⇕ 음교맥(조해)	가슴(thorax), 호흡기계 질환	
	수회	절골	수(髓)				

	경혈	주치부위		경혈	관련 부(腑)와 주치		참고페이지
사총혈	열결	머리목부위의 병증 (고전 : 두항(頭項))	하합혈	상거허	대장	변비와 하리	☞p188
	합곡	얼굴의 병증 (고전 : 면목(面目))		위양	삼초	빈뇨와 배뇨통	
	위중	등허리의 병증 (고전 : 요배(腰背))		하거허	소장	소화불량	
	족삼리	배(abdomen)의 병증 (고전 : 두복(肚服))		족삼리	위	소화불량	
				양릉천	담	간담질환의 동통	
				위중	방광	빈뇨와 배뇨통	

【보충】

1 절골(絶骨)은 현종(懸鐘)의 다른 명칭이다. 고전에서는 절골을 사용한다.

색 인

WHO/WPRO 표준경혈 · 기혈